TRAITÉ
CONTRE LES DONATISTES

SOURCES CHRÉTIENNES

N° 413

OPTAT DE MILÈVE

TRAITÉ
CONTRE LES DONATISTES

TOME II
(LIVRES III À VII)

*TEXTE CRITIQUE,
TRADUCTION, NOTES ET INDEX*

PAR

Mireille LABROUSSE

Maître de conférences à l'Université de Montpellier

LES ÉDITIONS DU CERF, 29 Bd de Latour-Maubourg, Paris 7e
1996

*La publication de cet ouvrage a été préparée avec le concours
de l'Institut des « Sources Chrétiennes »
(U.R.A. 993 du Centre National de la Recherche Scientifique)*

© *Les Éditions du Cerf, 1996.*
ISBN : 2-204-05336-8
ISSN : 0750-1978

TEXTE
ET
TRADUCTION

Dans les abréviations bibliographiques, le chiffre en indice après le nom de l'auteur (par ex. FREND₃) indique dans quelle partie de la bibliographie (1, 2, 3 ou 4 ; t. 1, p. 146-169) se trouve le titre complet de l'œuvre en question.

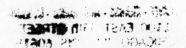

LIBER TERTIVS

1. 1. Satis, ut arbitror, in secundo libello de ecclesia quae
sponsa est Christi et de eius dotibus et de hereditate diximus
saluatoris. Consequens est primo schismaticorum
errores ostendere, deinde quae fuerit causa ut unitas fieret,
5 tertio quis fecerit ut miles mitteretur armatus. Ab operariis
unitatis multa quidem aspere gesta sunt, sed ea quid imputatis
Leontio, Macario uel Taurino ? **2.** Imputate maioribus
uestris qui, sicut in propheta scriptum est, *ut uobis stupescerent
dentes ipsi uuas acidas comederunt* [a]. Illis primo
10 qui Dei populum diuiserunt et basilicas fecerunt non necessarias,
deinde Donato Carthaginis qui prouocauit ut unitas

G RBV z

Titulus : Incipit liber tercius G   INCIPIT LIBER TERTIVS R   Incipit
Lib tercius B

1, 1 quae : qua V ‖ 2 de [2] : *om.* B ‖ 4 errores : -re RB ‖ quae : qui RBV
‖ unitas : -tatis B ‖ 5 quis : qui RBV ‖ fecerit : fuerit RBV ‖ mitteretur :
moreretur V ‖ 6 aspere : -ra RBV ‖ gesta : facta RBV ‖ ea : + ad R ‖ quid :
aliquid BV ‖ 7 Leontio : Lentio RBV ‖ Macario : -chario G ‖ Taurino :
Thaurino G ‖ 9 dentes : + patres uestri peccauerunt G ‖ illis primo qui dei :
illi quidem primo G

---

a. Jér. 31, 29 ; Éz. 18, 2

---

1. Léonce est associé à Ursace dans la première tentative impériale de
rétablir l'unité (fin 316-milieu 321). Cf. *Gesta,* III, 258 ; MANDOUZE[3],
Prosop., p. 632. ~ Macaire est, avec Paulus, le responsable de l'exécution de
la politique « d'unité » entreprise au nom de l'empereur Constant (343-
348). Cf. AVG., *Epist.*, XLIV, III, 5 ; *C. Petil.*, II, XXXIX, 92 ; FREND[3],

LIVRE III

I. Rôle des donatistes dans l'intervention de l'armée

1. Les donatistes sont responsables de l'intervention de l'armée

1. 1. Nous avons suffisamment parlé, je pense, dans le second livre, de l'Église, qui est l'épouse du Christ, de ses dons et de l'héritage du Sauveur. Il est logique de révéler d'abord les erreurs des schismatiques, de montrer ensuite quelle fut la cause du rétablissement de l'unité et, en troisième lieu, qui fut responsable de l'intervention de l'armée. Certes, de nombreux actes de violence ont été commis par les artisans de l'unité, mais pourquoi les imputez-vous à Léonce, Macaire ou à Taurinus [1] ? 2. Imputez-les à vos prédécesseurs qui, comme il est écrit dans les livres du prophète, « pour que vos dents soient agacées, ont mangé des raisins verts [a] ». Imputez-les d'abord à ces hommes qui ont divisé le peuple de Dieu et qui ont construit des églises inutiles ; ensuite, à Donat de Carthage, qui fit si bien par ses

---

Donatist Church, p. 177 s. ; CONGAR[4], *BA* 28, p. 715 : « Le commissaire impérial Macaire » ; MANDOUZE[3], *Prosop.,* p. 655-657. ~ Taurinus est connu par le récit d'Optat pour avoir envoyé des soldats contre les circoncellions. Cf. OPT., III, 12, 6. *Gesta,* III, 258 ; MANDOUZE[3], *Prosop.,* p. 1100.

proximo tempore fieri temptaretur, tertio Donato Bagaiensi
qui insanam collegerat multitudinem, a qua ne Macarius
uiolentiam pateretur ad se et ad ea quae ferebat tutanda
15 armati militis postulauit auxilium. 3. Venerunt tunc cum
pharetris armigeri. Repleta est unaquaque ciuitas uociferan-
tium. Nuntiata unitate fugistis omnes. Nulli dictum est :
Nega Deum, nulli dictum est : Incende testamentum, nulli
dictum est aut : Tus pone, aut : Basilicas dirue ; istae enim
20 res solent martyria generare. Renuntiata est unitas. Sola fuerant hortamenta ut Deus et Christus eius a populo in unum
conueniente pariter rogaretur. 4. Nullus erat primitus ter-
ror ; nemo uiderat uirgam, nemo custodiam ; sola, ut supra
diximus, fuerant hortamenta. Timuistis omnes, fugistis, tre-
25 pidastis, ut pro certo de uobis dictum sit quod in psalmo
quinquagesimo secundo scriptum est : *Ibi trepidauerunt
timore ubi non erat timor* [b]. Fugerunt igitur omnes episcopi
cum clericis suis ; aliqui sunt mortui, qui fortiores fuerunt
capti et longe relegati sunt.

2. 1. Et tamen horum omnium nihil actum est cum uoto
nostro, nihil cum consilio, nihil cum conscientia, nihil cum
opere, sed gesta sunt omnia in dolore Dei amare plorantis [c]
et in ultionem aquae quam contra interdictum iterum

12 tertio : testio R   testo B ǁ Bagaiensi : Baiagensi R   Baagensi B[ac]
Vagiensi G ǁ 13 collegerat : -erunt G ǁ ne : et RBV ǁ 14 uiolentiam : -tia
G ǁ quae : qui V ǁ 15 armati : arma R[ac]   armata BV ǁ 16 pharetris : faretris G RV   feretris B ǁ 17 nuntiata : -tam RBV ǁ unitate : -tem RBV ǁ fugistis : -isti B ǁ 18 nulli [1] dictum est : *om.* RB ǁ 19 aut [1] : *om.* G ǁ tus : thus
G ǁ tus pone : tu sponsae [sponse B] RB ǁ basilicas : -cam G ǁ 20 martyria : mastyria R   mastiria B ǁ renuntiata : nuntiata G ǁ sola : solo V ǁ 21
hortamenta : ornamenta V [*sic et postea*] ǁ Christus : spiritus RBV ǁ 24
timuistis : -isti B ǁ 26 quinquagesimo secundo : LI RBV ǁ est : sit G ǁ ibi :
om. RBV ǁ trepidauerunt : timuerunt G ǁ 27 timore : *om.* G ǁ 28 fortiores :
+ sunt V ǁ fuerunt : erant G ǁ 29 et : *om.* RBV ǁ relegati : religati RB
    2, 3 gesta : egesta G ǁ 4 aquae : aequae R ǁ iterum : interum RB

b. Ps. 52, 6   c. Cf. Is. 22, 4

provocations qu'on tenta de rétablir l'unité le plus tôt possible, enfin à Donat de Bagaï [1], qui avait réuni une foule insensée : pour ne pas subir de violences de sa part, Macaire demanda l'aide de l'armée, pour le protéger, lui et ce qu'il apportait. 3. Ils sont alors venus, avec leurs carquois [2], les porteurs d'armes. Chaque cité a été remplie de cris ; à l'annonce de l'unité, vous avez tous fui. On n'a dit à personne : « Renie ton Dieu », on n'a dit à personne : « Brûle le Testament », on n'a dit à personne : « Offre de l'encens » ou : « Détruis les basiliques », car ces faits, d'ordinaire, engendrent des martyres. On a proclamé l'unité. On avait seulement exhorté le peuple à se réunir dans un même lieu pour prier ensemble Dieu et son Christ. 4. Au début, il n'y avait aucune terreur ; personne n'avait vu ni bâton ni garde ; il n'y avait eu, comme nous l'avons dit plus haut, que des exhortations. Vous avez tous eu peur, vous avez fui, vous avez tremblé ; assurément, c'est à votre sujet qu'ont été prononcées les paroles du Psaume 52 : « Ils ont tremblé d'effroi, là où il n'y avait pas d'effroi [b]. » Tous les évêques ont donc fui, avec leurs clercs ; certains sont morts, les plus vaillants ont été pris et exilés.

2. Les donatistes sont responsables des violences

Le témoignage de Tobie, d'Isaïe et des Psaumes

2. 1. Et pourtant, de tous ces actes, aucun n'a été commis ni sur notre demande, ni avec notre accord, ni à notre connaissance, ni avec notre aide, mais tout a été fait dans la douleur de Dieu qui pleure amèrement [c], et pour vous punir d'avoir agité l'eau une seconde

---

1. Sur Donat de *Bagaï* (en Numidie = Ksar-Baghaï, en Algérie), cf. AVG., *C. Petil.*, II, XX, 46 ; MANDOUZE[3], *Prosop.*, p. 304 : « Donatus 8 ».

2. L'emploi du mot « carquois » (*pharetris*) annonce la citation d'*Is.* 22, 6 qui suit (III, 2, 11) : « Les Élamites monteront avec leurs carquois (*ascendent Elamitae cum pharetris*). »

5 mouistis ^d transducentes ad uos aquam antiquae piscinae ^e,
  sed nescio an cum illo pisce qui Christus intellegitur qui in
  lectione patriarcharum ^f legitur in Tigride flumine prehen-
  sus, cuius fel et iecur tulit Tobias ad tutelam feminae Sarrae
  et ad illuminationem Tobiae non uidentis. 2. Eiusdem pis-
10 cis uisceribus Asmodeus daemon a Sarra puella fugatus est,
  quae intellegitur ecclesia, et caecitas a Tobia exclusa est. Hic
  est piscis qui in baptismate per inuocationem fontalibus
  undis inseritur ut quae aqua fuerat a pisce etiam piscina
  uocitetur. Cuius piscis nomen secundum appellationem
15 Graecam in uno nomine per singulas litteras turbam sanctorum nominum continet, ΙΧΘΥΣ, quod est Latinum : Iesus
  Christus, Dei filius, saluator. 3. Hanc uos piscinam quae
  in omni catholica per totum orbem terrarum ad uitam generis humani salutaribus undis exuberat, transduxistis ad
20 uoluntatem uestram et soluistis singulare baptisma ; ex quo
  baptismate hominibus muri facti sunt ad tutelam, et fecistis

---

5 transducentes : traducentes RBV ‖ 6 intellegitur : -getur B ‖ 7 patriarcharum : patriarche + Tobi G ‖ 8 iecur : iector V ‖ Tobias : Thobias V ‖
Sarrae : Sare GR   Sarae z ‖ 9 Tobiae : Thobie V   Thobi G ‖ piscis : om.
RB ‖ 10 uisceribus : + et G ‖ Asmodeus : as modeus RB   Hasmodeus V
nas modeus G ‖ Sarra : Sara G z ‖ fugatus : uocatus G ‖ est : om. G ‖ 11
Tobia : Tobi RBV   Thobi G ‖ hic : hoc R^{ac} ‖ 14 uocitetur : uocitur B ‖
cuius : huius G ‖ 15 turbam sanctorum : turbans auctorum V ‖ 16 ΙΧΘΥΣ :
+ ichtys G ‖ latinum : -ne G ‖ 17 hanc : om. G ‖ 18 humani generis G ‖
21 hominibus : credentibus G

---

d. Cf. Jn 5, 4   e. Cf. Is. 22, 9   f. Cf. Tob. 6, 1-9 ; 8, 2-3 ; 11, 13-15

---

1. « Iterum mouistis aquam » : Ziwsa (*CSEL* 26, p. 68) fait référence à
Jn 5, 4 : « Car l'ange du Seigneur descendait par intervalles dans la piscine ;
l'eau s'agitait et le premier qui entrait, après que l'eau avait bouillonné, se
trouvait guéri, quel que fût son mal » (Il s'agit de la piscine de Bézatha, à
Jérusalem). Cf. Tert., *Bapt.*, VII, 74 (*SC* 35). Cf. Opt., II, 6, 2. Turner₂
(*Aduersaria critica*, p. 294) pense que II, 6, 2 est bien une allusion à *Jn* 5,
4, alors qu'ici (III, 2, 1) le texte se rapporte à *Is.* 22, 9-11 : « Vous avez
démoli des maisons pour consolider le rempart. Au milieu vous avez fait
un ouvrage entre les deux murs pour les eaux de l'ancienne piscine. »
2. Optat aurait-il confondu Sarra, fille de Ragouël et épouse de Tobie,

fois [d], malgré l'interdiction, en faisant passer chez vous l'eau de l'ancienne piscine [e] [1] ; mais je ne sais si elle contenait ce poisson qui symbolise le Christ, dont on lit dans le livre des patriarches [f] qu'il fut pris dans le fleuve du Tigre, et dont Tobie emporta le fiel et le foie pour sauver sa femme Sarra et pour rendre la lumière à Tobie, qui ne voyait pas. 2. Grâce aux viscères de ce même poisson, le démon Asmodée fut chassé de la jeune fille Sarra, qui symbolise l'Église [2], et la cécité de Tobie fut guérie [3]. C'est ce poisson qui, dans le baptême, par l'invocation, est introduit dans les eaux baptismales, si bien que ce qui n'était que de l'eau prend aussi le nom de *piscine*, qui vient de *piscis*, le poisson. Ce mot de *poisson*, dans son appellation grecque, contient en un seul mot, à travers chaque lettre, une foule de mots saints : ICH-THUS qui donne en latin : Jésus-Christ, Fils de Dieu, Sauveur. 3. Cette piscine qui, dans toute l'Église catholique, à travers toute la terre, pour la vie du genre humain, regorge d'eaux salvatrices, vous l'avez fait passer sous votre volonté et vous avez détruit l'unité du baptême ; or, par ce baptême, des murs ont été élevés pour sauver les hommes, et vous avez fabriqué, pour ainsi dire, d'autres murs sans

avec l'autre Sara, femme d'Abraham (*Gen.* 11, 29-31) et mère d'Isaac (*Gen.* 21, 1-3) ? C'est cette dernière, en effet, qui est considérée comme l'ancêtre d'Israël (cf. *Is.* 51, 2 ; *Rom.* 9, 9). La confusion pourrait venir de la lecture erronée d'un passage de CYPR. (*Testim.*, I, 20) où l'auteur établit un rapprochement entre Sara, femme d'Abraham, et l'Église (*Sarra sterilis* et *ecclesia sterilis*). Dans ce texte, dont l'influence se fait encore sentir plus loin (cf. les « sept synagogues », III, 2, 6), Cyprien fait également référence à Tobie (« sicut Raphaël angelus in Tobia dicit »).

3. Grâce au poisson qu'il a attrapé dans le Tigre (*Tob.* 6, 2-9), Tobie délivre Sarra du démon Asmodée (*Tob.* 8, 1-3) et guérit son père (le vieux Tobit) de la cécité (*Tob.* 11, 10-13). Cf. J. DOIGNON, « Tobie et le poisson dans la littérature et l'iconographie occidentale, IIIe et IVe siècles. Du symbolisme funéraire à une exégèse christique », *RHR* 190 (1976), p. 113-126 (la scène biblique a été associée au symbole de l'ἰχθύς, répandu par l'acrostiche qui compose les titres du Christ ; ainsi s'est développée, à partir du IVe siècle, une exégèse christique de la pêche de Tobie).

quasi alteros muros nullum bonum aedificium facientes.
4. Non potuistis instruere nisi dirueretis. Et quale potest
esse aedificium quod de ruina construitur ? Hanc rem per
25 Esaiam ᵍ prophetam Deus dolet et flet, cum dicit filiam sui
generis esse contritam. Genus Dei est non habere genus, qui
ex se est et manet in aeternum. 5. Similis est et aqua, quam
non legimus factam. In cuius aquae iniuria indicat Deus
lacrimas suas, quas uos fecistis, quas testatur nulla posse
30 consolatione siccari, cum ad uos per Esaiam prophetam
loquitur dicens : *Missum me facite, amare plorabo, nemo
poterit consolari me in contritione filiae generis mei* ʰ. Hoc
loco defenditur innocentia nostra, dum Deus cum dolore
iracundiam uobis indicat suam, dum et causam prodit et
35 rationem ostendit. 6. Denique non ait : in Sion, sed in una
eius ualle sunt celebrata ; non in illo monte Sion, quem in
Syria Palaestina a muris Hierusalem paruus disterminat
riuus, in cuius uertice est non magna planities, in qua fuerant septem synagogae, ubi Iudaeorum populus conueniens

22 nullum : multum G ‖ bonum : nouum RBV ‖ 23 instruere : extruere
G   construere Rᵖᶜ z ‖ dirueretis : -eritis V ‖ 24 construitur : constituitur V
‖ 25 Esaiam : Esayam V Ysaiam B ‖ flet : deflet G ‖ 26 generis sui G ‖ 27
aeternum : aeternitatem R   eternitatem B ‖ 28 factam : *om.* RBV ‖ iniuria :
-riam G ‖ 30 cum : dum G ‖ per Esaim prophetam : *om.* RBV ‖ 31 me :
post nemo *transp.* G ‖ 33 dum : cum RBV ‖ 34 causam : -sas RBV ‖ 35
rationem : traditionis R   traditiones BV ‖ ait : *om.* G ‖ in ¹ : + tota G ‖
Sion : Syon G BV [*sic et postea*] ‖ una : uia V ‖ 36 ualle : ualde G ‖ 37
Syria : Siria R ‖ Hierusalem : iherusalem BV ‖ disterminat : desterminat V
determinat RB ‖ 38 qua : quo RBV ‖ 39 septem : *om.* G

g. Cf. Is. 22, 4   h. Is. 22, 4

1. Le mot *synagoga* n'apparaît qu'une fois chez Optat (ici). Dans la
Vulgate, il désigne aussi bien l'assemblée des juifs (cf. *Act.* 13, 43 : *cum
dimissa esset synagoga* :, « après que l'assemblée se fut séparée ») que l'édifice qui leur sert de lieu de culte (cf. *Act.* 13, 14 : *ingressi synagogam sede-
runt*, « ils entrèrent à la synagogue et s'assirent »). A l'époque du Christ,
les synagogues étaient très nombreuses à Jérusalem (cf. H. LECLERCQ, art.
« Judaïsme », *DACL* 8, 1928, col. 38-50 et 142-143). ~ Quelles sont ces
« sept synagogues » qu'Optat situe sur la « montagne de Sion » ? L'évêque

pour autant construire un bon édifice. 4. Vous n'avez pu
construire sans détruire. Et de quelle nature peut être l'édifice qui est construit à partir de ruines ? De cela Dieu se
plaint par la bouche du prophète Isaïe, et il pleure, lorsqu'il
dit que la fille de son peuple a été ruinée [g]. C'est le propre
de la nature divine de ne pas avoir d'origine, car Dieu existe
de lui-même et il demeure pour l'éternité. 5. Il en est de
même pour l'eau, dont nous ne lisons pas qu'elle ait été
créée. Dans l'injure faite à cette eau, Dieu montre ses larmes ;
vous les avez provoquées, et il prouve qu'aucune consola-
tion ne peut les sécher lorsqu'il dit, en s'adressant à vous par
la bouche du prophète Isaïe : « Laissez-moi, je pleurerai
amèrement, personne ne pourra me consoler de la ruine de
la fille de mon peuple [h]. » Dans ce passage, notre innocence
est défendue puisque Dieu nous révèle, avec sa douleur, sa
colère contre vous, puisqu'il en donne la cause et qu'il en
montre la raison. 6. Ainsi, il ne dit pas qu'on se pressait
sur la montagne de Sion, mais dans une seule de ses vallées ;
il ne parle pas de cette montagne de Sion qu'un petit ruis-
seau sépare, en Syro-Palestine, des murs de Jérusalem ; à son
sommet se trouve un petit plateau sur lequel s'élevaient les
sept synagogues [1] où le peuple des juifs, rassemblé, avait pu

de Milève a pu s'inspirer de l'exégèse d'*Is.* 54, 1-3 par CYPR. (*Testim.*, I,
20) : « Quod ecclesia quae prius sterilis fuerat plures filios habitura esset ex
gentibus quam quot synagoga ante habuisset. » Évoquant les deux épouses
de Jacob (*Gen.* 29, 15-30), Cyprien affirme que la première, Léa, symbolise la synagogue (*typum synagogae*) alors que la deuxième, Rachel, est le
symbole de l'Église (*typum ecclesiae*). Il donne ensuite une liste de références scripturaires où apparaît le symbolisme du chiffre sept : les sept
églises (*Apoc.* 1, 4), les sept anges (*Tob.* 12, 15), les sept yeux de la pierre
placée devant Josué (*Zach.* 3, 9), les sept esprits (*Apoc.* 1, 4), les sept can-
délabres (*Apoc.* 1, 20). ~ Dans tout ce passage (III, 2, 6-8), Optat pourrait
également avoir été influencé par la lecture du *De montibus Sina et Sion*,
ouvrage faussement attribué à Cyprien (avant 240), dans lequel on retrouve
la même interprétation typologique de la « montagne de Sion », les mêmes
citations scripturaires et des similitudes de vocabulaire (cf. notamment
« in Syria Palaestina », *De mont.*, 3).

40 legem per Moysen datam discere potuisset, sed ubi nulla lis
    audita est nec ab aliquo celebratum iudicium nec aliqua est
    illic ab ullo iudice lata sententia, quia locus erat doctrinae,
    non controuersiae post doctrinam. 7. Si quid agendum
    erat, intra muros Hierusalem agebatur. Inde scriptum est in
45 Esaia propheta : *Ex Sion prodiet lex et uerbum domini ex*
    Hierusalem [i]. Non ergo in illo monte Sion Esaias aspicit ual-
    lem sed in monte sancto qui est ecclesia, qui per omnem
    orbem Romanum caput tulit sub toto caelo, in quo monte
    a Deo patre filius Dei regem se constitutum esse gratulatur
50 in psalmo primo dicens : *Quoniam regem constituit me*
    super Sion montem sanctum suum [j], utique super ecclesiam
    cuius rex et sponsus et caput est, non in illo monte ubi nul-
    lae sunt portae, quas diligat Deus, sed in monte ecclesiae qui
    spiritaliter appellatur. 8. Cuius ecclesiae portas introeunt
55 innocentes, iusti, misericordes, continentes et uirgines, quas
    portas commemorat spiritus sanctus per Dauid in psalmo
    octogesimo sexto dum dicit : *Fundamenta eius in montibus*
    sanctis, diligit dominus portas Sion [k]; non illius corporalis
    montis, ubi iam nullae sunt portae et post uictorias
60 Vespasiani imperatoris uix antiquarum extant uestigia rui-
    narum, est ergo spiritalis Sion ecclesia, in qua a Deo patre

---

40 Moysen : -sem B ‖ discere : -ret RB   disteret V ‖ potuisset : potius
RBV ‖ sed : *om.* G ‖ 42 doctrine erat B ‖ 43 controuersiae : -sia V -se B ‖
44 Hierusalem : ierusalem B   iherusalem V ‖ 45 Esaia propheta : Esaiam
[Esayam BV] prophetam RBV ‖ ex [2] : ab RB   ad V   de z ‖ 46 illo monte :
illius montis RBV ‖ Sion : + et RBV ‖ 47-48 qui [2] — tulit : que per orbe
romanum tulit caput G ‖ 49 esse constitutum G ‖ gratulatur : -labatur R[ac]
testatur G ‖ 50 primo : secundo G ‖ quoniam : quo modo B ‖ 51 suum :
eius G ‖ 52 est : *post* sponsus *transp.* G ‖ nullae : non inille R   non ulle B
non ille V ‖ 53-56 quas — Dauid : *om.* RBV ‖ 53 qui : + Syon G ‖ 57 octo-
gesimo sexto : LXXXV RBV ‖ 58 non : + in B ‖ 60 extant : existant G ‖
uestigia : indicia RBV ‖ 61 a : *om.* V

---

i. Is. 2, 3   j. Ps. 2, 6   k. Ps. 86, 1-2

apprendre la Loi donnée par Moïse ; mais là, aucune cause ne fut entendue, aucun jugement ne fut proclamé, aucune sentence ne fut rendue par aucun juge, car c'était le lieu de l'enseignement et non celui de la controverse après l'enseignement. 7. Si quelque événement devait avoir lieu, c'était entre les murs de Jérusalem qu'il se produisait. C'est pourquoi il est écrit chez le prophète Isaïe : « De Sion viendra la Loi et de Jérusalem la parole du Seigneur [i]. » Ainsi, ce n'est pas sur cette montagne de Sion qu'Isaïe voit la vallée, mais sur la montagne sainte, qui est l'Église, qui, à travers tout le monde romain, a élevé sa tête sous l'immensité de la voûte céleste. Sur cette montagne, le Fils de Dieu se réjouit d'avoir été institué roi par Dieu le Père, en disant dans le Psaume premier : « Puisqu'il m'a institué roi sur Sion, sa sainte montagne [j] », c'est-à-dire sur l'Église dont il est le roi, l'époux, le chef, non pas sur cette montagne où ne se trouve aucune des portes que Dieu aime, mais sur la montagne de l'Église, comme on l'appelle symboliquement. 8. Ceux qui franchissent les portes de cette Église, ce sont les innocents, les justes, les miséricordieux, les continents et les vierges ; et l'Esprit-Saint évoque ces portes lorsqu'il dit par la bouche de David, dans le Psaume 86 : « Sa fondation sur les montagnes saintes, le Seigneur aime les portes de Sion [k] » ; il ne s'agit pas de cette montagne matérielle où ne se trouve plus de porte et où, après les victoires remportées par l'empereur Vespasien [l], il ne reste que quelques traces des anciennes ruines, mais il s'agit de la Sion spirituelle, de l'Église, sur laquelle le Christ a été institué roi par Dieu le Père, qui est

---

1. L'empereur Vespasien (69-79) avait confié à Titus le siège de Jérusalem. En août 70, le Temple fut incendié ; en septembre, la ville fut prise et systématiquement détruite. Les habitants furent tués ou vendus comme esclaves. Les derniers résistants, réfugiés dans la célèbre forteresse de Massada, préférèrent se suicider plutôt que de se rendre (73 ? 74 ?). Cf. P. PETIT, *Histoire générale de l'Empire Romain, I. Le Haut-Empire*, Paris 1974, p. 117.

rex constitutus est Christus, quae est in toto orbe terrarum,
in quo est una ecclesia catholica. 9. Nam Sion ecclesiam
esse et alio loco sanctissimus Dauid propheta testatur
65 dicens : *Lauda Deum tuum, Sion, qui confortauit seras por-*
tarum tuarum, benedixit filiis tuis in te [1]. Per singulas
prouincias totius orbis ualles singulas intellegimus montis ;
et dum non in toto monte uidet Esaias se in una ualle, hoc
est in sola Africa, in qua sola cum sufficerent templa Dei,
70 quae fuerant, alia facere uoluerunt principes uestri, in qua
sola deiecti sunt muri, et aqua sanctae piscinae transuersa est
et nouitas contra antiquitatem a uobis instituta est et aqua
humana contra diuinam ordinata est. 10. Hoc totum Deus
in uallem montis Sion et interrogat et increpat dicens : *Vt*
75 *quid hoc factum est uobis ? Ideo quoniam ascendistis in tem-*
pla superuacanea, unaquaeque ciuitas repleta est uociferan-
tium, uulnerati tui non uulnerati gladio et mortui in te non
mortui in bello : in errore sunt a minimo usque ad maximum
errantes in montibus omnes principes tui, in fugam conuersi
80 *sunt et qui capti sunt grauiter adligati et fortiores tui longe*
fugati sunt. 11. *Missum me facite, amare plorabo, nemo me*
poterit consolari in contritione filiae generis mei et ascendent
Elamitae cum pharetris – Elamitae Latina lingua dicuntur

---

63 quo : qua G ‖ una : unam G ‖ ecclesia : -iam G ‖ 64 loco : + idem G
‖ propheta : + in psalmo G ‖ 65 qui : quia G ‖ 66 tuarum : *om.* B ‖ filiis
tuis : filios tuos G ‖ 66-67 : per — ualles : *om.* RBV ‖ 68 monte : *om.* G ‖
uidet : + et RBV ‖ una : *om.* V ‖ 69 in [1] *codd.* : *om.* z ‖ Africa : + et GV ‖
71 et : + ut fierent muri G ‖ sanctae : -ta + et RBV ‖ piscinae : -na RBV ‖
72-73 et aqua — ordinata est : *om.* RBV ‖ 73 diuinam : -na G ‖ 74 uallem :
-le G ‖ 75 quoniam : quo modo B ‖ in : *om.* G ‖ 76 superuacanea : -uacua
+ et G ‖ 77 uulnerati : + in G ‖ tui : te G ‖ 78 in [1] : *om.* V ‖ a minimo :
aminimo V animo RᵃᶜB ‖ 79 montibus : omnibus G ‖ fugam : fuga G uirgam V ‖ 82 poterit me B ‖ 83 Elamitae [1] : uelamite G ‖ cum pharetris
Elamitae : *om.* G ‖ pharetris : faretris RV   feretris B

---

l. Ps. 147, 12-13

---

1. L'exégèse d'Optat semble faire écho, ici, à celle des donatistes. Nous
savons en effet que ces derniers interprétaient de la même façon le texte du

répandue sur toute la terre, où il existe une seule Église catholique. 9. Car le très saint prophète David atteste aussi, dans un autre passage, que Sion représente l'Église, lorsqu'il dit : « Loue ton Dieu, Sion, lui qui a renforcé les barres de tes portes ; il a chez toi béni tes enfants [1]. » Pour chaque province de toute la terre, nous nous représentons une vallée, au pied de la montagne ; et puisque Isaïe ne voit pas la foule sur toute la montagne mais dans une seule vallée, il s'agit de la seule Afrique [1] : là seulement, alors que les temples de Dieu qui existaient déjà suffisaient, vos chefs ont voulu en construire d'autres ; là seulement des murs ont été abattus, l'eau de la sainte piscine a été détournée, la nouveauté a été instituée par vous contre la tradition, et l'eau humaine a été opposée à l'eau divine. 10. Sur tout cela, Dieu interroge et lance des invectives contre la vallée du mont Sion, en disant : « Pourquoi avez-vous agi ainsi ? Parce que vous êtes montés vers des temples superflus, chaque cité a été remplie de cris, tes blessés n'ont pas été blessés par l'épée et tes morts ne sont pas morts à la guerre : tous tes chefs, du plus petit jusqu'au plus grand, se sont égarés, ils errent dans les montagnes, ils ont pris la fuite, et ceux qui ont été pris ont été lourdement enchaînés ; les plus vaillants des tiens ont été mis en fuite. 11. Laissez-moi, je pleurerai amèrement ; personne ne pourra me consoler de la ruine de la fille de mon peuple, et les Élamites monteront avec leurs carquois [2] » —

Cantique des Cantiques : « Dis-moi, toi que mon cœur aime, où mèneras-tu paître le troupeau ? — Au midi. » Pour eux, le midi représentait l'Afrique. Cf. l'Introduction, t. 1, p. 104.

2. Optat se souvient sans doute ici de deux passages distincts d'Isaïe. La Vulgate donne en effet : *Ascende Aelam, obside Mede*, « Monte, Élam, assiège, Mède » (*Is.* 21, 2), et plus loin : *Aelam sumpsit faretram*, « Élam a pris son carquois » (*Is.* 22, 6). Élam est le nom de l'ancienne population qui habitait les hauts plateaux d'une région située à l'Est du Tigre inférieur (la Susiane des Grecs). Le prophète annonce la chute de Babylone, accablée sous les coups d'Élam et de la Médie. Sur l'interprétation de cet oracle, cf. A. LODS, *Les prophètes d'Israël et les débuts du judaïsme*, Paris 1969, p. 236-237.

chori castrorum – et secutus est dicens : *Penetralia uestra*
85 *deferentur ad publicum et secreta domus Israhel nudabun-*
tur ᵐ. 12. Hoc in Africa factum est et totum hoc, quare factum est, indicauit Deus, dum uobis imputat dicens :
Quoniam conuertistis aquam antiquae piscinae ad ciuitatem
uestram et deiecistis muros Hierusalem, ut faceretis alteram
90 *munitionem et constituistis aquam inter duas munitiones et*
ad piscinam antiquam adtendere noluistis nec ad eum qui ab
initio creauit illam ⁿ.

3. 1. Iam uides, frater Parmeniane, ad uos redundare
omnia, a quorum principibus harum rerum omnium semi-
nata est causa, deinde ad Donatum Carthaginensem, cuius
ueneficio uidetur unitatis negotium esse commotum ; in quo
5 ostendam operarios eius non pro uoluntate nostra nec sua
malitia aliquid fecisse, sed prouocantibus atque impellenti-
bus causis et personis, quas Donatus Carthaginis de leuitate
sua constituit dum magnum se uideri contendit. 2. Quem
enim latet praeter te, quia peregrinus es et potuerunt tibi
10 falsa narrari ? Aut quis negare potest rem cui tota Carthago
principaliter testis est : imperatorem Constantem Paulum et
Macarium primitus non ad faciendam unitatem misisse sed
cum eleemosynis quibus subleuata per ecclesias singulas
posset respirare, uestiri, pasci, gaudere paupertas ? 3. Qui
15 cum ad Donatum, patrem tuum, uenirent et quare uenerant
indicarent, ille solito furore succensus in haec uerba proru-

85 deferentur : proferentur G ‖ 86 quare : in Africa RBV ‖ 87 imputat :
putat Gᵃᶜ ‖ 88 quoniam : quo modo B ‖ ciuitatem : uoluntatem G ‖ 89
Hierusalem : ierusalem B ‖ 91 nec : neque G ‖ 92 illam : eam G

3, 2 rerum omnium : *om.* G ‖ 3 Carthaginensem : Carthaginis G ‖ 4
ueneficio : beneficio G ‖ unitatis : unitas V ‖ 7 et personis : *om.* RBV ‖ de :
om. RBV ‖ 8 sua : *om.* B ‖ contendit : constendit B ‖ 11 imperatorem
Constantem : in patrem constantantem B ‖ 12 Macarium : Macharium R ‖
13 eleemosynis : elemosinis *codd.* ‖ subleuata : *om.* RBV ‖ 14 respirare :
respicere G repraesentare B ‖ 15 uenerant : -erint G ‖ 16 ille : illi G ‖ succensus : -enssus V ‖ prorupit : + dicens G

les Élamites désignent en latin les troupes de soldats —, et il a poursuivi en disant : « Vos secrets seront mis au jour, et les mystères de la maison d'Israël seront mis à nu [m]. » 12. Cela a été commis en Afrique, et Dieu a indiqué la raison de tous ces actes lorsqu'il vous les impute en disant : « Parce que vous avez détourné l'eau de l'ancienne piscine vers votre cité, que vous avez abattu les murs de Jérusalem pour faire un autre rempart, que vous avez placé l'eau entre les deux murs et que vous n'avez pas voulu prêter attention à l'ancienne piscine ni à celui qui l'a créée, depuis les origines [n]. »

Donat de Carthage, le « prince de Tyr »

3. 1. Tu vois maintenant, frère Parménien, que tout rejaillit sur vous, dont les chefs ont engendré la cause de tous ces actes, ensuite sur Donat de Carthage, dont la pensée empoisonnée, on le voit, a provoqué l'affaire de l'unité ; et dans cette affaire, je montrerai que ses artisans n'ont rien fait par notre volonté ni par leur propre malice, mais provoqués et poussés par des actes et des personnes que Donat a dirigés, dans son inconscience et dans sa prétention à paraître grand. 2. Qui l'ignore en effet, sinon toi, parce que tu es étranger et qu'on a pu te raconter des mensonges ? Et qui peut nier un fait dont tout Carthage est le premier témoin : à l'origine, l'empereur Constant n'a pas envoyé Paul [1] et Macaire pour rétablir l'unité, mais avec des aumônes destinées à soulager les pauvres et à leur procurer, dans chaque église, un peu de répit, des vêtements, de la nourriture et de la joie. 3. Mais comme ils se présentaient devant Donat, ton père, et qu'ils expliquaient pourquoi ils étaient venus, celui-ci, emporté par sa violence habituelle,

---

m. Is. 22, 1-8   n. Is. 22, 9-11

---

1. Sur Paul, cf. MANDOUZE[3], *Prosop.*, p. 839-841 : « Paulus 2 ».

pit : Quid est imperatori cum ecclesia ? Et de fonte leuitatis
suae multa maledicta effudit, non minus quam in Gregorium
aliquando, ad quem sic scribere minime dubitauit : Gregori,
20   macula senatus et dedecus praefectorum et cetera talia. Cui
Donato praefatus patientia episcopali rescripsit. 4. Harum
epistularum exemplaria multorum ore ubique cantantur.
Iam tunc meditabatur contra praecepta apostoli Pauli potestatibus et regibus iniuriam facere, pro quibus, si apostolum
25   audiret, cotidie rogare debuerat. Sic enim docet beatus apostolus Paulus : *Rogate pro regibus et potestatibus, ut quietam
et tranquillam uitam cum ipsis agamus* [o]. 5. Non enim
respublica est in ecclesia, sed ecclesia in republica, id est in
imperio romano quod Libanum appellat Christus in canti-
30   cis canticorum, cum dicit : *Veni, sponsa mea, ueni de
Libano* [p], id est de imperio Romano, ubi et sacerdotia sancta
sunt et pudicitia et uirginitas, quae in barbaris gentibus non
sunt et, si essent, tuta esse non possent. 6. Merito Paulus
docet orandum esse pro regibus et potestatibus, etiamsi talis
35   imperator esset qui gentiliter uiueret ; quanto magis quod
christianus, quanto quod Deum timens, quanto quod religiosus, quanto quod misericors, ut ipsa res probat ! Miserat
enim ornamenta domibus Dei, miserat pauperibus eleemo-

---

18 quam : + et G ‖ Gregorium : -rii RB ‖ 21 praefatus : prefectus G ‖
patientia : -tie G   paenitentia R   penitencia B ‖ 22 exemplaria : -pla G ‖
23 tunc : tum G ‖ 25 cotidie : cottidie V ‖ docet : + dicens G ‖ beatus : beatissimus G ‖ 26 Paulus apostolus G ‖ 26-27 quietam — agamus : quieta et
tranquilla agant tempora sua G ‖ 28 republica : repuplica G ‖ 29 Libanum :
libellum B ‖ 30 mea : + inuenta RBV z ‖ ueni² : *om.* RBV ‖ de : a G ‖ 32
uirginitas : -tatis G ‖ quae : quem B ‖ in : *om.* B ‖ gentibus : *post* sunt
transp. G ‖ 33 tuta : tota V ‖ Paulus : + apostolus G ‖ 35 magis : *om.* RBV
‖ 36 Deum : dominum RB ‖ 38 eleemosynam : elemosinam G BV   elimo-
sinam R

---

o. I Tim. 2, 2   p. Cant. 4,8

---

1. Cf. Avg., *Psalm. c. Don.*, 282-285 (*BA* 28, p. 189) : « Les rois ont
envoyé des dons et vous les avez refusés, / ayant oublié les prophètes qui

éclata en ces termes : « Qu'a de commun l'empereur avec l'Église [1] ? » Et de la source de son inconscience, il fit jaillir de nombreuses injures, tout comme il l'avait fait, autrefois, contre Grégoire [2], à qui il osa écrire : « Grégoire, honte du Sénat et déshonneur des préfets » et d'autres insultes de ce genre. Et à ce Donat, le susnommé répondit avec une patience tout épiscopale. 4. Des copies de ces lettres sont publiées partout, par la bouche de bien des hommes. Déjà alors il pensait, contrairement aux préceptes de l'apôtre Paul, à faire injure aux puissants et aux rois, pour lesquels, s'il avait écouté l'Apôtre, il aurait dû prier chaque jour ; car tel est l'enseignement du bienheureux apôtre Paul : « Priez pour les rois et pour les puissants, afin que nous vivions avec eux dans le repos et dans la tranquillité [o]. » 5. En effet, l'État n'est pas dans l'Église, mais c'est l'Église qui est dans l'État, c'est-à-dire dans l'Empire romain, que le Christ appelle « Liban » dans le Cantique des Cantiques, lorsqu'il dit : « Viens, ma fiancée, viens du Liban [p] », c'est-à-dire de l'Empire romain, où se trouvent le saint sacerdoce, la chasteté et la virginité, qui n'existent pas chez les nations barbares et qui, s'ils s'y trouvaient, ne pourraient y être en sûreté. 6. Paul enseigne avec raison qu'il faudrait prier pour les rois et les puissants même si l'empereur vivait en païen ; à plus forte raison quand il est chrétien, quand il craint Dieu, quand il est religieux, quand il est miséricordieux, comme le prouvent les faits mêmes [3] ! En effet, il avait envoyé des ornements pour les demeures de Dieu, il avait

---

ont prédit dans le passé / que par les grands rois des nations des dons à l'Église viendraient » (« Quando enim dona miserunt noluistis acceptare / et obliti estis prophetas, qui illud praedixerunt ante, / quod gentium reges magni missuri essent dona ecclesiae ») ; cf. *C. Parm.*, I, X, 16 ; *C. Petil.*, II, XII, 202 ; *Epist.*, XCIII, III, 9.

2. Sur Grégoire, préfet du prétoire en Afrique (336-337), cf. MANDOUZE₃, *Prosop.*, p. 545-546.

3. Sur les rapports de l'Église et de l'État d'après Optat, cf. l'Introduction, t. 1, p. 72-81.

synam, nihil Donato. Cur ergo insaniuit ? Cur iratus est ?
40 Cur quod missum fuerat repudiauit ?   7. Et cum illi qui
missi fuerant dicerent se ire per prouincias singulas et uolentibus accipere se daturos, ille dixit ubique se litteras prae-
misisse ne id quod adlatum fuerat pauperibus alicubi dis-
pensaretur. O consulere miseris ! O prouidere pauperibus !
45 O peccatoribus subuenire ! Clamat Deus dicens : *Ego sum
qui feci pauperem et diuitem* q. Non quia non potuit et pauperibus dare sed si ambobus daret, peccator qua sibi suc-
curreret, inuenire non posset. 8. Denique sic scriptum est :
Quemadmodum aqua extinguit ignem, sic eleemosyna extin-
50 *guit peccatum* r. Certe iam apud Deum sunt ambo, et qui
dare uoluit et qui obstitit ne daretur. Quid ? Si iam dicat
Deus Donato : Episcope, quid uis fuisse Constantem ? Si
innocentem, quare ab innocente accipere noluisti ? Si peccatorem, quare non permisisti dare propter quem feci pau-
55 perem ?   9. Sub hac interrogatione qualis futurus est ?
Quid de leuitate et furore laborauit tantis pauperibus impe-
dire ? Carthaginis principatum se tenuisse crediderat ; et
cum super imperatorem non sit nisi solus Deus qui fecit
imperatorem, dum se Donatus super imperatorem extollit,
60 iam quasi hominum excesserat metas, ut prope se Deum non
hominem aestimaret, non reuerendo eum qui post Deum ab
hominibus timebatur. 10. Denique per Ezechielem increpat spiritus sanctus principem Tyri, id est principem

---

39 ergo : + nihil RB ‖ insaniuit : -sanuit B -sanit G ‖ 40 quod : *om.* B
‖ 41 fuerant : + aut V ‖ 42 accipere uolentibus G ‖ 43 quod : *om.* B ‖ 44
prouidere : + fuerat RBV ‖ pauperibus : -ri G ‖ 47 qua sibi : quas ibi V ‖
49 extinguit : -guet RBᵖᶜV ‖ 52 Deus dicat G ‖ Donato : donare Bᵃᶜ donate
Bᵖᶜ ‖ quid uis : quibus B ‖ 54 permisisti : remisisto RBV ‖ 56 quid : qui G
RB ‖ leuitate : + sua G ‖ 59 dum — imperatorem : *om.* B ‖ extollit :
extulit G ‖ 60 prope se : pro se ut pro RBV ‖ 61 reuerendo : uerendo RBV
‖ 62 denique : + cum G ‖ 63 sanctus : + dum ad G ‖ Tyri : Thiri G ‖ est :
+ ad G

envoyé des aumônes pour les pauvres, mais rien pour
Donat ! Pourquoi donc ce dernier a-t-il perdu la tête ?
Pourquoi s'est-il mis en colère ? Pourquoi a-t-il refusé ce
qui avait été envoyé ? 7. Et comme ceux qui avaient été
envoyés lui disaient qu'ils allaient à travers chaque province
et qu'ils donneraient à ceux qui voudraient bien recevoir,
Donat affirma qu'il avait déjà expédié partout des lettres afin
que nulle part ce qui avait été apporté ne fût distribué aux
pauvres. O s'occuper des malheureux ! O pourvoir aux
besoins des pauvres ! O aider les pécheurs ! Dieu s'écrie :
« C'est moi qui ai fait le pauvre et le riche q. » Ce n'est pas
parce qu'il n'a pas pu donner aussi au pauvre, mais s'il donnait aux deux, le pécheur ne pourrait pas trouver le moyen
de se racheter. 8. Car il est écrit : « De même que l'eau
détruit le feu, ainsi l'aumône détruit le péché r. » Il est bien
certain, dès lors, qu'en Dieu se trouve à la fois celui qui a
voulu donner et celui qui s'est opposé à tout don. Eh quoi ?
Si maintenant Dieu disait à Donat : « Évêque, qu'a été,
d'après toi, Constant ? Si tu considères qu'il était innocent,
pourquoi as-tu refusé des présents venant d'un innocent ?
Et si tu penses qu'il était pécheur, pourquoi l'as-tu empêché de faire des dons, lui pour qui j'ai fait le pauvre ? »
9. A cette question, que va-t-il répondre ? Pourquoi, dans
son inconscience et dans sa folie, s'est-il efforcé d'empêcher
que l'on fît des dons à tant de pauvres ? Il avait cru détenir
le principat de Carthage ; et puisque, au-dessus de l'empereur, il n'y a personne, si ce n'est Dieu seul qui a fait l'empereur, Donat, en s'élevant au-dessus de l'empereur, avait
désormais dépassé pour ainsi dire les limites de l'homme, si
bien qu'il se prenait à peu près pour un dieu et non pour un
homme, refusant de révérer celui que les hommes crai-
gnaient après Dieu. 10. Ainsi, l'Esprit-Saint, par la bouche
d'Ézéchiel, admoneste le prince de Tyr, c'est-à-dire le prince

q. Prov. 22, 2   r. Sir. 3, 33

Carthaginis, cum per prophetam his loquitur uerbis : *Fili*
65 *hominis, dic aduersus principem Tyri : Haec dicit dominus*
Deus : Quia exaltatum est cor tuum et dixisti : Ego sum
Deus [s]. Tyrum Carthaginem esse primo Esaias probat, in
quo legitur : *Visio super Tyrum,* et sequitur : *Vlulate naues*
Carthaginis [t] ! 11. Deinde Tyrum Carthaginem esse etiam
70 mundanae litterae protestantur ; et si sit alia ciuitas quae hoc
nomine nuncupetur, nihil in alia uidetur factum quod apud
Carthaginem constat admissum. *Loquere,* inquit Deus,
aduersus principem Tyri [u], non aduersus saecularem aliquem
regem dicit esse loquendum nec ad multos sed ad unum, hoc
75 est ad Donatum episcopum. 12. Neque enim fas erat prophetam Ezechielem, quem proxime nominaui, nisi episcopo
comparare, qui sibi, ut diximus, principatum Carthaginis
uindicabat, qui exaltauit cor suum et ab hominibus sibi
superior uidetur et sub se omnes etiam socios suos habere
80 uoluisset. De quorum oblationibus numquam est dignatus
accipere, in qua re media est fides Deus et Christus eius et
querelae multorum, quibus in ipsa societate hanc iniuriam
faciebat ut solus secreto nescio quid ageret et postea ceteris

---

64 cum per : *om.* G ‖ prophetam : -ta G ‖ 67 Tyrum : Tirum V   Tyri
G ‖ Esaias : + propheta G ‖ 69 deinde Tyrum : *om.* RBV ‖ Carthaginem :
+ ipsam RBV ‖ 71 alia : illa G ‖ 72 constat : + esse G ‖ inquit : inquid V
‖ Deus : + Tyri G ‖ 73 Tyri : Tiri V   + loquitur G ‖ 75 enim : *om.* B ‖ fas
erat : facerat V   fecerat B ‖ 76 Ezechielem : Danielum G ‖ nominaui : non
in aui V ‖ nisi : + principi z ‖ episcopo : episcopum z ‖ 77 comparare :
compararem RV   comparem B ‖ 78 ab : + omnibus G ‖ sibi : *om.* B ‖ 79
et : ut G ‖ 80 uoluisset : + et G ‖ dignatus est B ‖ 81 et [1] *post* fides *transp.*
RBV ‖ 82 societate : + in RBV ‖ 83 ut : *om.* RBV

---

s. Éz. 28, 8   t. Is. 23, 1   u. Éz. 28, 2

---

1. Optat cite-t-il fidèlement le texte qu'il suit ou s'agit-il seulement
d'une réminiscence ? La Vulgate donne : *Onus Tyri, ululate naues maris*
(*Is.* 23, 1), mais on trouve aussi en *Is.* 2, 16 : *naues Tharsis.* La confusion
entre *Tharsis* et *Carthaginis* n'est pas impossible et peut facilement s'expliquer par les liens étroits qui unissent Tyr à Carthage. Virgile rappelle,

de Carthage, lorsqu'il dit par la bouche du prophète ces
paroles : « Fils d'homme, dis contre le prince de Tyr : Ainsi
parle le Seigneur : tu as enflé ton cœur d'orgueil et tu as dit :
Moi, je suis un dieu ⁵. » Isaïe, d'abord, prouve que Tyr
représente Carthage, car on peut lire dans ses livres :
« Vision sur Tyr », et ensuite : « Hurlez, navires de
Carthage ᵗ ! »   11. D'autre part, les écrits profanes eux-
mêmes attestent que Tyr représente Carthage ¹ ; et même s'il
existait une autre cité qui fût désignée par ce nom, on voit
bien que rien ne s'est passé ailleurs de ce qui a été manifestement commis à Carthage. « Parle, dit Dieu, contre le
prince de Tyr ᵘ. » Il ne dit pas qu'il faut parler contre un roi
profane ni contre un grand nombre d'hommes, mais contre
l'évêque Donat.   12. En effet, le prophète Ézéchiel, que je
viens tout juste de citer, ne pouvait qu'établir cette comparaison avec un évêque qui, comme nous l'avons dit, reven-
diquait pour lui-même le principat de Carthage, qui a enflé
son cœur d'orgueil ², qui se croyait au-dessus des hommes
et qui aurait voulu les placer tous au-dessous de lui, même
ses collègues. Il n'a jamais daigné accepter aucune offrande
de ces derniers, comme en témoignent Dieu et son Christ,
et les plaintes de beaucoup, à qui il faisait cette injure —
alors qu'ils étaient réunis dans la même communion —,
d'accomplir seul, en secret, je ne sais quel acte et de venir

dans l'Énéide, la fondation de Carthage par la reine Didon, qui s'était
enfuie de Phénicie pour échapper à la haine de son frère Pygmalion, le roi
de Tyr. L'histoire de Didon avait déjà été racontée par les historiens grecs
et par le poète latin Naevius. Cf. Virg., *En.*, I, 12-13 : « Vrbs antiqua fuit
(Tyrii tenuere coloni)/ Karthago... », « Il était jadis une ville, occupée par
les colons tyriens, Carthage... »

2. Cypr. (*Ep.*, LIV, III, 3) disait déjà, à propos des schismatiques : « Ils
sont aveuglés par l'orgueil qui les enfle et perdent la lumière de la vérité. »
Augustin évoque souvent l'orgueilleuse obstination des donatistes et il
leur applique le mot de Cyprien : « dum se insolenter extollunt, ipso suo
tumore caecati ueritatis lumen amittunt » (*C. Gaud.*, II, III, 3). Cf. *Bapt.*,
II, III, 4.

perfunctorie misceretur. 13. Hoc modo exaltatum est cor
85 eius, ut sibi iam non homo sed Deus fuisse uideretur.
Denique et in ore populi raro est appellatus episcopus sed
Donatus Carthaginis dicebatur, et merito *princeps Tyri*, id
est Carthaginis, appellari et increpari meruit, quia primus
episcoporum, quasi plus esset ipse quam ceteri. Et dum nihil
90 humanum uoluit habere, exaltauit cor suum, non sicut cor
hominis sed sicut cor dei, dum a ceteris hominibus aliquid
plus esse cupiebat. 14. Ad quem Deus sequitur dicens :
Dixisti : Ego sum deus [v]. Ideo quia quamuis non sit usus hac
uoce, tamen aut fecit aut passus est quod effectum huius
95 uocis impleret. Extulit cor suum, ut nullum hominem sibi
comparandum arbitraretur et de tumore mentis suae altior
sibi uisus est esse. Quia quicquid est supra homines, iam
quasi Deus est, deinde cum episcopi Deo debeant famulari,
tantum sibi de episcopis suis exegit, ut eum non minori metu
100 omnes uenerarentur quam Deum ; hoc est quod sibi deus
uisus est. 15. Et cum per solum Deum solent homines
iurare, passus est homines per se sic iurare tamquam per
deum ! In quo si unusquisque hominum errauerat, ipse prohibere debuerat ! Cum non prohibuit, Deus sibi uisus est.
105 Deinde cum ante ipsius superbiam omnes qui in Christo
crediderant christiani uocarentur, ausus est populum cum

84 perfunctorie : -riae R ǁ hoc : *om.* RBV ǁ 85 iam non : ianum G[ac] ǁ 88
quia : quam G ǁ 89 quasi : que si B ǁ esset : esse B ǁ et : sed RB ǁ 90 humanum : *om.* B ǁ habere uoluit G ǁ 91 hominis sed sicut cor : *om.* RBV ǁ aliquid : *om.* B ǁ 92 sequitur : sic loquitur G ǁ 93 dixisti : + enim G ǁ hac :
ac R   a B ǁ 94 effectum : deffectum B   defectum V ǁ 96 de : *om.* RBV ǁ
97 quia : et G   *om.* V ǁ 98 famulari : -latum G ǁ 99 de episcopis suis : episcopos RBV ǁ exegit : exigit V ǁ 100 uenerarentur : susciperent G ǁ sibi :
+ quasi G ǁ 101 solum : *om.* G ǁ solent : -leant G ǁ 103 si : *om.* B ǁ errauerat : errabat G

v. Éz. 28, 2

1. Augustin reprend l'argumentation d'Optat sur « le prince de Tyr »
dans *Epist ad cath.*, XVI, 42 : « Si nous voulions voir Donat dans le *prince*

ensuite se mêler aux autres pour la forme. 13. Il a si bien
enflé son cœur d'orgueil qu'il se prenait non plus pour un
homme mais pour un dieu. Enfin, il fut rarement appelé
évêque par le peuple, mais on disait : « Donat de Carthage »,
et c'est à juste titre qu'il a mérité d'être appelé péjorative-
ment le « prince de Tyr », c'est-à-dire de Carthage, parce
qu'il se croyait le premier des évêques, comme s'il était lui-
même plus que les autres [1]. Et ne voulant avoir rien d'humain, il a enflé son cœur d'orgueil, non comme le cœur d'un
homme mais comme le cœur d'un dieu, dans son désir d'être
plus que tous les autres hommes. 14. Contre lui Dieu
poursuit en disant : « Tu as dit : Moi, je suis un dieu [v]. » En
effet, bien qu'il n'ait pas usé de cette formule, il a cependant
accompli ou permis des actes qui n'étaient que le résultat de
cette déclaration. Il a gonflé son cœur d'orgueil au point de
penser qu'aucun homme ne pouvait lui être comparé, et son
orgueil lui a fait croire qu'il était supérieur. Tout ce qui est
au-dessus des hommes est, dès lors, pour ainsi dire divin ;
ainsi, alors que les évêques doivent servir Dieu, il est allé
jusqu'à exiger de ses évêques que tous le vénèrent comme
un dieu, avec la même crainte ; voilà pourquoi il s'est pris
pour un dieu. 15. Alors que les hommes ont coutume de
ne jurer qu'au nom de Dieu, il a permis que des hommes
jurent en son propre nom, tout comme s'il était un dieu !
Or, même si chacun des hommes avait commis cette erreur,
il aurait dû interdire de la commettre ! Mais il ne l'a pas
interdit, c'est donc qu'il s'est pris pour un dieu. Avant que
son orgueil ne se manifestât, tous ceux qui avaient mis leur
confiance en Jésus-Christ étaient appelés chrétiens, mais il a
osé partager le peuple avec Dieu, si bien que ceux qui l'ont

---

de Tyr parce que Carthage a été appelée Tyr, que ne prédit pas Ézéchiel
contre lui ! (...) Le prophète a raison de déclarer au prince de Tyr : Vaudrais-
tu mieux que Daniel ? » Mais Augustin ajoute : « On sait combien le nom
de Tyr convient à Carthage. Cependant, nous n'employons pas de tels arguments ; peut-être Tyr a-t-il un autre sens » (*BA* 28, p. 626-627).

Deo diuidere, ut qui illum secuti sunt, iam non christiani
uocarentur sed donatistae ! 16. Et si quando ad eum aliqui
ex aliqua Africana prouincia ueniebant, non quaerebat illud
110 quod humana semper exigit consuetudo, de pluuiis, de pace,
de prouentu anni aliquid interrogare, sed illius ad singulos
quosque uenientes haec erant uerba : Quid apud uos agitur
de parte mea ? Quasi iam uere populum cum Deo diuiserat,
ut intrepide suam diceret partem ! 17. Nam et a tempori-
115 bus eius et usque in hodiernum si quando de rebus eccle-
siasticis in iudiciis publicis aliqua celebrata est actio, inter-
rogati singuli sic apud acta locuti sunt, ut dicerent se de
parte esse Donati. De Christo tacuerunt ! Et quid de clericis dicam, cum legantur preces, quarum in libro primo feci-
120 mus mentionem, iamdudum ad Constantinum missae et
subscriptae quae episcoporum nomina continebant, sic :
Datae a Capitone et Nasutio, Digno et ceteris episcopis partis Donati ? 18. Et postulabant utique contra episcopos,
qui dum non erant in parte Donati, in Christi catholica habi-
125 tabant. Et dum episcopus inter coepiscopos suos non fuit

---

107 secuti : -tus V ‖ 108 uocarentur : uocentur G ‖ donatistae : + uocentur G ‖ eum : deum B ‖ 109 Africana : Affricana B ‖ ueniebant : -bat G ‖
112 uerba : herba B   + ut dicerent G ‖ agitur : uidetur G ‖ 117 locuti :
loquuti R ‖ 118 esse : *post* se *transp.* B fuisse G ‖ 119 legantur : leges G ‖
121 subscriptae : subscrin-bente RBV ‖ episcoporum : + supra memoratorum G ‖ 122 et ¹ : *om.* G ‖ 125 coepiscopos : episcopos G ‖ fuit : petit G

---

1. Le mot *donatistae* pour désigner les schismatiques ne se rencontre
qu'une fois (ici) dans le traité d'Optat. Optat utilise quelquefois l'expres-
sion *pars Donati*, « le parti de Donat » (I, 22, 2 ; I, 26, 1 ; III, 3, 15 ; III, 3,
17 ; III, 3, 18 ; III, 3, 19), mais il préfère généralement les appeler « schismatiques » (*schismatici*) ou encore « frères » (*fratres*). Cf. I, 3, 2 : « Nemo
miretur eos me appellare fratres qui non possunt non esse fratres. » Le
témoignage d'Optat pourrait laisser penser que les schismatiques s'attri-
buaient volontiers le nom de « donatistes ». Il semble pourtant que ce soit
leurs adversaires qui leur aient d'abord appliqué cette dénomination, alors
qu'eux-mêmes prétendaient être les seuls véritables représentants de l'É-
glise du Christ. ~ Augustin emploie couramment le mot « donatistes » pour

suivi ne portaient plus le nom de chrétiens mais celui de donatistes [1] ! 16. Et si parfois des hommes de quelque province africaine venaient chez lui, il ne leur posait pas les questions d'usage sur les pluies, la paix, la récolte de l'année, mais il adressait à chaque visiteur les paroles que voici : « Comment va mon parti chez vous ? » Comme si vraiment il s'était déjà partagé le peuple avec Dieu, au point de pouvoir parler avec arrogance de son parti ! 17. Et en effet, à son époque et jusqu'à nos jours, chaque fois qu'une action concernant les questions religieuses a été intentée en justice, tous les témoins ont répondu dans les actes en disant qu'ils étaient du parti de Donat. Ils ont gardé le silence sur le Christ ! Et à quoi bon parler des membres du clergé, puisqu'on peut lire les prières dont j'ai fait mention dans le premier livre, qui ont été jadis envoyées à Constantin et qui contenaient les noms des évêques qui ont signé ainsi : « Donnée par Capiton, Nasutius, Dignus et les autres évêques du parti de Donat [2] » ? 18. Et, évidemment, ils présentaient une requête contre des évêques qui, n'étant pas du parti de Donat, se trouvaient dans l'Église catholique du Christ. Et puisque Donat n'a pas été un évêque parmi ses

les désigner, et c'est ainsi qu'il sont nommés, par opposition aux catholiques, dans les documents officiels qui nous ont été transmis. Cf. par exemple dans l'édit d'Honorius de 410 : « donatistas » (*Gesta*, I, 4) et dans les Actes de la conférence de Carthage en 411 : « episcopi donatistae » (*Gesta*, II, 8). L'emploi de ce mot a d'ailleurs suscité une réaction immédiate de l'évêque schismatique Petilianus : « C'est nous qui sommes les évêques de la vérité du Christ(...). Quant à Donat, (...), nous le vénérons selon son rang et selon son mérite » (*Gesta*, II, 10). A Alypius qui s'écrie : « Qu'ils condamnent le nom de Donat, et à l'avenir nous ne les appellerons plus donatistes » (*Gesta*, III, 33), Petilianus répond encore : « Condamne le nom de Mensurius et celui de Cécilien, et tu ne seras pas appelé cécilianiste » (*Gesta*, III, 34). Au « parti de Donat », les schismatiques ont donc opposé, sans doute dès l'origine du schisme, le « parti de Cécilien ».

2. Cf. OPT., I, 22, 2.

nec homo inter homines esse uoluit, constat quod extulit cor
suum et deus sibi fuisse uidebatur. Nam cum et ordinatores
tui – quorum nomina, frater Parmeniane, bene nosti, et ubi
fuerint non ignoras, et qui uel a quo petiuerint et qualem
130 rogauerint ut redirent et tecum uenire potuissent ; 19. et
nos didicimus cum easdem preces quas dederant apud
Africanos iudices adlegarent, in quibus scriptum est : Datae
ab episcopis partis Donati – hic iam quid responsuri sunt in
illo imminenti diuino iudicio, qui in hoc saeculo alio modo
135 confessi sunt non se esse de ecclesia Christi, qui libenter
professi sunt se de parte fuisse Donati, cum in euangelio
scriptum est Christo dicente : *Qui me confessus fuerit coram*
hominibus, confitebor eum coram patre meo [w] ?   20. Isti
Donatum confessi sunt, non Christum. Et ne parua sit ista
140 probatio, quam ad ipsius personam pertinere manifestum
est, accedit et illud testimonium, quo supra memorata incre-
patio clausa est, quod dixit illum Deus non in terra moritu-
rum [x]. Et ita factum esse omnibus notum est. Habitabat in
domo Dei et erat in corde maris. Vbique mare saeculum
145 legimus cum esset ipse non tantum in amore aliquorum
christianorum, sed propter scientiam mundanarum littera-
rum erat etiam in corde maris, id est in amore saeculi et de

126 extulit : exaltauit G ‖ 129 fuerint : -erunt RB ‖ qui : quid G ‖ petiuerint : -tierint G -tiuerunt V ‖ 130 uenire *codd.* : redire z ‖ 131 didicimus :
dicimus RBV ‖ dederant : -erunt RBV ‖ apud : ut ad RBV ‖ 132 adlegarent : alligarent RV + in addendum [assendum B] in [*om.* B] episcoporum
de actis RBV ‖ in : de RBV ‖ quibus : + infra RBV ‖ 133 ab : + Cassiano
Rogatiano Pontio et ceteris G ‖ sunt : sint G ‖ 134 iudicio diuino B ‖ 135
esse se G ‖ 136 se : *post* fuisse *transp.* V z *om.* RB ‖ 137 est : sit G ‖ 138
eum : illum G ‖ meo : + qui in celis est G ‖ 141 et : ad RBV ‖ quo : qua
R[ac]V ‖ 142 terra : terram + suam G ‖ 144 domo : domum G ‖ 145 in : *om.*
R[ac]V ‖ 146 scientiam : -ticiam B ‖ 147 saeculi : secularium G + sed RBV

w. Matth. 10, 32   x. Cf. Éz. 28, 8

1. Cf. OPT., II, 16 et 17. Grâce au témoignage d'Augustin, nous savons
qu'en 362 les évêques donatistes Rogatianus, Pontius et Cassianus avaient

collègues, puisqu'il n'a pas voulu être un homme parmi les hommes, il est clair qu'il a gonflé son cœur d'orgueil et qu'il se prenait pour un dieu. Et ceux qui t'ont ordonné — tu connais bien leurs noms, frère Parménien, et tu n'ignores pas où ils se trouvaient, tu sais quels hommes ont fait une requête et à qui ils l'ont adressée, à quel homme ils ont demandé la permission de s'en retourner, et de revenir avec toi ; 19. et nous l'avons appris nous-mêmes puisqu'ils produisaient devant les juges africains les mêmes prières qu'ils avaient adressées et dans lesquelles il est écrit : « Donnée par les évêques du parti de Donat [1] » —, que vont-ils répondre au moment du jugement divin qui est imminent, eux qui, sur cette terre, ont confessé d'une autre manière qu'ils n'étaient pas de l'Église du Christ, puisqu'ils ont volontiers déclaré qu'ils étaient du parti de Donat, alors que, dans l'Évangile, le Christ a dit : « Quiconque se sera déclaré pour moi devant les hommes, à mon tour je me déclarerai pour lui devant mon Père [w]. » 20. Ces hommes se sont déclarés pour Donat, non pour le Christ. Mais de peur que cette preuve, qui se rapporte manifestement à la personne de Donat, ne soit trop faible, il existe en outre le témoignage par lequel se termine l'invective que j'ai rappelée plus haut. Dieu a affirmé en effet, que cet homme ne mourrait pas sur terre [x]. Or, tout le monde sait qu'il en fut ainsi. Il habitait dans la maison de Dieu et il était au cœur de la mer. Nous lisons partout que la mer représente le siècle, et puisque lui-même ne se contentait pas de l'amour de quelques auteurs chrétiens, mais qu'il connaissait la littérature profane, il était aussi au cœur de la mer, c'est-à-dire dans l'amour du

adressé à Julien l'Apostat une supplique dans laquelle ils vantaient la justice de l'empereur (cf. Avg., *C. Petil.*, II, xcii, 203-205). L'essentiel du rescrit impérial nous est parvenu dans un passage du *C. Petil.*, (II, xcvii, 224). Les évêques donatistes purent obtenir leur retour d'exil, la restitution de leurs basiliques et de leurs biens et la libre pratique du culte. Cf. B. Quinot, *BA* 30, p. 797-799, n. 20.

scientia sua sapiens sibi uisus est. 21. Sed hanc sapientiam
eius euacuauit Deus, dum dicit : *Numquid sapientior tu*
150 *quam Daniel* y *?* Quam merito et bene eius sapientia humi-
liata est, qua putauit se Danielo esse sapientiorem in repu-
diandis muneribus regis, dum accipere noluit quod ab impe-
ratore christiano missum esse uidebatur ! Et uisus est sibi
aut Daniel nouus aut sapientia Danielo praelatus, quia et
155 ipse Daniel aliquando a Balthasar rege cum cogeretur accipere munera, id est anulum, torquem et cetera, dixisse legitur : *Dona tua tecum sint, rex* z. 22. Et sapienter respondit
et conuicia regi non fecit et quod offerebatur non damnauit
sed distulit, non quo modo Donatus qui et conuicia
160 Constanti quanta potuit dixit et quod ab eo pauperibus missum fuerat repudiauit. Sed Daniel sanctus sapiens inuentus
est ut munera oblata illa die non acciperet ; illud enim quod
ab eo petebatur adhuc in caelo erat et insipientis esset huius
rei quasi mercedem accipere quam nondum habuit in potes-
165 tate. 23. Idcirco munera oblata illa die ad tempus accipere
noluit. Denique cum ei Deus ostenderet quod regi supra-

---

148 sapiens : + ut RBV ‖ uisus : -um RB ‖ 149 dum : cum G ‖ tu sapientior G ‖ 150 Daniel : Danihel RB *[sic et postea]* + ob G ‖ merito : *om.*
RBV ‖ 151 Danielo : Danihelo R Daniele z ‖ sapientiorem esse G ‖ 153
uisus : -um RB ‖ 154 sapientia : -tior G ‖ Danielo : Danihelo R Danieli z
‖ praelatus : *om.* G ‖ 155 aliquando : *om.* B ‖ Balthasar : Baltasar RB *[sic
et postea]* Baltassare z ‖ 157 dona : bona G ‖ 158 et ¹ : *om.* G ‖ 159 conuicia : + regi G ‖ 161 sanctus sapiens : satis et uere sapienter G ‖ 163 erat :
erit V ‖ insipientis : -piens RBV ‖ esset : erat G ‖ huius : eius G ‖ 164 accipere : querere G ‖ nondum : necdum G ‖ 165 illa die : *om.* G ‖ tempus : +
non RBV ‖ 166 noluit : uoluit RBV ‖ Deus ei G

---

y. Éz. 28, 3   z. Dan. 5, 17

---

1. Sur le symbolisme de la mer, cf. H. RAHNER₄, *Symbole der Kirche*,
p. 272-303. ~ Le témoignage d'Optat est précieux. Il nous permet de savoir
que Donat, sur lequel nous ne possédons que très peu de renseignements,
avait une solide formation intellectuelle. La remarque de l'évêque catholique indique également que l'usage était, pour les chrétiens des premiers
siècles, de renoncer à la lecture des œuvres profanes pour se consacrer uni-

siècle [1]. Et parce qu'il était savant, il s'est cru sage. **21.** Mais cette sagesse, Dieu l'a rendue vaine puisqu'il dit : « Serais-tu plus sage que Daniel [y][2] ? » Comme elle a été humiliée à juste titre et avec raison, sa sagesse ! Par elle, il s'est cru plus sage que Daniel, pour refuser les présents d'un roi, puisqu'il n'a pas voulu accepter les dons d'un empereur chrétien. Et il s'est cru un nouveau Daniel, ou supérieur même à Daniel en sagesse. Un jour, en effet, comme le roi Balthasar pressait Daniel d'accepter ses présents, c'est-à-dire un anneau, un collier et d'autres objets, celui-ci répondit, comme on peut le lire : « Que tes dons te soient retournés, roi [z] ! » **22.** Il parla avec sagesse, il ne lança pas d'injures au roi et il ne réprouva pas ses dons, mais il en différa l'acceptation contrairement à Donat qui lança à Constant autant d'injures qu'il le put et qui refusa les dons envoyés pour les pauvres. Mais Daniel, qui était saint, fut sage de ne pas accepter ce jour-là les présents qu'on lui offrait, car ce qu'on lui demandait était encore dans le ciel, et c'eût été le fait d'un homme déraisonnable d'accepter pour ainsi dire un salaire pour une prophétie qu'il ne connaissait pas encore. **23.** C'est pour cette raison que, ce jour-là, il a momentanément refusé les présents qu'on lui offrait. Enfin, lorsque Dieu lui indiqua ce

quement à l'étude des textes bibliques et des auteurs chrétiens. (Cf. par exemple TERT., *Praescr.*, VII, 9 : « Quoi de commun entre Athènes et Jérusalem, entre l'Académie et l'Église ? ») Y avait-il déjà à l'époque d'Optat interdiction pour les évêques de lire les auteurs païens, comme le prescrivent les *Statuta ecclesiae antiqua*, 16 (éd. Ch. Munier, Paris 1960) ? Cette interdiction sera reprise par ISIDORE DE SÉVILLE (*Sent.* III, 3). Sur l'opposition chrétienne à la culture classique, cf. H.-I. MARROU, *Histoire de l'éducation dans l'antiquité*, Paris 1965, p. 458-460 et références bibliographiques, p. 617, n. 11 et 12.

2. La Vulgate donne : *Ecce sapientior es tu Danihele* (*Éz.* 28, 3). Pour Optat, le Daniel d'Ézéchiel est bien le même que le sage du festin de Balthasar (*Dan.* 5, 1-30). Augustin considère lui aussi qu'il s'agit du même personnage (cf. AVG., *C. Petil.*, II, CV, 241, où l'auteur cite *Éz.* 14, 14 et *Dan.* 6, 16). Sur Dan(i)el, type légendaire d'un prince juste et d'un sage, cf. Ch. VIROLLEAUD, *La légende phénicienne de Danel*, Paris 1936.

dicto indicaret, Balthasari retulit et quod iamdudum repu-
diasse uisus est, postea libenter accepit. Merito increpat
Deus principem Tyri Donatum cum dicit : *Numquid tu*
170   *sapientior quam Daniel* [a] ? Sed o quam longe est praesumptio Donati a persona Danielis ! Quod enim Balthasar dabat,
Danielo dabat, non pauperibus ! Quod Constans christianus
imperator tunc miserat, pauperibus transmiserat, non
Donato ! 24. Denique ait : *Sapientes te non docuerunt*
175   *sapientiam suam* [b], quia illud a Salomone discere noluisti, quod
ait : *Absconde panem in corde pauperis et ipse pro te roga-*
bit [c]. Quia etiam illud ab ipso Danielo discere noluit, quod
dedit Nabuchodonosor consilium quomodo satisfaceret qui
offenderat Deum. *Et tu*, inquit, *rex, audi consilium meum et*
180   *placeat tibi. Peccata tua eleemosynis redime et iniustitias tuas*
in miserationibus pauperum [d]. 25. Daniel regi peccatori et
sacrilego faciendas eleemosynas suadet ; Donatus qui increpari meruit Constanti imperatori christiano ne misericors
esset obstitit. Ideo increpatur quod eum sapientes non
185   docuerunt sapientiam suam [e], qui quod a rege missum fuerat per se dari passus non est. Vnde constat Donatum mala-
rum fontem fuisse causarum.

4. 1. Quicquid itaque in unitate facienda aspere potuit
geri, uides, frater Parmeniane, cui debeat imputari. A nobis

167 Balthasari : Baltasari RBV Baltassari z ‖ 172 Danielo *codd*. : -li z ‖
173 tunc : + non G[ac] ‖ 174 denique : deinde G ‖ 175 quod : qui G ‖ 176
panem : *om.* B + tuum G ‖ rogabit : -uit G ‖ 177 etiam : + et G ‖ ipso :
illo G ‖ Danielo *codd*. : -le z ‖ noluit : -isti G ‖ 178 Nabuchodonosor :
Nabugodonosor RB Nabaugodonosor V ‖ quomodo : quo V ‖ 178-179
satisfaceret — Deum : satis fecisset deo qui peccauerat G ‖ 179 audi : *om.*
G ‖ et [2] : *om.* G ‖ 180 tibi : *om.* B + et G ‖ eleemosynis : elemosinis G BV
elymosinis R [*sic et postea*] ‖ 181 miserationibus : -nes G ‖ pauperum : +
et erit deus propitius peccatis G ‖ 182 suadet : persuadet G ‖ qui : *om.* G
‖ 184 esset : + impie G ‖ eum : enim G ‖ 185 docuerunt : -erint RBV ‖ qui
quod : quicquid R[ac] quidquid V quidam G ‖ a : ad R[ac] ‖ 186 Donatum :

qu'il devait révéler au roi susnommé, il rapporta cette prophétie à Balthasar et, ce qu'il avait refusé auparavant, il l'accepta volontiers par la suite. C'est à juste titre que Dieu
admoneste le prince de Tyr, Donat, quand il dit : « Serais-tu
plus sage que Daniel [a] ? » Mais comme il y a loin de l'impudence de Donat à la personne de Daniel ! Car les dons que
faisaient Balthasar s'adressaient à Daniel, non aux pauvres !
Les présents que Constant, l'empereur chrétien, avait
envoyés alors, c'est aux pauvres qu'il les avait adressés, non
à Donat !   24. Il dit enfin : « Les sages ne t'ont pas enseigné leur sagesse [b] », car tu n'as pas voulu apprendre cette
vérité de Salomon qui dit : « Cache le pain dans le cœur
du pauvre, et il priera pour toi [c]. » Car il n'a pas voulu, non
plus, suivre le conseil que Daniel lui-même donna à
Nabuchodonosor pour qu'il s'acquittât de ses offenses
envers Dieu : « Et toi, dit-il, ô roi, écoute mon conseil et
agrée-le. Rachète tes péchés par des aumônes et tes iniquités par des actes de charité envers les pauvres [d]. »
25. Daniel persuade un roi pécheur et sacrilège de distribuer
des aumônes ; Donat, qui a mérité d'être admonesté, a empêché Constant, un empereur chrétien, d'être miséricordieux.
Il est admonesté parce que les sages ne lui ont pas enseigné
leur sagesse [e], lui qui n'a pas permis que les présents d'un roi
fussent distribués par son intermédiaire. Il ressort clairement
de tout cela que Donat a été la source de tous les maux.

Donat de Bagaï   4. 1. Tous les actes de violence qui ont
                      pu être commis pour le rétablissement
de l'unité, tu vois donc, frère Parménien, à qui il faut les

+ omnium G ‖ 187 causarum : + sed dum et te considero uereor ne ad te
secunda lectio pertineat G

4, 2 uides : -de G ‖ debeat : -bet RBV ‖ nobis : + a R

---

a. Éz. 28, 3   b. Cf. Dan. 2, 27   c. Sir. 29, 15   d. Dan. 4, 24   e. Cf. Dan.
2, 27

catholicis petitum militem esse dicitis. Si ita est, quare in
prouincia proconsulari tunc nullus armatum militem uidit ?
5 Veniebant Paulus et Macarius qui pauperes ubique dispun-
gerent et ad unitatem singulos hortarentur ; 2. et cum ad
Bagaiensem ciuitatem proximarent, tunc alter Donatus, sicut
supra diximus, eiusdem ciuitatis episcopus, impedimentum
unitati et obicem uenientibus supra memoratis opponere
10 cupiens, praecones per uicina loca et per omnes nundinas
misit, circumcelliones agonisticos nuncupans, ad praedictum
locum ut concurrerent inuitauit. 3. Et eorum illo tempore
concursus est flagitatus quorum dementia paulo ante ab
ipsis episcopis impie uidebatur esse succensa. Nam cum
15 huiusmodi hominum genus ante unitatem per loca singula
uagarentur, cum Axido et Fasir ab ipsis insanientibus sanctorum duces appellarentur, nulli licuit securum esse in pos-
sessionibus suis. 4. Debitorum chirographa amiserant
uires, nullus creditor illo tempore exigendi habuit liberta-
20 tem, terrebantur omnes litteris eorum qui se sanctorum
duces fuisse iactabant, et si in obtemperando eorum iussio-
nibus tardaretur, aduolabat subito multitudo insana et praecedente terrore creditores periculis uallabantur ut qui pro
praestitis suis rogari meruerant, metu mortis humiles impel-

---

3 catholicis : christianis G ‖ 4 uidit : + et G ‖ 5 ueniebant : -bat RBV ‖
Macarius : -charius *codd.* ‖ 6 hortarentur : ortarentur BV ostarentur R ‖
ad ² : *om.* RBV ‖ 7 Bagaiensem : Vagaiensem RV Vagiensem BG ‖ 11 agonisticos : -nesticos G ‖ 12 et eorum : et orum Gᵃᶜ ‖ 13 concursus : -cussus
RB ‖ 14 succensa : compressa G ‖ 15 hominum : -nis B ‖ 16 uagarentur :
-retur G ‖ Axido : Maxido V ‖ Fasir : Fasis B ‖ 17 esse securum GB ‖ 18
chirographa : chyrographa G cyrografa B chirografia V ‖ 19 libertatem :
potestatem G ‖ 21 duces : *om.* Gᵃᶜ ‖ iactabant : iactitabant G ‖ in : *post*
obtemperando *transp.* RBV ‖ 22 praecedente terrore : precedente [precen-
dente B] errore RBV ‖ 23 uallabantur : ullulabantur B ‖ ut : et RBV ‖ 24
meruerant : -erunt V debuerant G

---

1. C'est en effet en Numidie qu'eurent lieu, au début de l'année 347, les
incidents violents qui sont rapportés ensuite (III, 4, 1-11). Augustin reprendra l'argumentation d'Optat selon laquelle les donatistes sont seuls res-

imputer. Vous dites que nous, catholiques, nous avons demandé l'intervention de l'armée. S'il en est ainsi, pourquoi, dans la province proconsulaire, personne n'a-t-il vu alors de soldats [1] ? Paul et Macaire venaient pour soulager partout les pauvres et pour exhorter chacun à l'unité ; 2. et comme ils approchaient de la cité de Bagaï, l'autre Donat, qui était, comme nous l'avons dit plus haut, évêque de cette cité, dans son désir de faire obstacle à l'unité et de s'opposer aux hommes déjà nommés, envoya des messagers dans le voisinage et dans tous les marchés et, faisant appel aux circoncellions [2] belliqueux, il les invita à se rassembler au lieu indiqué. 3. A cette époque-là, on exigea le rassemblement d'hommes dont la folie, peu de temps auparavant, avait été enflammée de façon impie par les évêques eux-mêmes. En effet, comme des hommes de ce genre erraient partout, avant le rétablissement de l'unité, comme Axido et Fasir [3] appelés chefs des saints par ces insensés, personne ne put vivre en sécurité sur ses propres terres. 4. Les engagements écrits des débiteurs avaient perdu toute valeur, aucun créancier, à cette époque-là, n'eut la liberté de se faire payer, tous étaient terrifiés par les lettres de ces hommes qui se vantaient d'avoir été nommés chefs des saints, et si l'on tardait à obtempérer à leurs ordres, une foule en folie accourait soudain, et, la terreur l'emportant, les créanciers étaient cernés par les dangers, si bien que ceux qu'on avait dû solliciter pour les prêts qu'ils avaient accordés étaient obligés, par crainte de la mort, de s'humilier et de supplier.

ponsables des mesures de répression que les désordres provoqués par les circoncellions ont rendues nécessaires (cf. AvG., *C. Cresc.*, III, XLIX, 54). A la suite de ces troubles, l'empereur Constant donna l'ordre de remettre en vigueur la loi de 316 : les donatistes virent leurs biens confisqués, leurs évêques furent exilés. Le 15 août 347, un édit d'union fut publié à Carthage, rendant obligatoire le rétablissement de l'unité religieuse. Cf. A. PIGANIOL, *L'Empire chrétien*, 2ᵉ éd., Paris 1972, p. 89-90.

2. Sur les circoncellions, cf. l'Introduction, t. 1, p. 73-76.

3. Axido et Fasir ne sont connus que par le récit d'Optat.

25 lerentur in preces.   5. Festinabat unusquisque debita etiam
maxima perdere et lucrum computabatur euasisse ab eorum
iniuriis. Etiam itinera non poterant esse tutissima quod
domini de uehiculis suis excussi ante mancipia sua domino-
rum locis sedentia seruiliter cucurrerunt. Illorum iudicio et
30 imperio inter dominos et seruos condicio mutabatur, unde
cum uestrae partis episcopis tunc inuidia fieret, Taurino
tunc comiti scripsisse dicuntur huiusmodi homines in ecclesia corrigi non posse.   6. Mandauerunt ut a supra dicto
comite acciperent disciplinam. Tunc Taurinus ad eorum lit-
35 teras ire militem iussit armatum per nundinas ubi circum-
cellionum furor uagari consueuerat. In loco Octauensi occisi
sunt plurimi et detruncati sunt multi quorum corpora usque
in hodiernum per dealbatas aras aut mensas potuerunt
numerari.   7. Ex quorum numero cum aliqui in basilicis

---

25 preces : preceps G ǁ debita : de uita G ǁ 26 perdere : omittere G ǁ
computabatur : -bat G ǁ 27 itinera : -re G ǁ poterant : -tuerant RB ǁ quod :
o quot G ǁ 28 suis : *om.* G ǁ 29 sedentia : *om.* G ǁ cucurrerunt : concur-
rerunt G ǁ 31 cum : + a G ǁ inuidia tunc G ǁ 32 tunc : illo tempore G ǁ
33 a : *om.* V ǁ dicto : memorato G ǁ 34 litteras : epistolas G ǁ 36 consueuerat : -uerit V ǁ Octauensi : -uiensi G ǁ 37 et : *om.* GV ǁ 38 aut : uel G ǁ
potuerunt : -terunt V ǁ 39 aliqui : *om.* B

---

1. Il existe, en 484, un *Pascentius Octauensis*, évêque catholique d'un
siège non identifié de la province de Numidie. Cf. MANDOUZE₃, *Prosop.*,
p. 830 (« Pascentius 3 »).

2. Cf. FREND₃, *Donatist Church*, p. 101 : Les autels badigeonnés de
blanc (blanchis à la chaux) semblent avoir été une des caractéristiques de
l'église donatiste. Une inscription du sanctuaire de Saturne à Hadjeb-el-
Aioun (Byzacène) montre que le blanchissement des objets de culte for-
maient une partie du cérémonial. Cela semble être un élément de continuité
dans les rites saturnien et chrétien. ~ Optat n'emploie que deux fois le mot
mensa dans son traité (ici et V, 7, 11). La seconde fois, le terme désigne
clairement la table à laquelle le maître reçoit ses hôtes (sens classique). Le
mot prend évidemment une autre signification ici. ~ Au IVᵉ siècle, la *mensa*
peut être soit une tombe soit une table d'offrande en l'honneur d'un martyr. L'emploi de ce mot s'explique par l'usage (d'abord païen puis chrétien)

5. Chacun se hâtait de perdre les sommes qu'on lui devait, même si elles étaient très élevées, et considérait comme un bénéfice d'avoir pu échapper à la violence de ces hommes. Même les routes ne pouvaient être très sûres, car des maîtres, jetés hors de leur voiture, durent courir servilement devant leurs esclaves, assis à la place des maîtres. Par le jugement et le pouvoir de ces hommes, la condition des maîtres et des esclaves était changée, si bien que, lorsque la haine s'empara des évêques de votre parti, ils écrivirent, dit-on, au comte Taurinus que des hommes de ce genre ne pouvaient être châtiés dans l'Église. 6. Ils demandèrent au comte déjà nommé de leur infliger un châtiment. Alors Taurinus, en réponse à leur lettre, ordonna à l'armée d'aller dans les marchés, là où la fureur des circoncellions avait coutume de se manifester. A Octava [1], un très grand nombre d'hommes furent tués, et beaucoup furent décapités ; leurs corps jusqu'à ce jour ont pu être dénombrés d'après les autels ou les pierres blanchies [2]. 7. Comme on avait commencé à ensevelir certaines de ces victimes dans les basiliques, le prêtre

d'offrir des repas rituels (agapes funéraires) sur les tombeaux. Augustin rappelle, dans un passage célèbre des *Confessions*, comment sa mère Monique accepta d'abandonner ces pratiques pour obéir à Ambroise, qui les avait interdites (cf. AVG., *Conf.*, VI, 2, 2). ~ Les *mensae* funéraires pouvaient avoir différentes formes. Destinées à recevoir aliments et boissons, elles étaient maçonnées au-dessus des tombes ou aménagées dans le rocher, à proximité (cf. M. BOUCHENAKI, *Fouilles de la nécropole occidentale de Tipasa*, 1977). Mais la *mensa* pouvait aussi être érigée sur le lieu de la passion du martyr, distinct de sa sépulture. Cf. Y. DUVAL₃, *Loca sanctorum Africae*, t. 2, p. 544 (la *mensa Cypriani* est un autel, d'après le témoignage d'AVG., *Serm.*, 310, 2). ~ Quel sens précis faut-il donner au mot *mensa* dans cette phrase (III, 4, 6) ? Le passage montre qu'à chaque mort correspond un autel *ou* une *mensa*, puisque ces pierres permettent de connaître le nombre des victimes. Il faut donc établir une distinction entre les deux termes. Ainsi, *ara* pourrait désigner l'autel érigé sur le lieu de l'exécution et *mensa* la pierre tombale, à l'endroit où repose le mort. ~ Sur la *mensa*, cf. Y. DUVAL₃, *Loca sanctorum Africae*, t. 2, p. 465-466 et 525-544 ; SAXER₃, *Morts, martyrs, reliques*, p. 191.

40 sepeliri coepissent, Clarus presbyter in loco Subbullensi ab
   episcopo suo coactus est ut insepultam faceret sepulturam.
   Vnde proditum est mandatum fuisse fieri quod factum est
   quando nec sepultura in domo Dei exhiberi concessa est.
   Eorum postea conualuerat multitudo. 8. Sic inuenit
45 Donatus Bagaiensis unde contra Macarium furiosam condu-
   ceret turbam. Ex ipso genere fuerant qui sibi percussores
   sub cupiditate falsi martyrii in suam perniciem conducebant.
   Inde etiam illi qui ex altorum montium cacuminibus uiles
   animas proicientes se praecipites dabant. Ecce ex quali
50 numero sibi episcopus alter Donatus cohortes effecerat !
   9. Hoc metu deterriti illi qui thesauros ferebant quos pauperibus erogarent inuenerunt in tanta necessitate consilium
   ut a Siluestre comite armatum militem postularent non per
   quem alicui uim facerent sed ut uim a Donato supra memo-
55 rato episcopo dispositam prohiberent. Hac ratione factum
   est ut miles uideretur armatus. Iam quicquid subsecutum est
   uidete cui debeat aut possit adscribi. 10. Habebant illic
   uocatorum infinitam turbam et annonam competentem
   constat fuisse praeparatam. De basilica quasi publica fece-
60 rant horrea, expectantes ut uenirent in quos furorem suum

---

40 sepeliri : -re RB*ac*V ‖ coepissent : cepissent G BV ‖ presbyter : -biter
G ‖ 41 coactus : uocatus RB ‖ 44 conualuerat : -erit RBV ‖ 45 Bagaiensis :
Bagaensi B *om.* G*ac* ‖ Macarium : -charium *codd.* ‖ 46 percussores : prae-
cursores RBV ‖ 47 martyrii : -ris G*ac* ‖ 48 inde etiam : indecet iam B unde
etiam G ‖ illi : *om.* G ‖ 50 cohortes : choortes V consortes B ‖ effecerat :
-ficerat R*ac*BV ‖ 51 qui : + prope RBV ‖ ferebant : ferrent RBV ‖ 53
Siluestre *codd.*: -tro z ‖ 54 a : *om.* V ‖ 57 aut : ut RBV ‖ habebant : fure-
bant G ‖ illic : hic B ‖ 58 infinitam : -ta G ‖ turbam et : milia populorum
quibus etiam G ‖ et : *om.* B ‖ annonam : nonam B ‖ 59 constat : -tans RBV
‖ praeparatam : -tum RBV ‖ fecerant publica B

---

1. *Clarus Subbullensis* (localité non identifiée de Numidie) n'est connu
que par le texte d'Optat.
2. Les circoncellions poussaient le culte du martyre jusqu'à le rechercher dans le suicide. AVG. (*C. Petil.*, I, XXIV, 26) évoque « le culte sacrilège

Clarus, à Subbulla [1], fut contraint par son évêque de ne pas leur accorder de sépulture rituelle. On rapporte qu'à la suite de cela, on donna l'ordre d'agir ainsi, ce qui fut fait, puisqu'il ne fut pas permis de célébrer des funérailles dans la maison de Dieu. Par la suite, la foule de ces hommes s'était accrue. 8. C'est ainsi que Donat de Bagaï trouva le moyen de conduire une foule en folie contre Macaire. De cette race même étaient les hommes qui, poussés par le désir d'un faux martyre, engageaient des assassins pour eux-mêmes, pour leur propre perte. De cette race aussi étaient ces hommes à l'âme vile qui se précipitaient du sommet d'une haute montagne, la tête la première [2]. Voilà de quelle troupe l'autre évêque Donat avait formé ses cohortes ! 9. Retenus par la crainte de ces hommes, ceux qui portaient les trésors qu'ils devaient distribuer aux pauvres décidèrent, dans une si grande nécessité, de demander au comte Silvestre [3] l'intervention de l'armée, non pour faire violence à quiconque par son intermédiaire, mais afin d'empêcher les manifestations de violence organisées par Donat, l'évêque mentionné plus haut. C'est pour cette raison qu'on vit l'armée intervenir. Ce qui s'en est alors suivi, voyez à qui on doit ou on peut en attribuer la responsabilité. 10. Ils avaient rassemblé là-bas une foule infinie d'hommes, et il est établi que l'approvisionnement nécessaire avait été préparé. D'une basilique pour ainsi dire publique, ils avaient fait un grenier, attendant la venue de ceux contre lesquels ils auraient pu exercer

---

et impie rendu aux cadavres des suicidés ». A plusieurs reprises, il rappelle l'habitude qu'ils ont de se tuer en se jetant d'un hauteur (cf. *Breu. coll.*, III, XI, 23 ; *C. Gaud.*, I, XXII, 25). « Il y a encore ces rocs escarpés, ces crevasses vertigineuses des montagnes rendues célèbres par la mort volontaire que s'y donnaient souvent les vôtres ; ils recouraient plus rarement à l'eau et au feu, ce sont les précipices qui en engloutissaient d'immenses troupes » (AVG., *C. Gaud.*, I, XXVIII, 32, *BA* 32, p. 583).

3. Sur Silvestre, cf. JONES[3], *PLRE*, t. 1, p. 842 ; MANDOUZE[3], *Prosop.*, p. 1083.

exercere potuissent et facerent quicquid illis dementia sua
dictasset, nisi praesentia armati militis obstitisset. Nam cum
ante uenturos milites metatores ut fieri adsolet mitterentur,
contra apostoli praecepta competenter suscepti non sunt qui
65 ait : *Cui honorem honorem, cui uectigal uectigal, cui tributum tributum. Nemini quicquam debueritis* [f]. 11. Qui
missi fuerant cum equis suis contusi sunt ab his quorum
nomina flabello inuidiae uentilatis ; ipsi magistri fuerunt
iniuriae suae et quid pati possent ipsi praerogatis iniuriis
70 docuerunt. Reuerterunt uexati milites ad numeros suos et
quod duo uel tres passi fuerant uniuersi doluerunt ; com-
moti sunt omnes, iratos milites retinere nec eorum praepo-
siti ualuerunt. Sic admissum est quod in inuidia unitati factum esse memorasti. 12. Haec et cetera uestra et suas
75 causas habent et quas ostendi personas obnoxias. Hoc nos
nec uidimus quidem sed uobiscum audiuimus. Si auditus
facit reos, tenemus uos socios quia similiter audistis. Si a
facto auditus immunis est, quod ab aliis uobis prouocantibus factum est nobis non debet imputari. Querelam per
80 ordinem deponitis sub Leontio, sub Vrsacio iniuriatos esse
quam plurimos, sub Paulo et Macario aliquos necatos, a
sequentibus eorum nescio quos ad tempus esse proscriptos.

---

61 dementia : clementia B ‖ 63 adsolet : + et G ‖ 65 cui uectigal uectigal : *om.* G ‖ 66 debueritis : debeatis + nisi ut inuicem diligatis G ‖ 67
contusi : -tussi V pompati G ‖ sunt : + missi z ‖ his : hiis V ‖ 68 flabello :
flauello R[ac]V ‖ uentilatis : -lasti RBV ‖ fuerunt : -erant RBV ‖ 69 iniuriae :
inuidie G ‖ quid : qui RBV ‖ possent : potuissent RB ‖ praerogatis : prae-
cogitatis G ‖ 72 omnes : *om.* G ‖ retinere : *om.* G ‖ 73 ualuerunt : uoluerunt + retinere G ‖ in : ad B *om.* R[ac] ‖ inuidia : -diam RBV ‖ unitati : -tis
G ‖ 76 auditus facit : audistis facite RBV ‖ 77 audistis : audiuimus RBV ‖
80 Vrsacio : Vrsatio *codd.* ‖ 81 Macario : Machario GV ‖ 82 nescio quos :
ne se quis RBV ‖ proscriptos : prescriptos G

---

f. Rom. 13, 7-8

---

1. Le mot *metator* ne se rencontre qu'une fois chez Optat (ici). D'après
TLL s.v., col. 879, 14-26, l'emploi (post-classsique) de ce terme dans ce sens

leur fureur et l'occasion de faire ce que leur aurait dicté leur
folie, si la présence de l'armée ne les en avait empêchés. En
effet, les éclaireurs [1] qui, comme c'est l'usage, précédaient
l'arrivée des soldats, ne furent pas reçus comme il convient,
contrairement aux préceptes de l'Apôtre qui dit : « A qui
l'honneur, l'honneur, à qui l'impôt, l'impôt, à qui le tribut,
le tribut. N'ayez de dettes envers personne [f]. »   11. Mais
ceux qui avaient été envoyés avec leurs chevaux furent roués
de coups par ces hommes dont vous faites flamber les noms
avec le soufflet de la haine ; ils ont eux-mêmes enseigné la
violence dont ils seraient les victimes et ils ont eux-mêmes
montré ce qu'ils pourraient subir, par les violences qu'ils ont
distribuées. Les soldats maltraités retournèrent vers leurs
unités, et ce que deux ou trois avaient subi devint un sujet
de ressentiment pour tous ; tous s'emportèrent, et les chefs
eux-mêmes furent incapables de retenir leurs soldats en
colère. Ainsi furent commis les actes dont tu as rappelé
qu'ils avaient été accomplis dans la haine pour le rétablissement de l'unité.   12. Ces actes, et d'autres encore, qui vous
concernent, ont leurs propres causes, et j'ai montré quels en
sont les responsables. Cela, certes, nous ne l'avons pas vu
nous-mêmes, mais nous l'avons entendu dire, tout comme
vous. Si le fait d'avoir appris par ouï-dire fait de nous des
coupables, alors nous vous tenons pour complices, vous qui
avez appris de la même façon. Si le fait d'avoir appris par
ouï-dire est irrépréhensible, alors, ce que d'autres ont commis sous vos provocations, ce n'est pas à nous que l'on doit
l'imputer. Vous vous plaignez successivement de ce qu'un
très grand nombre d'hommes ont été malmenés sous Léonce
et sous Ursace, quelques-uns tués sous Paul et Macaire, et
je ne sais combien proscrits pour un temps par leurs suc-

(« éclaireur ») n'est pas attesté avant lui. On rencontre cependant chez
Cyprien le sens très proche de « fourrier » (*Ep.*, VI, IV, 1), et celui de « précurseur » (*Ep.*, XXII, I, 1 : « metatorem antichristi »).

13. Quid hoc ad nos, quid ad ecclesiam catholicam pertinet ? Quicquid obiecistis uos fecistis, qui pacem a Deo com-
85 mendatam noluistis libenter excipere, cariorem aestimantes
hereditatem schismatis quam praecepta proposita saluatoris.
Arguistis operarios unitatis : ipsam unitatem improbate si
potestis ! Nam aestimo uos non negare unitatem summum
bonum esse. 14. Quid nostra quales fuerint operarii dum-
90 modo quod operatum est bonum esse constet ? Nam et
uinum a peccatoribus operariis et calcatur et premitur et sic
inde Deo sacrificium offertur ; oleum quoque a sordidis et
nonnullis male uiuentibus et immunda loquentibus conficitur et tamen in sapore, in lumine, etiam in sancto chrismate
95 simpliciter erogatur.

5. 1. Operarios unitatis malos fuisse dicitis. Forte cum
uoluntate Dei cui nonnumquam placet etiam quod ab ipso
potuit prohiberi. Nam quaedam mala male fiunt, quaedam
mala bene fiunt. Malum male latro facit, malum bene iudex
5 facit dum uindicat quod latro peccauit. Nam haec Dei uox
est : *Non occides* [g], et ipsius uox est : *Si inuentus fuerit homo*

83 quid [2] : qui R[a]cB ‖ pertinet : *om.* G ‖ 84 obiecistis : obicistis G ‖ uos :
non G ‖ qui pacem : *om.* RBV ‖ 85 cariorem : charionem G ‖ 86 quam :
qua G ‖ proposita : -ti RBV ‖ 87 improbate : iam probate G ‖ 89 nostra :
nos G ‖ fuerint : -erunt RBV ‖ 90 operatum : -tus G ‖ constet : -tat B ‖ 91
uinum : unum V ‖ 92 Deo : *om.* B ‖ sacrificium Deo G ‖ 94 in [1] : *om.* RBV
‖ chrismate : crismate G   chrysmatis R   chrismatis B   crismatis V
   5, 1 malos : in celos V ‖ 2 nonnumquam : numquam RB ‖ 5 haec : et
G ‖ 6 est : + in libro leuitico G

g. Ex. 20, 13 ; Deut. 5, 17

1. Chez TERT. (*Bapt.*, VII, 1), le mot *chrisma* désigne l'onction post-
baptismale : « A la sortie du bain, nous recevons une onction d'huile
bénite, conformément à la discipline antique. Selon celle-ci, on avait coutume d'élever au sacerdoce par une onction d'huile répandue de la corne :
ainsi, Aaron fut oint par Moïse. Et notre nom de Christ vient de là, de
chrisma, qui signifie onction (*unde Christi dicti a* chrisma *quod est unc-
tio*) » (cf. R.-F. REFOULÉ, SC 35, p. 40-41). Cf. CYPR., *Ep.*, LXX, II, 2 : « Il

cesseurs. 13. En quoi cela nous concerne-t-il, en quoi cela regarde-t-il l'Église catholique ? Ce que vous avez reproché, c'est vous qui l'avez commis, vous qui n'avez pas voulu accueillir de bon gré la paix recommandée par Dieu et qui avez préféré l'héritage du schisme aux préceptes donnés par le Sauveur. Vous avez accusé les artisans de l'unité : condamnez l'unité elle-même, si vous le pouvez ! Car vous ne niez pas, je pense, que l'unité est le plus grand des biens ! 14. Que nous importe ce qu'ont été les artisans, pourvu qu'il soit établi que ce qui a été fait est bien ? En effet, le vin est pressé et foulé par des ouvriers pécheurs, et c'est avec ce vin que le sacrifice est offert à Dieu ; l'huile, elle aussi, est fabriquée par des hommes vils dont certains vivent dans le péché et tiennent des propos immondes, et pourtant elle est tout bonnement utilisée pour sa saveur, pour la lumière qu'elle procure et même pour le saint chrême [1].

II. Les artisans de l'unité ont accompli la volonté de Dieu

L'exemple de Pinhas

5. 1. Vous dites que les artisans de l'unité ont fait le mal. Peut-être est-ce avec l'assentiment de Dieu, qui parfois approuve même des actes qu'il a pu interdire. En effet, parfois le mal est commis à tort, parfois le mal est commis avec raison. Le bandit a tort de faire le mal, mais le juge a raison de faire le mal quand il punit le bandit d'avoir péché. Car Dieu a dit : « Tu ne tueras pas [g] », mais il a dit aussi : « Si l'on prend sur

est nécessaire aussi que celui qui a été baptisé soit oint, afin que, ayant reçu le chrême (*accepto* chrismate), c'est-à-dire l'onction, il puisse être l'oint de Dieu et avoir en soi la grâce du Christ. » Cf. Opt., II, 19, 2 ; VII, 4, 1 ; VII, 4, 6.

dormiens cum muliere habente maritum, occidetis
utrosque [h]. 2. Vnus Deus et duae diuersae uoces ! Denique
cum Finees, filius sacerdotis, adulterum cum adultera inue-
10 niret, leuauit cum gladio manum et inter duas uoces Dei
dubius stetit. Hinc ad illum sonabat : *Non occides*, inde
sonabat : *Occidetis utrosque*. Si feriret, peccaret ; si non feriret, delinqueret. Elegit melius peccatum ut percuteret. Et
forte non defuerant qui huius rei uindicem quasi homicidam
15 notare uoluissent. 3. Sed ut ostenderet Deus aliqua mala
bene fieri, locutus est dicens : *Finees mitigauit iram meam* [i].
Et placuit Deo homicidium quia uindicatum est adulterium.
Quid si et modo Deo placuit quod passos uos esse dicitis,
qui unitatem cum toto orbe terrarum et cum memoriis apos-
20 tolorum quae Deo placita est habere noluistis ?

6. 1. Inuitus cogor hoc loco etiam illorum quorum nolo
hominum facere mentionem, quos uos inter martyres ponitis, per quos tamquam per unicam religionem uestrae com-
munionis homines iurant ! Quos quidem uellem silentio
5 praeterire, sed ratio ueritatis se sileri non patitur, et ex ipsis
nominibus contra unitatem inconsiderate rabida latrat inuidia et aspernantes aliqui accusandam aut fugiendam aesti-
mant unitatem, quod Marculus et Donatus dicantur occisi

---

7 habente : -tem RBV ‖ maritum : uirum G ‖ 8 utrosque : + in primo
libro regnorum RBV ‖ 9 Finees *codd.* : Phinees z [*sic et postea*] ‖ filius : +
eleazar G ‖ 11 occides : -das RBV ‖ 12 occidetis : -deris B -de G ‖
utrosque : + et B ‖ feriret [1 et 2] : fieret RB ‖ peccaret : + et G ‖ 13 elegit : eli-
git V ‖ 14 uindicem : + uindicem V ‖ 15 notare : denotare G ‖ 18 quid et
si RB ‖ uos passos G ‖ 20 quae : quod G ‖ placita : -tae R -te B -tum G
‖ est : sunt RB ‖ noluistis : non uultis G

6, 2 quos : quod B ‖ 3 unicam : unam G ‖ 6 rabida : *om.* RBV ‖ 7 aspernantes : -nentes V ‖ 8 unitatem : *om.* G

---

h. Lév. 20, 10 ; Deut. 22, 22   i. Nombr. 25, 11

---

1. La Vulgate donne : *Finees auertit iram meam a filiis Israhel* (*Nombr.*
25, 11). Mais on trouve chez CYPR. (*Ep.*, LXXIII, x, 2) : *Finees (...) iram*
leniuit (« a calmé »).

le fait un homme couchant avec une femme mariée, vous les tuerez tous les deux [h]. » 2. Un seul Dieu et deux paroles opposées ! Ainsi, comme Pinhas, le fils du prêtre, venait de trouver un homme adultère avec une femme adultère, il brandit son épée et il s'arrêta, hésitant entre les deux paroles de Dieu. D'un côté résonnait à ses oreilles : « Tu ne tueras pas », de l'autre résonnait : « Vous les tuerez tous les deux. » S'il frappait, il commettrait une faute ; s'il ne frappait pas, il manquerait à son devoir. Il choisit la faute qu'il jugea préférable : il frappa. Et peut-être n'avait-il pas manqué d'hommes pour souhaiter accuser d'homicide le vengeur de ce crime. 3. Mais, pour montrer que parfois on commet le mal avec raison, Dieu a dit : « Pinhas a apaisé ma colère [i][1] », et Dieu a approuvé l'homicide parce que l'adultère a été châtié. Que dire à cela, si Dieu a approuvé de la même façon ce que vous dites avoir subi, vous qui n'avez pas voulu accepter de vivre dans l'unité avec toute la terre et avec les tombeaux des apôtres, comme il plaît à Dieu ?

Un juste châtiment 6. 1. Malgré moi, je suis obligé de faire ici mention de ces hommes dont je ne veux pas parler, que vous avez mis au rang des martyrs et par qui les hommes de votre communauté jurent, comme s'ils étaient leur unique objet de culte ! Ces hommes, certes, je voudrais les passer sous silence, mais la défense de la vérité ne souffre pas le silence, et c'est précisément à cause de ces individus qu'une haine furieuse gronde inconsidérément contre l'unité, et que certains, rejetant cette unité, pensent qu'il faut l'incriminer ou la fuir, sous prétexte que Marculus et Donat [2] ont

---

2. On trouve également les noms associés de Donat et de Marculus chez Avg. (cf. par exemple *C. Petil.*, II, XIV, 32). Les donatistes les considéraient comme des martyrs, victimes de la répression impériale de 347. Optat, malgré l'emploi du verbe « dicantur » (« on dit »), semble admettre qu'ils ont été tués (mais il les rend responsables de leur propre mort). ~ On ignore dans quelles circonstances précises périrent Marculus et Donat. Les dona-

et mortui. Quasi omnino in uindictam Dei nullus mereatur
10   occidi ! 2. Nemo erat laedendus ab operariis unitatis, sed
nec ab episcopis mandata diuina contemni debuerant, quibus praeceptum est : *Quaere pacem et consequeris eam* [j], et
iterum : *Quam bonum et iucundum habitare fratres in
unum* [k], et iterum : *Felices pacifici quia ipsi filii Dei uoca-*
15   *buntur* [l]. Hoc qui nec libenter uolebant audire nec deuote
facere uoluerunt, quicquid potuerunt pati, si occidi malum
est, mali sui ipsi sunt causa.

7. 1. Sed arguendus, ut dicitis, uobis uidetur esse
Macarius ; sine uoluntate Dei aestimatis eum hoc facere
potuisse. Habetis huiusmodi reos antiquos : accusate primo
Moysen ipsum legislatorem qui, cum de Sina monte des-
5   cenderet, prope necdum propositis tabulis legis in quibus
scriptum erat : *Non occides*, tria milia hominum uno
momento iussit occidi [m]. 2. Macarium differte paulisper,
Fineem, filium sacerdotis, quem paulo ante memoraui,
primo in iudicium prouocate, si tamen inueneritis praeter

9 et : uel G ǁ 9 uindictam : -ta G ǁ mereatur : meatur B ǁ 12 quaere :
consequere G ǁ 13 et : + quam RB ǁ 15 uolebant : *om.* G
7, 1 dicitis : dicitur V ǁ 2 Macarius : + quod z   + si G ǁ facere : fecisse
G ǁ 3 potuisse : *om.* G ǁ habetis : -beris B ǁ 4 legislatorem : legem latorem
R[ac] ǁ Sina : Syna G RB ǁ 5 propositis : depositis G ǁ 7 differte : -ferre G[ac]
ǁ 8 Fineem : finem B ǁ 9 iudicium : -cio G ǁ prouocate : + et RBV

j. Ps. 33, 15   k. Ps. 132, 1   l. Matth. 5, 9   m. Cf. Ex. 32, 15-28

tistes prétendaient que le premier avait été précipité du haut d'un rocher et
le second jeté dans un puits. Avg. (*Tract. in Ioh.*, XI, 15) leur répond : « Ce
qui s'est passé en fait, je l'ignore, mais que rapportent les nôtres ? Qu'ils se
sont précipités eux-mêmes. (...) Qu'y a-t-il d'étonnant à ce que ceux-là aient
fait ce qu'on a l'habitude de faire dans leur parti ? » (*BA* 71, p. 625). Cf. *C.
Petil.*, II, xx, 46 ; *C. Cresc.*, III, xlix, 54. ~ Nous avons conservé une *Passio
benedicti martyris Marculi* (*PL* 8, 760-766 ; cf. Monceaux,, *Hist. litt.*, t. 5,
p. 69-81 ; H. Delehaye, « Domnus Marculus », *AB* 53, 1935, p. 81-89).

été, dit-on, frappés à mort. Comme si vraiment personne de méritait d'être tué pour que s'accomplisse le châtiment de Dieu ! 2. Personne ne devait être blessé par les artisans de l'unité, mais les évêques n'auraient pas dû non plus mépriser les commandements divins, qui ordonnent : « Recherche la paix et poursuis-la [j] », et encore : « Qu'il est bon et qu'il est agréable d'habiter en frères tous ensemble [k] ! », et encore : « Heureux les pacifiques car ils seront appelés fils de Dieu [l] ! » Ces hommes, qui ne voulaient pas écouter de bon gré ces préceptes et qui n'ont pas voulu les suivre fidèlement, quel qu'ait pu être leur sort, si c'est un mal d'être tué, sont eux-mêmes la cause de leur mal.

Exemples tirés de l'Ancien Testament   **7.** 1. Mais il vous semble, comme vous le dites, qu'il faut inculper Macaire ; vous pensez qu'il a pu agir ainsi sans l'assentiment de Dieu. Vous connaissez des coupables de ce genre dans l'Antiquité : accusez d'abord Moïse lui-même, le législateur, qui, alors qu'il descendait du mont Sinaï et que les tables de la Loi, sur lesquelles il était écrit : « Tu ne tueras pas », venaient juste de lui être remises, ordonna la mort de trois mille hommes en un seul instant [m]. 2. Oubliez un instant Macaire, faites d'abord passer en jugement Pinhas, le fils du prêtre, dont j'ai parlé peu auparavant, si du moins vous avez trouvé un autre juge que

---

D'après ce récit, Marculus, évêque donatiste de Numidie, se serait opposé à Macaire. Placé en détention à Nova Petra, il aurait été précipité dans le vide du haut d'un rocher par son bourreau (29 novembre 347). Cf. *Gesta*, I, 187 : « Nova Petra (...), c'est là que repose saint Marculus (*domnus Marculus*) » (*SC* 195, p. 834). Le culte rendu à Marculus est attesté, d'autre part, par la découverte, dans la basilique de Ksar el Kelb, en Algérie (= Vegesela, en Numidie ?) d'une inscription signalant un petit monument consacré au martyr Marculus. Cf. Y. DUVAL[3], *Loca sanctorum Africae*, t. 1, p. 158-160 (notice 75 : Ksar el Kelb), et t. 2, p. 705 (Marculus). MANDOUZE[3], *Prosop.*, p. 696-697. ~ Sur Donat de Bagaï, cf. *supra* p. 11, n. 1.

10 Deum aliquem iudicem ! Nam quod accusatis in persona
ipsius, a Deo laudatum est quod in zelo Dei factum est [n].
Supprimite interim uoces quas in Macarium dictat inuidia.
Recurrite primo ad Heliam prophetam qui in riuo Cison,
cum pareret uoluntati Dei, quinquaginta et quadringentos
15 occidit [o]. 3. Sed forte dicatis illos merito occisos, istos
indigne ! Numquam sequitur uindicta nisi eius antecesserit
causa. Vindicauit, ut diximus, Moyses, uindicauit Helias,
uindicauit Finees, et non uultis ut uindicauerit Macarius. Si
nihil offenderant qui occisi esse dicuntur, sit Macarius reus
20 in eo quod solus nobis nescientibus sed uobis prouocantibus fecit ; quare nobis fit inuidia cum aliena sint facta ?
4. Et in uobis est causa quia propter uos qui foris fuistis –
quamquam et nunc foris esse uideamini – euenisse dicitur,
non propter nos qui intus habitamus et numquam de radice
25 recessimus. Sed quia supra memoratorum personas per ordinem diximus, uideamus quare Moyses tria milia hominum
iussit occidi, quare Finees duo et quare Helias quadringentos et quinquaginta, quare Macarius duos, quorum nomina
cotidie, ut supra dixi, flabello inuidiae uentilatis.
30 5. Constat in eos uindicasse a quibus iussio diuina
contempta est. Nam : *Non tibi facies sculptile* [p] Dei uox est,

---

10 aliquem : alterum G ‖ persona : -nam V ‖ 12 quas : quasi R[ac]V quibus R[pc]B ‖ in : om. B ‖ dictat : -ta RBV ‖ inuidia : in uia R[ac]V ‖ 13 recurrite : recurrit + et RBV ‖ Heliam : alium RV om. B ‖ Cison : + una hora
G ‖ 14 pareret : praeter V om. G ‖ uoluntati : -tate G R[ac]V ‖ quadringentos : -gintos V [*sic et postea*] ‖ 16 indigne : non nostros G ‖ 17 uindicauit : -camus G[ac] ‖ diximus : dixit RB ‖ Helias : Helyas BV ‖ 18 Finees :
Fines B ‖ 19 sit : sed RBV ‖ 20 sed : et RBV ‖ 21 fit : feci V ‖ sint aliena
G ‖ sint : sunt V ‖ 22 qui : om. RBV ‖ foris : foras G ‖ 23 euenisse : uenisse
G ‖ 27 occidi : + et G ‖ duo : duos G ‖ Helias : Helyas B Elyas V ‖ 28
quinquaginta : + et G ‖ 29 cotidie : cottidie V ‖ flabello : flauello R[ac]
flauella V ‖ uentilatis : + omnes istos G

---

n. Cf. Nombr. 25, 11   o. Cf. III Rois 18, 40   p. Ex. 20, 4 ; Deut. 5, 8

Dieu ! Car le crime dont vous accusez cet homme a été précisément loué par Dieu, parce qu'il a été commis pour apai-
ser la colère de Dieu [n]. Étouffez pour un temps les paroles
que vous dicte votre haine contre Macaire. Référez-vous
d'abord au prophète Élie qui, dans le fleuve du Qishôn,
obéissant à la volonté de Dieu, tua quatre cent cinquante
hommes [o]. 3. Mais peut-être allez-vous dire que les uns
ont été tués à juste titre et les autres injustement ! Jamais la
punition n'intervient sans que sa cause ne l'ait précédée.
Moïse a puni, comme nous l'avons dit, Élie a puni, Pinhas
a puni, et vous ne voulez pas que Macaire ait puni ! S'il est
vrai que ceux dont on dit qu'ils ont été tués n'avaient commis aucune faute, admettons que Macaire soit coupable d'un
acte qu'il a accompli seul, sans notre complicité, mais poussé
par vos provocations ; pourquoi alors cette haine contre
nous, puisque ces faits nous sont étrangers [1] ? 4. C'est
même vous qui êtes responsables, puisque c'est à cause de
vous que ces événements ont eu lieu, vous qui êtes sortis de
l'Église — et d'ailleurs, maintenant encore vous êtes au-
dehors — et non à cause de nous qui habitons à l'intérieur
et qui ne nous sommes jamais séparés de la racine. Mais
puisque nous avons pris successivement en exemple les
hommes cités plus haut, voyons pourquoi Moïse a ordonné
la mort de trois mille hommes, pourquoi Pinhas en a tué
deux et Élie quatre cent cinquante, pourquoi Macaire a fait
tuer les deux hommes dont, chaque jour, comme je l'ai dit
plus haut, vous enflammez les noms avec le soufflet de la
haine. 5. Il est évident qu'ils ont châtié ceux qui ont
méprisé les commandements de Dieu. En effet, « Tu ne feras
pas d'image sculptée [p] » est une parole de Dieu, et « Tu ne

---

1. Augustin reprendra inlassablement cette argumentation. Cf. par
exemple *C. Petil.*, II, XXIII, 53 : « Mais toi, tu nous reproches des faits de
gens avec qui nous n'avons pas vécu, dont nous n'avons pas vu le visage,
à l'époque desquels nous étions enfants ou peut-être encore à naître » (*BA*
30, p. 293).

et : *Non facies adulterium* ^q eiusdem Dei uox est. *Non sacri-*
ficabis idolis ^r idem Deus locutus est, et : *Non facies*
schisma ^s. Et : *Quaere pacem et consequeris eam* ^t, eiusdem
35 Dei praeceptum est. Temporibus Moysi populus Israhel
caput uituli coluit quod illis sacrilega flamma conflauit.
6. Ideo tria milia hominum occidi meruerunt quia Dei uox
uidebatur esse contempta. Finees adulteros uno ictu percussit : laudari a Deo meruit quoniam diuinorum praecep-
40 torum contemptores occidit. Et quadringentos et quinquaginta quos Helias occidisse legitur ideo occisi sunt quia
contra iussionem Dei, per quod falsi uates erant, Dei
praecepta contempserant. 7. Et illi quorum nominibus
Macarium criminatis nec a falsis uatibus longe sunt, quia uos
45 Deus dixit futuros esse falsos uates, quod proximo loco probaturi sumus. Et dum pacem noluerunt recipere nec in uno
cum fratribus habitare contra praecepta et contra uoluntatem Dei pertinaciter obstiterunt. Ergo uidetis a Moyse et
Finee et Helia et Macario similia esse facta quia ab omnibus
50 unius Dei praecepta sunt uindicata. 8. Sed uideo uos hoc
loco tempora separantes ut alia fuerint tempora ante euangelium, alia post euangelium, in quo potestis dicere, quia
scriptum est, ut a Petro iam gladius conderetur quo auriculam serui sacerdotis abstulerat ^u. Quem seruum potuerat

32 et non — uox est : *om.* G ‖ 33 idolis : ydolis B ‖ 35 Dei : *om.* RBV
‖ 37 hominum : *om.* G ‖ 38 percussit : + et G ‖ 39 praeceptorum : man-
datorum G ‖ 40 et ² : *om.* G ‖ 42 Dei : *om.* G ‖ 44 criminatis : -namini G
‖ 45 esse : *om.* G ‖ quod : quo R^{ac}V ‖ 46 recipere nec : respicere ne RBV
z ‖ 47 habitare : -ret RBV ‖ contra : *om.* G ‖ 48 Dei : *post* praecepta *transp.*
G ‖ Moyse : -sen V ‖ 49 Finee : Finees R ‖ Helia : Helyam V ‖ facta esse
G ‖ omnibus : hominibus G ‖ 50 praecepta sunt : processe sunt RB pro-
cesserunt V ‖ uindicata : -dicat V -dictae RB ‖ 51 alia : altera G ‖ 53 gladius iam G ‖ auriculam : -las GV ‖ 54 serui : -uo G ‖ quem seruum potuerat : *om.* B ‖ quem : quae R que V ‖ potuerat : -terat G

q. Ex. 20, 14 ; Deut. 5, 18   r. Ex. 20, 5 ; Deut. 5, 9   s. Cf. I Cor. 1,10 ;
12, 25   t. Ps. 33, 15   u. Cf. Matth. 26, 51

commettras pas l'adultère q » est une parole de ce même
Dieu. « Tu ne sacrifieras pas aux idoles r », a dit le même
Dieu, et : « Tu ne feras pas de schisme s. » Et : « Recherche
la paix et poursuis-la t », voilà encore un précepte de ce
même Dieu. Au temps de Moïse, le peuple d'Israël adora la
tête d'un veau, que fondit pour eux une flamme sacrilège.
6. Ainsi, trois mille hommes ont mérité la mort pour avoir
manifestement méprisé la parole de Dieu. Pinhas frappa
d'un même coup les adultères : il mérita les louanges de
Dieu pour avoir tué les contempteurs des préceptes divins.
Et les quatre cent cinquante hommes qu'Élie fit tuer, comme
on peut le lire, furent tués pour avoir, contre le commandement de Dieu, méprisé les préceptes de Dieu, car ils
étaient de faux prophètes [1]. 7. Et ces hommes, au nom desquels vous incriminez Macaire, ne sont pas éloignés non
plus de ces faux prophètes, car Dieu a dit que vous seriez
de faux prophètes, et nous allons bientôt le prouver. En
refusant de respecter la paix et d'habiter dans un même lieu
avec leurs frères, ils se sont obstinément opposés aux préceptes et à la volonté de Dieu. Vous voyez donc que des
actes semblables ont été accomplis par Moïse, Pinhas, Élie
et Macaire, puisque tous ont châtié ceux qui avaient déso-
béi aux préceptes d'un seul et même Dieu [2]. 8. Mais je vois
que vous faites ici une différence entre les époques : autres
auraient été les temps d'avant l'Évangile, autres ceux d'après
l'Évangile, dans lequel vous pouvez montrer, puisque cela
est écrit, comment Pierre a remis au fourreau l'épée qui lui
avait servi à trancher l'oreille du serviteur du prêtre u ; Pierre

---

1. Avg. (*C. Petil.*, II, XIX, 43) cite lui aussi l'exemple d'Élie et le juste
châtiment des faux prophètes (*III Rois* 18, 40).

2. Avg. (*C. Petil.*, II, XIX, 43) développe la même thèse : « Voici la seule
question qui se pose à vous : est-ce un acte légitime ou impie que de vous
être séparés de la communion avec l'univers ? Si l'on découvre que ce fut
une impiété, ne vous étonnez point si Dieu ne manque pas de ministres
pour vous flageller : ce qui vous persécute, ce n'est pas nous, mais selon
l'Écriture, ce sont vos propres actions » (*BA* 30, p. 275).

55   quasi deuotus Petrus occidere, sed Christus pati uenerat,
      non defendi ; et si cogitatum suum Petrus impleret, in pas-
      sione Christi uideretur seruus uindicari non populus libe-
      rari.

      8. 1. Nam et Macarius gladium a Petro uagina conditum
      non eduxit. Hoc probat Deus dum ad uallem Sion loquitur
      dicens : *Vulnerati in te, non uulnerati gladio* [v]. Aut probate
      aliquem illo tempore gladio esse percussum ! Deinde ait :
5   *Mortui in te, non mortui in bello* [w]. Quare debetis adtendere
      ne temerarium sit eos martyres appellare qui christianorum
      nullum senserint bellum. **2.** Non enim tale aliquid factum
      aut auditum est quod in bello christianorum dici aut fieri
      solitum est, quod bellum persecutio dicitur, quae operata est
10   sub duabus bestiis ex illis quattuor quas Daniel [x] de mari
      ascendentes aspexit. Prima fuit ut leo : haec erat persecutio
      sub Decio et Valeriano ; secunda ut ursus : alia persecutio
      quae fuit sub Diocletiano et Maximiano. **3.** Quo tempore
      fuerunt et impii iudices bellum christiano nomini inferentes,
15   ex quibus in prouincia proconsulari ante annos sexaginta
      et quod excurrit fuerat Anullinus, in Numidia Florus.

      55 quasi : *post* seruum *transp.* G ‖ 55-56 occidere — Petrus : *om.* B ‖ 56
      si : *om.* RV ‖ impleret : -re RBV ‖ 57 uideretur : uidetur + et RBV
         8, 1 et : *om.* RBV ‖ 2 Sion : Syon G BV ‖ 3 gladio : + et mortui in te
      non mortui in bello G ‖ 4 aliquem : *post* tempore *transp.* G ‖ 4-5 deinde
      — bello : *om.* G ‖ 6 sit : sed V ‖ 7 senserint : -erunt G ‖ 8 auditum : dic-
      tum G ‖ 9 bellum : *om.* G ‖ 10 duabus : duobus R[ac]BV ‖ illis : illi V ‖ 11
      ut : *om.* RBV ‖ 13 Diocletiano : Diucletiano G Dyocletiano B
      Dioclytiano R ‖ 14 et : etiam G ‖ christiano nomini : christianorum B ‖ 15
      sexaginta : prope septuaginta G ‖ 16 Anullinus *codd.* : Anulinus z ‖ in
      Numidia : in mundicia G[ac]

      v. Is. 22, 2   w. Is. 22, 2   x. Cf. Dan. 7, 3-28

      1. Nous savons, grâce au témoignage d'Augustin, que le donatiste
      Petilianus citait *Matth.* 26, 51 pour protester contre les violences dont les
      schismatiques étaient victimes (cf. AVG., *C. Petil.*, II, LXXXVIII, 194).

aurait pu, comme par dévotion, tuer le serviteur, mais le
Christ était venu pour souffrir et non pour être défendu ; et
si Pierre avait réalisé son projet, on aurait pu voir dans la
passion du Christ la vengeance du serviteur et non la libé-
ration du peuple.

**Les martyrs donatistes
ne sont pas de vrais
martyrs**

8. 1. Mais Macaire n'a pas sorti
du fourreau l'épée rengainée par
Pierre [1]. Cela, Dieu le prouve
lorsqu'il s'adresse à la vallée de
Sion en disant : « Tes blessés n'ont pas été blessés par
l'épée [v]. » Ou alors apportez la preuve que quelqu'un a été
frappé par l'épée à cette époque-là ! Il dit ensuite : « Les
morts chez toi ne sont pas morts à la guerre [w]. » C'est pourquoi vous devez prendre garde qu'il ne soit téméraire d'appeler martyrs des hommes qui n'ont affronté aucune guerre
menée contre les chrétiens. 2. En effet, rien n'a été fait, rien
n'a été entendu de ce que l'on a coutume de dire ou de faire
dans une guerre menée contre les chrétiens, cette guerre que
l'on appelle persécution et qui se produisit sous deux de ces
quatre bêtes que Daniel [x] vit sortir de la mer. La première
était pareille à un lion : c'était la persécution de Dèce et de
Valérien [2] ; la seconde était semblable à un ours : c'était
l'autre persécution, celle de Dioclétien et de Maximien.
3. A cette époque, il y eut des juges impies qui portèrent la
guerre contre le nom de chrétien, et parmi eux, dans la province proconsulaire, il y a plus de soixante ans, se trouvait
Anullinus, et, en Numidie, Florus [3]. Tout le monde sait bien

2. C'est avec Dèce qu'éclate en 250 la première persécution décrétée par
le pouvoir romain. Son successeur Valérien interdit le culte chrétien en 258.
Cyprien est exécuté à Carthage, Xyste II martyrisé à Rome (cf. J. MOREAU,
Les persécutions du christianisme dans l'Empire romain, Paris 1956).
3. Sur Anullinus, proconsul d'Afrique (302-305), cf. MANDOUZE₃,
Prosop., p. 78-80. ~ Sur Florus, gouverneur de Numidie (302), cf.
MANDOUZE₃, *Prosop.*, p. 477 ; Y. DUVAL₃, *Loca sanctorum Africae*, t. 1,
p. 245-247 (notice 117), et t. 2, p. 476.

Omnibus notum est quid eorum operata sit artificiosa cru-
delitas. Saeuiebat bellum christianis indictum, in templis
daemoniorum diabolus triumphabat, immundis fumabant
20 arae nidoribus, et qui ad sacrilegia uenire non poterat ubicumque tus ponere cogebatur.   4. Omnis locus templum
erat ad scelus, inquinabantur prope morientes senes, igno-
rans polluebatur infantia, a matribus paruuli portabantur ad
nefas, parentes incruenta parricidia facere cogebantur, alii
25 cogebantur templa Dei uiui subuertere, alii Christum
negare, alii leges diuinas incendere, alii tura ponere. Horum
aliquid a Macario factum esse nec uos ipsi confingere poteritis.   5. Sub persecutore Floro christiani idolorum cogebantur ad templa ; sub Macario pigri compellebantur ad
30 basilicam ! Sub Floro dicebatur ut negaretur Christus et
idola rogarentur ; contra sub Macario commonebantur
omnes ut Deus unus pariter in ecclesia ab omnibus rogaretur !   6. Ergo cum uideatis christianorum nullum fuisse
bellum – et sine bello aliquos mortuos esse commemorat
35 Deus, cum dicit : *Et mortui in te, non mortui in bello* [y] –,
et dubios martyres posse eos esse qui non sint uel ad sacrilegia prouocati uel ad immunda incensa uel ad negationem
nominis Dei, et cum ad martyrium non sit transitus nisi per
confessionem, quomodo dicitis martyres qui non fuerunt
40 confessores, aut quis eorum negare coactus est et confessus

---

17 quid : quod RBV ‖ 17-18 eorum — saeuiebat : *om.* RBV ‖ 19 diabolus : dyabolus GB ‖ 20 arae nidoribus : a renidoribus G ‖ qui : quia RBV
‖ ad : + sacra G z ‖ sacrilegia : -ga z ‖ poterat : -tuerant RBV -terant z ‖
21 tus : thus G ‖ cogebatur *codd.* : -bantur z ‖ omnis locus : omnibus locis
RBV ‖ 22 ad : aut RBV ‖ 23 a : *om.* RBV ‖ paruuli : parui liberi RBV ‖ 24
incruenta : cruenta RB ‖ 25 cogebantur : urguebantur RV urgebantur B ‖
26 incendere : accendere RBV ‖ tura : thura G ‖ 27 Macario : Marchario V
‖ esse : est RBV ‖ uos : *om.* RBV ‖ confingere : -fringere B ‖ 30 Christus :
deus G ‖ 31 idola : ydola BG ‖ commonebantur omnes : commemorabant-
ur homines G ‖ 32 pariter : *post* ecclesia *transp.* G ‖ in : + una G ‖ 33-49
ergo — potuerunt aut : *om.* RBV ‖ 36 ad : + sacra G z

---

y. Is. 22, 2

ce que leur cruauté ingénieuse a produit. La guerre déclarée
aux chrétiens faisait rage, dans les temples des démons le
diable triomphait, les autels fumaient de vapeurs immondes,
et celui qui ne pouvait venir assister à des sacrifices sacrilèges était contraint à offrir de l'encens en quelque endroit
que ce soit.   4. Tout lieu était un temple pour le crime, les
vieillards presque mourants étaient déshonorés, les enfants
innocents étaient souillés, les tout-petits étaient portés par
leur mère pour accomplir ce crime impie, les parents étaient
contraints à commettre des meurtres non sanglants, les uns
étaient contraints à détruire les temples du Dieu vivant,
d'autres à renier le Christ, d'autre à brûler les lois divines,
d'autres à offrir de l'encens [1]. Que Macaire ait commis l'un
de ces actes, cela, même vous vous ne pouvez l'imaginer.
5. Sous le persécuteur Florus, les chrétiens étaient
contraints à fréquenter les temples des idoles ; sous Macaire,
on poussait les indolents vers les basiliques ! Sous Florus,
on demandait de renier le Christ et de prier les idoles ; sous
Macaire, au contraire, on conseillait à tous de prier un seul
et même Dieu, tous ensemble, dans l'Église !   6. Ainsi,
puisque vous voyez qu'aucune guerre n'a été faite contre les
chrétiens — et Dieu rappelle que certains sont morts sans
qu'il y eût de guerre lorsqu'il dit : « Les morts chez toi ne
sont pas morts à la guerre [y] » —, puisque vous voyez que
l'on peut douter du martyre d'hommes qui n'ont pas été
poussés à accomplir des sacrifices sacrilèges, ni à brûler de
l'encens immonde, ni à renier le nom de Dieu, et puisqu'on
ne peut accéder au martyre que par la confession de la foi,
comment pouvez-vous appeler martyrs des hommes qui
n'ont pas été confesseurs de la foi ? Car lequel d'entre eux
a-t-il été contraint à renier et a-t-il confessé le Christ ?

---

1. Ce passage qui évoque la persécution des chrétiens constitue une anti-
thèse rigoureuse à celui dans lequel Optat décrivait la paix et l'unité de
l'Église sous le règne de « l'empereur chrétien » Constantin (II, 15, 2-4).

est Christum ?   7. Si igitur nec martyrium sine Christi
nominis confessione esse potest, et nemo confessus est, et in
uindicta praeceptorum Dei factum est quod factum esse
dicitis, et a nobis factum esse aliquid non probatis, cum id
45 quod factum est et Deus dixerit sic futurum esse et eius sunt
uindicata praecepta. Videte ne non solum uanum sed etiam
superstitiosum sit sine bello mortuos ibi ponere ubi sunt qui
in Christum confessi pro Dei nomine mori potuerunt.
8. Aut si eos martyres esse uultis, probate illos amasse
50 pacem in qua prima sunt fundamenta martyrii aut dilexisse
Deo placitam unitatem aut habuisse cum fratribus caritatem.
Nam omnes christianos fratres esse et in primo libello probauimus et in quarto procul dubio probaturi sumus. Quos
dicitis debere appellari martyres noluerunt fratres agnos-
55 cere, nullam habuerunt caritatem.   9. Nec dicatur ad excu-
sationem quia traditoribus communicare noluerunt cum
manifestissime probatum sit eosdem ipsos filios fuisse traditorum. Nulla igitur est excusatio quia caritatem illos non
habuisse manifestissime constat. Sine qua nullum nec nomi-
60 nari potest uel esse martyrium, sine qua maxima et imperiosa uirtus caret effectu, sine qua nihil ualet omnium scientia linguarum, sine qua nihil potest etiam societas angelorum
apostolo Paulo dicente :   10. *Si habeam in me potestatem*
imperandi montibus ut transferant se de locis in loca et
65 *loquar omnium gentium linguis etiam angelorum et corpus*
meum flammis tradam et caritatem in me non habeam, nihil
sum. Sed ero aeramentum tinniens in deserto ut pereat uocis

49 si : + supra memoratos uideri RBV ‖ eos : *om.* RBV ‖ esse : *om.* RBV
‖ 50 sunt prima G ‖ dilexisse : dilexi se V ‖ 51 placitam : -ta + in V ‖ caritatem : charitatem G [*sic et postea*] ‖ 52 omnes : + nos G ‖ 54 debere : *om.*
G ‖ appellari : -re RᵃᶜBV ‖ 55 nec : ne V ‖ 57 eosdem : eodem B ‖ 59
constat : -tet V ‖ nec : uel G ‖ 61 ualet : + et RBV ‖ omnium : -nis RBV ‖
62 etiam nichil potest G ‖ 65-66 et corpus — tradam : *om.* G ‖ 67 aeramentum : eramentum R   erramentum B ‖ tinniens : inniens V ‖ in : ut RBV
‖ ut : ubi G

7. Ainsi, s'il est vrai que sans la confession du nom du Christ il ne peut y avoir de martyre, et si personne ne l'a confessé, si c'est pour punir la désobéissance aux préceptes de Dieu que les actes dont vous parlez ont été commis, alors vous n'apportez aucune preuve de notre responsabilité dans cette affaire, puisque Dieu a déclaré que ces actes seraient accomplis et puisque c'est la désobéissance à ses préceptes qui a été punie. Prenez garde qu'il ne soit pas seulement vain mais aussi impie de placer des hommes qui ne sont pas morts dans la persécution au rang de ceux qui, ayant confessé le Christ, ont pu mourir pour le nom de Dieu. 8. Ou alors, si vous voulez qu'ils soient des martyrs, apportez la preuve qu'ils ont aimé la paix, dans laquelle résident d'abord les fondements du martyre, ou qu'ils ont honoré l'unité qui plaît à Dieu, ou encore qu'ils ont été charitables envers leurs frères. Nous avons montré dans le premier livre que tous les chrétiens sont des frères et nous allons encore en apporter la preuve incontestable dans le quatrième. Ces hommes, qu'il faut, d'après vous, appeler martyrs, n'ont pas voulu reconnaître leurs frères, ils n'ont eu aucune charité. 9. Et qu'on ne dise pas pour les excuser qu'ils n'ont pas voulu être en communion avec des traditeurs, puisqu'il a été prouvé de façon très manifeste que ces mêmes hommes furent eux-mêmes les fils des traditeurs. Rien ne peut donc excuser leur manque de charité, qui est très manifeste. Or, sans la charité on ne peut pas parler de martyre, sans elle le martyre ne peut exister, sans elle le plus grand et le plus absolu des pouvoirs manque d'efficacité, sans elle la connaissance de toutes les langues ne sert à rien, sans elle même la communion des anges ne peut rien, comme le dit l'apôtre Paul : 10. « Si j'avais le pouvoir de commander aux montagnes de se déplacer d'un lieu à un autre, et si je parlais les langues de tous les peuples, même celle des anges, et si je livrais mon corps aux flammes, même ainsi, si je n'ai pas la charité en moi, je ne suis rien. Mais je serai un objet

opus ubi nullus occurrit auditus [z]. 11. Si tanta res, si beatus
Paulus, si uas electionis quamuis in imperiosa uirtute et
70 angelorum societate pronuntiat se nihil esse, nisi caritatem
habuerit, uidete an non dicantur martyres sed aliquid appellari mereantur qui caritatis desertores pro eadem desertione
pati aliquid potuerunt.

9. 1. Gaudet totus orbis de unitate catholica praeter partem Africae, in qua incendium de scintilla conflatum est. Ab
operariis unitatis queremini nescio quae esse commissa. Hoc
non queritur Italia, non Gallia, non Hispania, non
5 Pannonia, non Galatia, non Graecia, non cum tot prouinciis suis Asia. Quia nihil illic fuerat emendandum, nullus
illuc missus est emendator. **2.** Quia nihil illic fuerat scissum, nullus illuc missus, ut ita dixerim, sartor. Et hic in
Africa iamdudum populo in unitate manente uestis fuerat
10 sana, aemula manu inimici discissa est. Pendebant quodammodo panni de una uestis origine et de una radice uenientes
ab inuicem diuisi sunt rami. Vt quid se pars parti anteponit ? Vt quid se super alterum pannum alter pannus extol-

70 pronuntiat : -tians RBV ‖ 71 dicantur : dicam G ‖ aliquid : + aliud z
9, 1 de unitate : *om.* G ‖ catholica : -ce G ‖ 2 Africae : Affrice B [*sic et
postea*] ‖ 3 querimini : querimoni R[ac]   qua crimina V ‖ quae : qua RB ‖ 4
Italia non : *om.* G ‖ non [2] : + solum G ‖ non Gallia : *om.* RBV ‖ Hispania :
Hyspania B ‖ 5 Galatia : -thia G ‖ Graecia : Grecia G RV Gretia B ‖ 7-8
emendator — missus : *om.* RBV ‖ 8 sartor : sator G[ac] ‖ 10 quodammodo :
quodadmodum RBV ‖ 12 ab inuicem — anteponit : *om.* RBV

z. I Cor. 13, 1-3

1. Augustin reprend la thèse d'Optat : « Martyres ueros non facit poena,
sed causa » (*Epist.*, LXXXIX, 2). « Puisse-t-il comprendre enfin que ce qui
rend martyr du Christ, ce n'est pas la peine mais la cause » (*C. Cresc.*, III,
XLVII, 51). Cf. *C. Parm.*, I, IX, 15. ~ Cyprien avait lui aussi dénié à ceux
qui s'étaient séparés de l'unité ou aux *lapsi* la qualité de martyrs : « Esse
martyr non potest qui in ecclesia non est », « Il ne peut être martyr, celui
qui n'est pas dans l'Église » (*De eccl. unit.*, 14).
2. CYPR. (*Ep.*, XVII, III, 1) avait utilisé la même image à propos de la

d'airain qui sonne ᶻ » dans le désert, dont le bruit n'est que peine perdue quand personne n'écoute ! 11. Si une telle chose est possible, si le bienheureux Paul, ce vase d'élection, proclame que même s'il possède un pouvoir absolu et s'il se trouve dans la communion des anges, il n'est rien s'il n'a pas la charité, examinez bien ceci : il ne s'agit pas de savoir s'ils doivent être appelés martyrs, mais s'ils méritent même de porter un nom, ces hommes qui, ayant abandonné la charité, ont enduré quelque souffrance pour avoir précisément commis cet abandon [1].

Le vêtement déchiré

9. 1. Toute le terre se réjouit de l'unité catholique, excepté une partie de l'Afrique, qu'une étincelle a embrasée. Vous vous plaignez de ce que les artisans de l'unité ont commis je ne sais quels actes. De cela, l'Italie ne se plaint pas, ni la Gaule, ni l'Espagne, ni la Pannonie, ni la Galatie, ni la Grèce, ni l'Asie avec toutes ses provinces. Puisque aucun acte, là-bas, n'avait mérité de châtiment, on n'a envoyé personne pour châtier. 2. Puisque rien, là-bas, n'avait été déchiré, on n'a envoyé, j'oserais dire, aucun raccommodeur [2]. Ici aussi, en Afrique, tant que le peuple était demeuré dans l'unité, le vêtement était resté intact, mais il fut déchiré par la main jalouse de l'Ennemi. Des lambeaux pendaient, en quelque sorte, issus du même vêtement et, partis d'une même racine, des rameaux se sont séparés, chacun de son côté. Mais pourquoi une partie se préfère-t-elle à l'autre partie ? Pourquoi un lambeau s'élève-t-il au-dessus de l'autre lambeau, alors

---

réconciliation des *lapsi* : « Que personne ne reprenne ni ne mette une tunique déchirée (*scissam*) avant de l'avoir fait raccommoder (*resartam*) par un artisan habile. » Il avait également interprété la tunique intacte du Christ (*Jn* 19, 23-24) comme le symbole de l'unité de l'Église (cf. *De eccl. unit.*, 7). Cf. M. Aubineau, « Dossier patristique sur *Jn* 19, 23-24 : La tunique sans couture du Christ », dans *La Bible et les Pères*, Travaux du Centre d'Études supérieures spécialisé d'histoire des religions de Strasbourg, Paris 1971 (Colloque de Strasbourg, 1ᵉʳ-3 oct. 1969), p. 35-40.

lit, cum meliorem se probare non poterit ?   3. Quid enim ?
15 Si dicat contemptus pannus : Quid te tantum extollis ?
Nonne pares creuimus, in manibus conficientium simul fui-
mus, apud lotorem pariter mundati sumus ? Inimicus nos
uoluit ab inuicem excidere, aduersarius pulchritudinem nostram uoluit deformare. In parte uestis adhuc unum sumus,
20 sed in diuersa pendemus.   4. Quod enim scissum est, ex
parte diuisum est, non ex toto, cum constet merito, quia
nobis et uobis ecclesiastica una est conuersatio. Et si hominum litigant mentes, non litigant sacramenta. Denique possumus et nos dicere : Pares credimus et uno sigillo signati
25 sumus nec aliter baptizati quam uos, testamentum diuinum
pariter legimus, unum Deum pariter rogamus, oratio dominica apud nos et apud uos una est. Sed scissura, ut supra
diximus, facta partibus hinc atque inde pendentibus sartura
fuerat necessaria. Et tamen huius rei artifex aut operarius
30 dum uult uestem in antiquam faciem reuocare, uicina fila
compungit.   5. Displicet tibi sartor, qui scissuram dum
sanat uulnerat. Ille tibi displiceat qui fecit ut sartor peccare
potuisset ! Et quae in uos ab operariis unitatis dicitis esse
commissa, aut ad parentes uestros pertinent, quorum causa
35 facta sunt, aut ex uoluntate Dei descendunt. Nos autem inde
alieni sumus.

10. 1. Quid ? Si quamuis aspera tamen, ut diximus, cum
uoluntate Dei uidentur esse commissa ? Legimus enim in

14 cum : + se V ǁ meliorem : melior est G ǁ 15 pannus : + ut G ǁ 15-16
quid te — creuimus : *om.* V ǁ tantum te G ǁ 16 nonne : in ove G ǁ manibus : manus G ǁ 17 pariter : *om.* B ǁ 18 uoluit nos G ǁ excidere : scindere
G ǁ 20 pendemus : -dimus RBV ǁ 21 cum constet : conscissum et G ǁ 22
nobis et uobis ecclesiastica : *post* est *transp.* G ǁ 23 mentes : + tamen G ǁ
24 credimus : credidimus G ǁ et [2] : *om.* G ǁ 25 uos : + nec aliter ordinati
quam uos G ǁ 26 pariter [2] : *om.* RBV ǁ dominica : + et G ǁ 27 scissura
codd. : scissa z ǁ 28 facta : parte RBV ǁ atque : adque V ǁ 29 fuerat : erat
B ǁ 32 ille : illi V ǁ tibi : + magis G ǁ ut : ubi G ǁ 33 et : *om.* G ǁ in : *om.*
V ǁ 35 descendunt : -dit RBV ǁ autem : tamen RV
    10, 1 quid : si qui G ǁ diximus : dixi RBV ǁ 2 uidentur : uiderentur G

qu'il ne pourra prouver qu'il est meilleur ? 3. Et si en effet le lambeau méprisé disait : « Pourquoi t'élèves-tu si haut ? N'avons-nous pas grandi pareillement ? N'avons-nous pas été ensemble entre les mains de ceux qui nous ont fabriqués ? N'avons-nous pas été lavés dans la même eau ? L'Ennemi a voulu nous mettre en pièces, l'adversaire a voulu détruire notre beauté. Dans une partie du vêtement, nous sommes encore unis, mais nous pendons chacun de notre côté. » 4. Car ce qui a été déchiré n'a été séparé qu'en partie et non dans sa totalité ; et cela, on peut le voir très clairement, puisque nous avons, vous et nous, les mêmes usages religieux. Et si les esprits des hommes sont dans la discorde, les sacrements ne connaissent pas la discorde. Enfin, nous pouvons dire nous aussi : « Nous avons la même foi, nous avons été marqués du même sceau et nous n'avons pas été baptisés autrement que vous, nous lisons de la même façon le Testament divin, nous prions de la même façon un seul et même Dieu, la prière dominicale est la même chez nous que chez vous. » Mais, comme nous l'avons dit plus haut, une déchirure ayant eu lieu, des morceaux pendaient de-ci, de-là, si bien qu'un raccommodage avait été nécessaire. Mais voilà, quand l'artisan ou l'ouvrier qui accomplit ce travail veut rendre au vêtement son ancien aspect, il pique les fils qui sont proches. 5. Le raccommodeur te déplaît parce que, en réparant le vêtement déchiré, il le blesse. Mais alors, que celui qui a rendu possible la faute du raccommodeur te déplaise plutôt ! Or, ces actes, dont vous dites qu'ils ont été commis contre vous par les artisans de l'unité, concernent vos pères qui en ont été la cause, ou résultent de la volonté de Dieu. Mais nous, nous sommes étrangers à tout cela.

Le témoignage d'Ézéchiel 10. 1. Et que dire, si ces actes, quoique violents, ont été commis, comme nous l'avons dit, avec l'assentiment de Dieu ?

Ezechiele propheta parietem dealbatum, cui Deus comminatus est tempestatem, pluuiam et lapides petrobolos et
5 accusationes : *Erunt*, inquit, *falsi uates, qui aedificent ruinosum parietem dicentes: pax, pax! et ubi pax*[a]?
2. Recordamini quomodo a uobis iamdudum matris ecclesiae membra ab inuicem distracta sunt. Non enim unam-
quamque domum semel seducere potuistis. Aut abiit
10 uxor et resedit maritus, aut parentes seducti sunt et filii
sequi noluerunt, aut stetit frater sorore migrante.
3. Persuasionibus uestris diuisa sunt et corpora et nomina
pietatis et non potuistis praetermittere quod legitimum est,
utique dixistis : Pax uobiscum, cum Deus contra : *Pax, et*
15 *ubi pax* ? hoc est dicere : Quid salutas, de quo non habes ?
Quid nominas quod exterminasti ? Salutas de pace, qui non
amas pacem. *Hi*, inquit, *aedificant ruinosum parietem.*
4. Domus Dei una est. Qui foras exeuntes partem facere
uoluerunt, parietem fecerunt, non domum quia non est alter
20 Deus qui alteram domum inhabitet. Ideo parietem fecisse
dicuntur falsi uates[b]. In quo si ianua fuerit collocata, quicumque intrauerit foris est ! Nec lapidem habere angularem
unus paries potest. Qui lapis est Christus duos in se susci-
piens populos, unum de gentibus, alterum de Iudaeis, qui

---

3 Ezechiele : -lem RBV -lo G ‖ propheta : -tam RBV ‖ 4 petrobolos :
petrouolos RBV petrobolus G ‖ 5 aedificent : -cant RᵖᶜB ‖ 6 ubi : + est G
‖ 8 distracta : distructa R destructa BV ‖ 9 potuistis : + sed G ‖ abiit : iuit
RBV ‖ 12 persuasionibus : suasionibus B ‖ et ¹ : *om.* RBV ‖ 14 dixistis : legis-
tis B ‖ cum : et G ‖ pax ² : + pax G ‖ 15 ubi : + est G ‖ salutas : -tes V ‖
16-17 qui non amas pacem : *om.* RBV ‖ 17 hi : hii G ‖ aedificant : edifica-
bunt G ‖ 18 Dei : *om.* B ‖ foras : -res V ‖ partem : parietem G ‖ 21 quo si :
quos V ‖ fuerit ianua G ‖ 22 foris : -ras RBV ‖ habere : *post* angularem
transp. G ‖ angularem : ungularem G + angularem R ‖ 23 lapis : *om.* G

---

a. Éz. 13, 10   b. Cf. Éz. 13, 16

---

1. Cyprien avait largement développé cette image : l'Église est la maison
de Dieu (*domus Dei*) ; « elle garde toujours l'unité d'un maison dont on ne
peut séparer les parties » (*Ep.* LXIX, IV, 1). L'hérétique est un étranger

Nous lisons en effet dans les livres du prophète Ézéchiel qu'un mur a été blanchi, et Dieu l'a menacé de la tempête, de la pluie, des projectiles de pierre, et il l'a accablé de malédictions : « Il y aura, dit-il, des faux prophètes qui construiront un mur qui menace ruine, en disant : Paix, paix ! Et où donc la paix [a] ? » 2. Souvenez-vous de la façon dont jadis vous avez séparé les uns des autres les membres de notre mère l'Église. Car vous n'avez pu séduire toute une maison à la fois. Ou bien l'épouse partit et le mari demeura, ou bien les parents furent séduits et les fils ne voulurent pas les suivre, ou encore le frère resta alors que la sœur s'en allait. 3. Par vos arguments, vous avez divisé à la fois les personnes et les titres de la piété, et vous n'avez pu omettre la prière canonique ; ainsi, vous avez dit : « La paix soit avec vous », alors que Dieu dit au contraire : « La paix, et où donc la paix ? », c'est-à-dire : « Pourquoi donnes-tu le salut au nom de ce que tu ne possèdes pas ? Pourquoi parles-tu de ce que tu as fait périr ? Tu donnes le salut au nom de la paix, toi qui n'aimes pas la paix ! » « Ces hommes, dit-il, construisent un mur qui menace ruine. » 4. La maison de Dieu est unique [1]. Ceux qui en sont sortis et ont voulu former un parti ont bâti un mur, non une maison, parce qu'il n'existe pas un autre Dieu qui puisse habiter une autre maison. C'est pourquoi il dit que les faux prophètes ont construit un mur [b]. Et si dans ce mur on a placé une porte, quiconque l'a franchie se trouve dehors ! Un seul mur ne peut posséder de pierre angulaire. Or cette pierre est le Christ, qui soutient lui-même deux peuples, celui des païens et celui des juifs, et qui unit ces deux murs par le lien de la

---

« qui n'habite pas la maison de Dieu, c'est-à-dire l'Église du Christ (*non habitans in domo Dei id est in ecclesia Christi*) » (*Ep.*, LXIX, v, 1). AVG. (*Bapt.*, VII, L, 98) commente à son tour ce symbole : « Ces paroles de saint Cyprien montrent qu'il a compris et chéri la beauté de la maison de Dieu. » Cf. AVG., *Bapt.*, VII, LI, 99 (nombreuses citations scripturaires sur la « maison de Dieu »). Cf. RATZINGER, *Volk und Haus Gottes...*

25 nodo pacis iungit utrumque parietem. 5. Nam quot com-
moda habet domus, tot incommoda paries : domus inclusa
custodit, tempestatem retundit, pluuiam diffundit, latronem
aut furem aut bestiam non admittit. Sic et ecclesia catholica
omnes filios pacis gremio et sinu suo complectitur. Contra
30 paries qui est aedificatus ruinosus nec lapidem angularem
sustinet et ianuam sine causa habet nec inclusa custodit,
pluuia udatur, tempestatibus caeditur ᶜ nec potest arcere
latronem nec uenientem prohibet furem. 6. Paries de
domo est, sed domus non est. Et pars uestra quasi ecclesia
35 est, sed caholica non est. *Et dealbant*, inquit, *eum* ᵈ, hoc est
quod uos solos sanctos aestimatis. Querimini uos sine nobis
aliqua esse passos ; ergo constat uos solos aliqua passos quia
aliud est tempus pacis, aliud tempus persecutionis. Si perse-
cutionem putatis, dicite quid uobiscum passae sint uniuer-
40 sae prouinciae in quibus ecclesia catholica est constituta.
7. Sed quia uindicta fuit, non persecutio, solus paries passus est cui Deus interminatus est tempestatem, pluuiam et
petrobolos et accusationes. Sic enim locutus est : *Quid aedi-*
ficastis ruinam ? Quid dealbastis ? Quid linistis ? Hoc contra
45 *uoluntatem meam est* ᵉ, dicit dominus. Displicent uobis
tempora nescio cuius Leontii, Vrsacii, Macarii et cetero-

25 nodo : modo GᵃᶜB ‖ quot : quod RᵃᶜBV ‖ 26 inclusa : inclausa RV ‖
27 tempestatem retundit : *om.* RBV ‖ 28 furem : feram G ‖ aut ² : *om.* G ‖
et : + in RB ‖ 31 inclusa : inclausa RBV ‖ 32 pluuia : -uiis G ‖ udatur :
datur ‖ 33 furem : feritatem G ‖ paries : + enim res G ‖ 36 quod uos : quos
duos V ‖ querimini : queremini V ‖ 37 aliqua : -quos Rᵃᶜ -quas B ‖ 38
tempus : *om.* RBV ‖ si : ipsi RBV ‖ 39 sint : sunt RBV ‖ 40 est : *post* quibus *transp.* G ‖ 42 est ² : *om.* G ‖ et : + lapides G ‖ 43 petrobolos : petrouolos RBV [*sic et postea*] ‖ accusationes : -nem V [*sic et postea*] ‖ aedificas-
tis : edificatis G ‖ 44 dealbastis : -batis G ‖ quid linistis : *om.* G ‖ 45 est :
om. G ‖ 46 Leontii : -ti RBV ‖ Vrsacii : -ci RBV

c. Cf. Éz. 13, 11-13   d. Éz. 13, 10   e. Éz. 13, 10

1. Cf. *Is.* 28, 16 : « Voici que je pose à Sion une pierre témoin, angulaire
(Vulgate : *lapidem angularem*), précieuse, fondamentale. » ~ Dans le N.T.,
la métaphore de la pierre est appliquée au Christ. Cf. *Mc* 12, 10 et paral-

paix[1].   5. Car une maison présente autant d'avantages
qu'un mur de désavantages : la maison préserve ce qu'elle
renferme, elle repousse la tempête, disperse la pluie, ne laisse
entrer ni le voleur ni le bandit, ni la bête sauvage ; de même
l'Église catholique, dans le sein de la paix et dans son giron,
embrasse tous ses fils. Au contraire, le mur qu'on a construit
et qui menace ruine ne comporte pas de pierre angulaire, la
porte qu'il possède est inutile, il n'abrite pas, il est inondé
par la pluie, il est battu par les tempêtes[c] et il ne peut écarter le bandit ni empêcher le voleur de pénétrer.   6. Le mur
fait partie de la maison, mais il n'est pas la maison. Et votre
parti ressemble à une Église, mais ce n'est pas l'Église catholique ! Et « ils le blanchissent[d] », dit-il, c'est-à-dire : vous
croyez que vous seuls êtes des saints. Vous vous plaignez
d'avoir enduré certaines souffrances sans nous ; il est clair
que vous avez enduré seuls certains malheurs, parce que le
temps de la paix est autre, autre celui de la persécution. Si
vous pensez qu'il s'agissait d'une persécution, dites-nous
quelles souffrances ont endurées avec vous toutes les provinces dans lesquelles l'Église catholique est établie.
7. Mais puisque ce fut un châtiment et non une persécution,
seul le mur a souffert, ce mur que Dieu a menacé de la tempête, de la pluie, des projectiles, et qu'il a accablé de malédictions. En effet, il a parlé ainsi : « Pourquoi avez-vous
construit une ruine ? Pourquoi l'avez-vous blanchie ?
Pourquoi l'avez-vous enduite ? Cela est contraire à ma
volonté[e] », dit le Seigneur. Vous n'aimez pas les temps
de je ne sais quels Léonce, Ursace, Macaire[2] et autres.

lèles ; *Éphés.* 2, 14 (réconciliation des juifs et des païens) : « C'est lui qui
est notre paix, lui qui des deux n'a fait qu'un peuple », et *Éphés.* 2, 19-20 :
« Vous êtes de la maison de Dieu. Car la construction que vous êtes a pour
fondations les apôtres et prophètes et pour pierre angulaire (Vulgate : *angu-
lari lapide*) le Christ Jésus lui-même. » Cf. CYPR., *Testim.*, II, 16.
   2. Sur Léonce et Macaire, cf. *supra* p. 8, n. 1. Sur Ursace (316-321), cf.
MANDOUZE[3], *Prosop.*, p. 1235.

rum. 8. Emendate uolutatem Dei, si potestis, qui dixit :
Contra parietem exurgam cum ira mea et immittam tem-
pestatem nimiam et pluuiam, diluuia et lapides petrobolos et
50 *percutiam parietem ruinosum et dissoluentur compagines*
eius [f]. Sed ne quis uestrum dicat : Si unitas bonum est, quare
totiens facta durare non potuit ? Ideo quia sic res ipsa a Deo
est ordinata, qui comminatus est tempestatem, pluuiam,
lapides et accusationes. 9. Et istae quattuor res non pote-
55 rant uno tempore fieri. Fuit primo tempestas sub Vrsacio :
agitatus est paries sed non cecidit, ut haberet pluuia ubi ope-
raretur. Secuta est pluuia sub Gregorio : udatus est paries
sed non maduit ut haberent lapides ubi operarentur. Post
pluuiam secuti sunt lapides sub operariis unitatis : dispersus
60 est paries sed de fundamentis suis se iterum reparauit. Iam
tria peracta sunt : debentur uobis accusationes, sed quomodo et quando nouit ille cui placuit de uobis ista nuntiare.

11. 1. Et ne aliquis de hoc intellectu dubitaret, Deus
addidit dicens : *Non sunt quae dico de luto aut de pariete*
sed de falsis prophetis qui seducunt populum meum [g]. Hoc
uerbum *seducunt,* uidete cui parti competat ! Nobiscum
5 erant omnes, uobis absentibus irruistis. Sed ut haberetis
quos habere desiderastis, non potuistis nisi seducere, et
quae sint uerba seductionis uestrae omnibus notum est.

48 exurgam : exsurgam R ‖ immittam : mittam G ‖ 49 pluuiam : -ia V ‖
diluuia : diluentem G ‖ lapides : + et V ‖ 52 totiens : totius G[ac] ‖ 54 lapides :
-dem RBV ‖ poterant : + in V ‖ 55 sub Vrsacio : *om.* RBV ‖ Vrsacio : -atio
G ‖ 57 sub Gregorio : *om.* RBV ‖ 59 sub operariis unitatis : *om.* RBV ‖
dispersus : -parsus R[ac]V sparsus G ‖ 60 paries : *om.* RBV ‖ de : *om.* G ‖
62 ille : deus G ‖ cui placuit : c/mplacuit B

11, 1 aliquis : -quid G ‖ 2 sunt : + hec G ‖ luto : + aut de latere G z ‖
4 uerbum : -bo R[ac]V ‖ parti : -te V ‖ 5 uobis : nobis G z ‖ irruistis : eru-
pistis G ‖ sed : et G ‖ 6 desiderastis : -ratis G ‖ 7 sint : sunt G ‖ uerba :
om. G

f. Éz. 13, 13   g. Éz. 13, 15-16

8. Opposez-vous, si vous le pouvez, à la volonté de Dieu qui a dit : « Contre leur mur je me dresserai dans ma colère et j'enverrai une énorme tempête, la pluie, le déluge et des projectiles de pierre, et je frapperai le mur qui menace ruine et ses liens seront rompus [f]. » Mais que personne parmi vous ne dise : « Si l'unité est un bien, pourquoi, tant de fois réalisée, n'a-t-elle pu durer ? » C'est parce que cela même a été organisé par Dieu, qui a menacé de la tempête, de la pluie, des pierres, et des malédictions.   9. Or, ces quatre prophéties ne pouvaient s'accomplir en même temps. Il y eut d'abord la tempête sous Ursace : le mur fut ébranlé mais il ne tomba pas afin qu'il y eût pour la pluie matière à agir. La pluie vint sous Grégoire [1] : le mur fut mouillé mais il ne s'écroula pas sous l'humidité, afin qu'il y eût pour les pierres matière à frapper. Après la pluie vinrent les pierres sous les artisans de l'unité : le mur fut abattu mais il se dressa de nouveau sur ses fondations. Déjà trois prophéties se sont accomplies : les malédictions vous attendent dans l'avenir, mais comment et à quel moment elles se réaliseront, celui-là seul le sait à qui il a plu de les prédire contre vous.

III. Les donatistes, vils séducteurs

11. 1. Et pour que personne n'hésite sur le sens de ses paroles, Dieu a ajouté ces mots : « Je ne parle pas de l'argile ni d'un mur, mais des faux prophètes qui séduisent mon peuple [g]. » Ce mot « séduisent », voyez à quel parti il s'adresse ! Ils étaient tous avec nous, vous vous êtes précipités sur des hommes qui étaient éloignés de vous. Mais pour posséder ceux que vous avez désiré posséder, vous n'avez pu que les séduire, et tout le monde sait bien quelles sont vos paroles de séduction.   2. Vous avez l'habitude de

---

1. Sur Grégoire, cf. *supra* p. 23, n. 2.

2. Vestrum est dicere : Adtendite post uos. Vestrum est
dicere : Redimite animas uestras. Vestrum est dicere homi-
10 nibus fidelibus et clericis : Estote christiani. Sed cum dicitis : Adtendite post uos, contra euangelium facitis ubi dictum est : *Nemo tenens manicam aratri post se adtendens
intrabit regna caelorum* [h]. Et uultis scire quid meruit qui
post se adtendit et qui ante se ?   3. Recordamini
15 Sodomorum fugitiuos, Loth et uxorem eius : quae post se
adtendens in statuam salis mutata est, qui ante se prospexit
euasit [i]. Quid est ergo quod dicitis : Adtendite post uos ?
Nam et cum dicitis : Redimite animas uestras, unde illas
emistis ut uendatis ? Quis est ille angelus qui nundinas facit
20 animarum ?   4. Cum dicitis : Redimite animas uestras,
redemptori renuntiatis, cum solus Christus sit redemptor
animarum, quas ante eius aduentum diabolus possidebat.
Has sanguine suo Christus saluator noster redemit apostolo
dicente : *Empti enim estis pretio magno* [j]. Constat enim san-
25 guine Christi omnes redemptos. Christus non uendidit quos
redemit, animae emptae a Christo non potuerunt uendi, ut
possint, sicut uultis, a uobis iterum redimi !   5. Aut quomodo potest una anima duos dominos habere ? Aut numquid est alter redemptor ? Qui prophetae nuntiauerunt alte-
30 rum esse uenturum ? Quis Gabriel iterum ad alteram
Mariam locutus est ? Quae uirgo iterum peperit ? Quis uirtutes nouas aut alteras fecit ? Si nullus est praeter unum qui
redemit animas omnium credentium, quid est quod dicitis :

---

8 uestrum — post uos : *post* christiani *transp.* G ‖ 8-9 uestrum [2] — animas uestras : *om.* G ‖ 10 clericis : -ci V ‖ 11 adtendite : attendente V ‖ 12
aratri : arratri V ‖ 13 intrabit : intrauit RBV + in G ‖ meruit : meruerit G
‖ qui : quae R que BV ‖ 14 et : + quid G ‖ 15 Loth : Lot V ‖ eius : +
Molassadon G ‖ 16 adtendens : -dit RBV ‖ mutata : effecta G ‖ se : *om.* G
RB ‖ 17 est : *om.* B ‖ 18 et : *om.* G ‖ 19 ille : nescio quis RBV ‖ facit : fecit
G ‖ 20-22 cum — animarum : *om.* RBV ‖ 22 diabolus : dyabolus B ‖ 24
pretio : *om.* G ‖ enim : ergo G ‖ 25 Christus : Cristus V ‖ quos : quod G
‖ 26 redemit : -dimit V ‖ a : *om.* B ‖ uendi : distrahi G ‖ 27 aut : ut B ‖ 28

dire : « Regardez en arrière. » Vous avez l'habitude de dire :
« Rachetez vos âmes. » Vous avez l'habitude de dire aux
fidèles et aux membres du clergé : « Soyez chrétiens. » Mais
lorsque vous dites : « Regardez en arrière », vous agissez
contre l'Évangile où il est dit : « Quiconque met la main à
la charrue et regarde en arrière n'entrera pas dans le
royaume des cieux [h]. » Et vous voulez savoir quel a été le
sort de celui qui a regardé en arrière et de celui qui a regardé
en avant ? 3. Souvenez-vous des fugitifs de Sodome, Lot
et son épouse : celle-ci, qui regarda en arrière, fut changée
en statue de sel, celui-là, qui regarda en avant, s'échappa [i].
Pourquoi dites-vous : « Regardez en arrière » ? Et lorsque
vous dites : « Rachetez vos âmes », où les avez-vous achetées pour pouvoir les vendre ? Quel est donc cet ange qui
fait le trafic des âmes ? 4. Lorsque vous dites : « Rachetez
vos âmes », vous reniez le rédempteur, alors que seul le
Christ est le rédempteur des âmes, que le diable possédait
avant sa venue. Ces âmes, le Christ, notre Sauveur, les a
rachetées par son sang, comme le dit l'Apôtre : « Vous avez
été achetés à un prix élevé [j]. » En effet, tous les hommes, on
le sait bien, ont été rachetés par le sang du Christ. Le Christ
n'a pas vendu ceux qu'il a rachetés, le Christ n'a pas pu
vendre les âmes qu'il a achetées, pour que vous puissiez,
comme vous le voulez, les racheter de nouveau ! 5. Ou
encore, comment une seule âme peut-elle avoir deux
maîtres ? Existerait-il par hasard un autre rédempteur ?
Quels prophètes ont annoncé la venue d'un autre rédempteur ? Quel Gabriel s'est de nouveau adressé à une autre
Marie ? Quelle vierge a enfanté de nouveau ? Qui a créé des
signes de puissance nouveaux ou différents ? S'il n'existe
qu'un rédempteur des âmes de tous les croyants, pourquoi

aut : an RBV ‖ 29 redemptor : + aut G ‖ qui : quem RBV ‖ 30 uenturum :
Christum G ‖ Gabriel : Gabrihel RB ‖ 33 redemit : -dimet V

h. Lc 9, 62   i. Cf. Gen. 19, 26   j. I Cor. 6, 20

Redimite animas uestras ? Iam illud quale est quod homini-
35 bus christianis etiam clericis dicitis : Estote christiani ? 6. Et
cum miraculo quodam unicuique audetis dicere : Gai Sei aut
Gaia Seia, adhuc paganus es aut pagana ? Eum qui ad Deum
se conuersum esse professus est, paganum uocas ! Eum qui
uel a nobis uel a uobis non in nomine nostro nec uestro sed
40 in nomine Christi tinctus est, paganum uocas ! Sunt enim
qui et a uobis baptizati sunt et ad nostram communionem
postea transierunt. Eum qui Deum patrem per filium eis
ante aram rogauerit, paganum uocas ! 7. Quicumque enim
crediderit, in nomine patris et filii et spiritus sancti credidit,
45 et tu eum paganum uocas post professionem fidei. Si aliquis
christianus, quod absit, deliquerit, peccator dici potest,
paganus iterum esse non potest. Sed haec omnia uultis nul-
lius esse momenti. Ac si tibi consenserit quem seducis, unus
consensus et manus tuae porrectio et pauca uerba iam tibi
50 christianum faciunt de christiano, et ille uobis uidetur christianus qui quod uultis fecerit, non quem fides adduxerit.

12. 1. Et si seductioni uestrae paulo tardius fuerit
adcommodatus adsensus, etiam illa uobis argumenta non
desunt, quibus quasi facile etiam nolentibus quod uultis sua-

36 miraculo : admiraculo RBV ‖ audetis : om. RBV ‖ Gai Sei : Gai Si G
Gai Se B ‖ aut : uel G om. V ‖ 37 Gaia Seia : Gai Seia G Gaia Sei V Gaie
Sei R Gai Sei B ‖ es : om. RBV ‖ aut : uel G ‖ pagana eum : paganeum
RV paganum B ‖ qui : quia V ‖ 39 nec : uel G ‖ 40 est : om. RBV ‖ 41-
42 ad nostram — transierunt : a communione nostra minime recesserunt et
ut ipsos seducas paganos uocas G ‖ 42 transierunt : + paganum uocas RBV
‖ 43 aram scripsi cum z : horam codd. ‖ rogauerit : -uit G ‖ 44 crediderit :
credidit G ‖ 45 paganum : om. V ‖ aliquis : -qui RacV -quid RpcB ‖ 46
absit : + unusquisque RBV ‖ deliquerit : delinquerit RV ‖ 47 paganus : -nis
G ‖ paganus — potest : om. B ‖ esse iterum RV ‖ 48 ac si tibi : ac sibi ibi
V ‖ 50 uobis : om. B ‖ uidetur : -debitur RpcBV ‖ 51 non quem : numquam
GacB ‖ adduxerit : + Explicit Liber Tercius Sancti Optati G

12, 1-35 Et si seductioni — uidebatur auditum : haec extant in lib. VII
fol. 14 a-15 a C fol. 63 a-63 b G repetita fol. 63 a-64 a R2 fol. 66 b-67 a B2

dites-vous : « Rachetez vos âmes » ? De même, pourquoi
dites-vous à des chrétiens et même à des membres du clergé :
« Soyez chrétiens » ? 6. Et, par je ne sais quel miracle, vous
osez dire à chacun : « Gaius Seius [1] — ou Gaia Seia —, es-
tu encore païen ou païenne ? » Cet homme qui a déclaré
s'être tourné vers Dieu, tu l'appelles païen ! Cet homme qui
a été plongé dans l'eau du baptême par nous ou par vous,
non en notre nom ni en votre nom mais au nom du Christ,
tu l'appelles païen ! Il en est, en effet, qui ont été baptisés
par vous et qui ensuite sont passés dans notre communion.
Cet homme qui a prié Dieu le Père par son Fils devant l'autel, tu l'appelles païen ! 7. Quiconque a cru, c'est au nom
du Père et du Fils et du Saint-Esprit qu'il a cru, et toi, tu
l'appelles païen après sa profession de foi ! Si un chrétien —
à Dieu ne plaise ! — a commis une faute, il peut être appelé
pécheur, mais il ne peut redevenir païen ! Mais à tout cela
vous ne voulez accorder aucune importance. Et si celui que
tu séduis t'a donné son consentement, son seul consentement, ta main tendue et quelques paroles font pour toi un
chrétien d'un chrétien, et vous considérez comme chrétien
celui qui a fait ce que vous voulez, non celui qui a été guidé
par la foi [2].

Une fausse rumeur   12. 1. Et si l'on tarde un peu trop à céder à
votre séduction, les arguments ne vous man-
quent pas : ils vous permettent de persuader
presque facilement même ceux qui ne le veulent pas d'ac-

‖ et si : nam et illud quale est ut si [si *om.* B²] CG R²B² ‖ seductioni : -nis
RBV ‖ 3 quasi : quale RBV

---

1. Cf. Opt., VI, 8, 3. Gaius Seius (Gaia Seia) correspond à une séquence
prénom + nom à valeur généralisante (cf. S. Lancel, « Monsieur Dupont,
en latin », dans *Hommages à Jean Bayet*, Bruxelles 1964, p. 355-364). Cf.
Tert., *Apol.*, III, 1 ; Avg., *Tract. in Ioh.*, VI, 25.

2. D'après Avg. (*C. Parm.*, II, i, 1), Parménien citait *Is.* 5, 20 : *Vae his
qui ponunt id quod amarum est dulce et dulce amarum.*

dere possitis, dum dicitis auditum esse ex ore eorum qui
5 iamdudum in uestro collegio fuerant, quod qui gustaret aut
acciperet de sacrificio aduentantis unitatis de sacro gustare
uideretur. 2. Non negamus ab aliquibus esse haec dicta,
quos constat postea tota securitate fecisse, unde paulo ante
populos deterrebant. Sed alia ratio exegit has uoces, alia
10 inuitauit in factum. Nam ut haec dicerent, qui feruntur ista
dixisse, opinio falsa eorum aures et omnium populorum
compleuerat. Dicebatur enim illo tempore uenturos esse
Paulum et Macarium qui interessent sacrificio ut, cum altaria solemniter aptarentur, proferrent illi imaginem quam
15 primo in altare ponerent, et sic sacrificium offerretur.
3. Hoc cum acciperent aures, percussi sunt et animi et
uniuscuiusque lingua in haec uerba commota est, ut omnis
qui haec audierat diceret : Qui inde gustat de sacro gustat.
Et recte dictum erat, si talem famam similis ueritas sequere-
20 tur. At ubi uentum est a supradictis, nihil tale uisum est ex
eo quod fuerat paulo ante fama mentita. Nihil uiderunt
christiani oculi quod horrerent, nihil probauit aspectus ex
his quibus perturbatus erat auditus. 4. Visa est puritas et
ritu solito solemnis consuetudo perspecta est, cum uiderent
25 diuinis sacrificiis nec mutatum quicquam nec additum nec
ablatum. Pax a Deo commendata uolentibus placuit. Quare
nullus eorum debet argui qui de collegio uestro ad pacem

4 auditum : aut dictum RBV ‖ ore : *om.* B² ‖ 5 qui : *om.* B ‖ aut : et ut
B² ‖ 6 aduentantis : aduen *uacat* CG ‖ unitatis : -tate CG *om.* R²B² ‖ 7
haec dicta esse G ‖ 9 exigit has : exigit has RB exigitas V ‖ alia ² : alias
RBV ‖ 12 compleuerat : oppleuerat RB obpleuerat V ‖ esse : *om.* RBV ‖
13 Macarium : -charium G R² ‖ 14 illi : illic RBV ‖ 15 altare : -ri CG ‖ et :
om. RBV ‖ 16 acciperent : acceperant B² ‖ percussi : -culsi CG ‖ sunt : *om.*
R²B² ‖ 17 uniuscuiusque : unuscuiusque V unusquisque B ‖ 18 haec : hoc
R² *om.* CG B² ‖ audierat : + hoc CG ‖ qui : quid B ‖ 20 supradictis : + et
RBV ‖ 21 uiderunt : -erant B² ‖ 22 oculi christiani RBV ‖ horrerent :
hortarent B² ‖ probauit : -babit RV -uabit B ‖ 23 his : hiis V ‖ erat : fuerat CG ‖ 24 solito : -ta R^{ac}V ‖ perspecta : perfecta R²B² ‖ 25 diuinis sacri-

complir votre volonté. Ainsi, vous dites que l'on a entendu
de la bouche d'hommes qui, auparavant, avaient fait partie
de votre collège, que quiconque goûterait ou participerait au
sacrifice célébré pour l'avènement de l'unité goûterait à un
sacrifice païen. 2. Nous ne nions pas que ces paroles aient
été prononcées par des hommes qui, on le sait, ont accompli par la suite en toute tranquillité des actes dont ils détour-
naient le peuple des fidèles peu auparavant. Mais autre est
le motif qui a provoqué ces paroles, autre celui qui a poussé
à ces actes. Car s'ils parlaient ainsi, ceux dont on rapporte
les propos, c'est qu'une fausse rumeur avait rempli leurs
oreilles et celles de tous les fidèles. On disait en effet en ce
temps-là que Paul et Macaire allaient venir pour assister au
sacrifice. On préparerait l'autel comme à l'habitude, mais ils
exposeraient une image qu'ils déposeraient sur l'autel au
début de la cérémonie, et c'est ainsi que le sacrifice serait
offert. 3. Quand elle parvint aux oreilles, cette rumeur jeta
le trouble dans les esprits, et chacun se mit à divulguer cette
nouvelle, si bien que tous ceux qui l'avaient apprise disaient :
« Celui qui goûte à ce sacrifice goûte à un sacrifice païen. »
Et ils auraient eu raison de parler ainsi si la vérité avait, par
la suite, confirmé un tel bruit. Mais lorsque les hommes sus-
nommés arrivèrent, on ne vit rien de ce qui peu auparavant
n'avait été qu'un mensonge diffusé par la rumeur. Les chrétiens ne virent rien qui pût les faire frémir d'horreur, en
aucune façon ce qui fut présenté aux regards ne vint confir-
mer la rumeur qui avait troublé l'ouïe. 4. On ne vit rien
que de pur et on reconnut bien la cérémonie habituelle, célé-
brée selon le rite coutumier, car rien n'avait été changé aux
sacrifices divins, ni ajouté, ni retranché. La paix recommandée par Dieu a plu à ceux qui l'ont voulue. C'est pourquoi
nul ne doit être blâmé parmi ceux qui, de votre collège, sont

ficiis : diuino sacrificio R²B² ‖ additum : auditum RᵃᶜBV ‖ 26 ablatum :
albatum V

transitum fecit. Qui fuerant sinistra opinione turbati, simplici ac pura ueritate firmati sunt. 5. Nec dicatur de amaro
30 fecisse dulce aut de dulci amarum ! Amaritudo quae de falsitate uidebatur fuisse nuntiata, in sinu opinionis resedit ac remansit, ueritas perspecta oculis dulcedinem suam in se habens a falsae opinionis limitibus separata est. Ergo nec de amaro factum est dulce nec de dulci amarum, quia et aliud
35 et extra est quod est uisum et longe fuerat quod uidebatur auditum ! 6. Quare uides te sine causa fecisse conuicium, fingens pro arbitrio quod uoluisti ut Macarium et Taurinum lacerares. Perdidisti quod sapiens uideris dum sensus tuos inuidia deprauauit et intellegendi tibi aditus clausit.

28 sinistra : in ista RBV ‖ opinione sinistrae R²B² ‖ simplici : -cia B² ‖ 29 pura : plura RBV ‖ firmati : turbati R²B² ‖ dulce : -cem CG R²B² ‖ aut : nec R²B² ‖ dulci : -ce *codd.* ‖ 31 fuisse uidebatur R²B² ‖ resedit ac remansit : sed dicta [sedducta RᵖᶜB] remansit RB   sed dicare mansit V ‖ 32 remansit : + et B² ‖ oculis perspecta CG ‖ suam : *om.* CG ‖ 33 limitibus : + limitibus R² ‖ 34 factum : -ta R²B² ‖ dulci : -ce *codd.* ‖ quia : qui RᵃᶜV   que R²B² ‖ aliud : + est R²B² ‖ 36 auditum : + sed ut paulo ante dictum [dicta CG] redeamus CG R²B²   + amen V ‖ 36-39 Quare uides — clausit : *haec*

passés à la paix. Ces hommes, qui avaient été bouleversés par une fausse rumeur, furent réconfortés par la vérité pure et simple. 5. Et qu'on ne dise pas qu'ils ont fait doux ce qui était amer, ou amer ce qui était doux ! L'amertume que le mensonge avait répandue est restée attachée à la rumeur, la vérité qui s'est offerte à la vue, possédant en elle-même sa propre douceur, s'est séparée du domaine de la fausse rumeur. Ainsi, l'amer n'est pas devenu doux, ni le doux amer, puisque autre et bien différent a été le spectacle, et bien éloignée en avait été la rumeur ! 6. C'est pourquoi tu vois bien que c'est à tort que tu as porté des accusations, imaginant ce que tu as voulu, à ton gré, pour déchirer Macaire et Taurinus. Tu as ruiné ta réputation d'homme sage car la jalousie a dépravé tes sens et elle t'a ôté la faculté de comprendre.

ex libr. IV, 9 transposita scripsi cum z ‖ 36 fecisse : *om.* RBV ‖ arbitrio : -tro B   + tuo RBV ‖ 37 Macharium et Thaurinum G   Taurinum et Macharium RBV ‖ 39 aditus : auditus G

EXPLICIT LIBER TERTIUS R   Explicit liber tercius B   Explicit liber tertius V

LIBER QVARTVS

1. 1. A te nobis, frater Parmeniane, de petito milite frustra calumniam factam esse aperte dilucideque monstratum est. Etiam illud disce, quod dixisti de oleo et sacrificio peccatoris ad uos potius pertinere. Non enim ille debet esse
5 peccator quem uos uolueritis. Nam et nos uestram praesumptionem possumus imitari et dicere uos esse peccatores ! **2.** Sed facessat ex utraque parte praesumptio ; nullus nostrum humano iudicio alterum damnet. Dei est nosse reum, illius ferre sententiam. Taceamus omnes homines !
10 Solus Deus indicet peccatorem, cuius sacrificium sit canina uictima [a] et cuius oleum ungi desideranti ingerat metum.

2. 1. Huius rei apertissimam ueritatem, Parmeniane frater, agnosce, si tamen hoc nomen fraternitatis frequenter a me dictum libenter audire dignaris ! Fac ut tibi sit fastidiosum, tamen nobis est necessarium, ne forte iuxta probatio-

G RBV z

Titulus : Incipit Liber Quartus G BV   INCIPIT LIBER QUARTUS R
1, 1 a : o V ‖ 2 calumniam : -nia R   calumpnia B ‖ factam : -ta RBV ‖
aperte : per te V ‖ dilucideque : -quae R ‖ 3 dixisti : -xisset R[ac]V ‖ 4 ille :
om. RB ‖ 5 nos : uos B ‖ presumptionem uestram G ‖ 7 facessat : facite
RBV ‖ praesumptio : *om.* RBV ‖ 9 reum : rerum V ‖ illius : iudicis est G
‖ 11 ungi — metum : uideatur esse timendum G ‖ metum : meritum B
2, 1 rei *om.* G ‖ apertissimam : -ma RV ‖ ueritatem :-tate RV ‖
Parmeniane : -nine B [*sic et postea*] ‖ 3-4 fastidiosum — forte : *om.* V ‖ 4
iuxta : iustam V   + tot G ‖ probationem : -nes G

LIVRE IV

I. Dieu a désigné le pécheur

1. 1. C'est en vain, frère Parménien, que tu nous as calomniés en nous accusant d'avoir demandé l'intervention de l'armée : cela a été démontré de façon claire et nette. Apprends encore ceci : ce que tu as dit au sujet de l'huile et du sacrifice du pécheur vous concerne plutôt. En effet, le pécheur n'est pas nécessairement celui que vous aurez désigné, car nous pouvons, nous aussi, imiter votre impudence et dire que vous êtes pécheurs ! 2. Mais que l'impudence abandonne chacun des deux partis ; que nul d'entre nous ne condamne l'autre par un jugement humain. C'est à Dieu qu'il appartient de reconnaître le coupable, à lui de prononcer la sentence. Gardons le silence, nous tous, les hommes ! Que Dieu seul révèle qui est le pécheur dont le sacrifice est un chien immolé [a] et dont l'huile inspire la crainte à celui qui désire recevoir l'onction.

II. Une fraternité inévitable

2. 1. Reconnais, frère Parménien, cette vérité très évidente, si cependant tu daignes entendre de bon gré ce nom de frère que j'emploie fréquemment ! Supposons qu'il te soit désagréable, il nous est cependant nécessaire car, puisqu'il

a. Cf. Is. 66, 3 ; Deut. 23, 18

5 nem huius nominis tacendo rei esse uideamur. Si enim tu
non uis esse frater, ego esse incipio impius si de nomine isto
tacuero. Estis enim fratres nostri et nos uestri propheta
dicente : *Nonne uos unus Deus creauit et unus pater
genuit* [b] ? 2. Non enim potestis non esse fratres cum omni-
10 bus dictum sit : *Dii estis et filii altissimi omnes* [c] ! Et nos et
uos unum praeceptum accepimus in quo dictum est : *Ne
uocetis uobis quemquam patrem in terris quia unus est pater
uester in caelis* [d]. Saluator noster Christus solus natus est
filius Dei, sed et nos et uos filii Dei uno modo facti sumus
15 sicut in euangelio scriptum est : *Venit filius Dei ; quotquot
eum receperunt dedit eis potestatem ut filii Dei fierent qui
credunt in nomine eius* [e]. 3. Nos et facti sumus et dicimur,
uos et facti estis et non dicimini quia pacifici esse non uultis nec audire ipsum filium Dei dicentem : *Felices pacifici
20 quia ipsi filii Dei uocabuntur* [f]. Christus ueniens Deum et
hominem reuocauit in pacem : *Et fecit ambos unum tollens
medium saepem parietis* [g]. Vos nobiscum id est cum fratribus pacem habere non uultis. 4. Non enim potestis non
esse fratres quos isdem sacramentorum uisceribus una mater
25 ecclesia genuit, quos eodem modo adoptiuos filios Deus
pater excepit. Vnde huius temporis praescius Christus quia
futurum erat ut a nobis hodie discordaretis, talia dedit
orandi mandata ut uel in oratione unitas remansisset ut
iungerent preces, quos discrepaturae fuerant partes.

6 esse [2] : ecce B ‖ 8 Deus unus G ‖ 9 genuit : -uis G[ac] ‖ 10 sit : + uos
autem G ‖ et uos et nos G ‖ 11 unum : sumus V ‖ accepimus : accipimus
RBV ‖ 12 uobis : *om.* B ‖ 13 uester : *om.* G ‖ 15 quotquot : quodquod RBV
‖ 16 eis : illis G ‖ 16-17 qui credunt in nomine eius : *om.* RBV ‖ 17 et [1] :
om. G ‖ 18 et [1] : *om.* G ‖ 19 dicentem : -te B ‖ 22 parietis : pari B ‖ 24
isdem : iisdem G idem B ‖ 26 praescius : praeci/us R preciosus B ‖ 28
ut [1] : *om.* R[ac]V ‖ uel : ut R[pc] *om.* B ‖ remansisset : permansisset G ‖ 29
quos : quas RBV ‖ discrepaturae : discrepare B discreturi G ‖ partes :
parietes G

est prouvé que ce nom est applicable, en cessant de l'employer nous risquerions de nous rendre coupables. En effet, si toi, tu ne veux pas être mon frère, moi, je vais être un impie si je cesse d'employer ce nom. Car vous êtes nos frères, et nous sommes les vôtres, comme le dit le prophète : « Un même Dieu ne nous a-t-il pas créés ? Un même Père ne nous a-t-il pas engendrés [b] ? » 2. Car vous ne pouvez pas ne pas être nos frères, puisqu'il a été dit à tous : « Vous êtes tous des dieux et des fils du Très-Haut [c] ! » Nous avons reçu, vous et nous, le même commandement où il est dit : « N'appelez personne votre père sur la terre car vous n'avez qu'un Père, dans les cieux [d]. » Le Christ, notre Sauveur, est le seul fils qui soit né de Dieu, mais nous sommes devenus, de la même manière, les fils de Dieu, vous et nous, comme il est écrit dans l'Évangile : « Le Fils de Dieu est venu ; à tous ceux qui l'ont reçu, il a donné le pouvoir de devenir fils de Dieu, à ceux qui croient en son nom [e]. » 3. Nous, nous sommes devenus fils de Dieu et nous en portons le nom ; vous, vous l'êtes devenus et vous n'en portez pas le nom car vous ne voulez pas être pacifiques ni écouter le Fils de Dieu lui-même qui dit : « Heureux les pacifiques, car ils seront appelés fils de Dieu [f]. » Le Christ, en venant, a ramené Dieu et l'homme à la paix et « de deux il a fait un seul corps, détruisant la barrière qui les séparait [g]. » Mais vous, vous ne voulez pas vivre dans la paix avec nous, c'est-à-dire avec vos frères. 4. Car vous ne pouvez pas ne pas être nos frères, vous qu'une même mère, l'Église, a engendrés d'une même chair, les sacrements, et que Dieu le Père a accueillis, de la même façon, comme ses fils adoptifs. Et le Christ, qui connaissait à l'avance notre époque et qui savait que la discorde nous séparerait aujourd'hui, nous a recommandé de prier, afin que l'unité fût préservée, du moins dans l'oraison, et que les prières réunissent ceux que les partis

b. Mal. 2, 10 c. Ps. 81, 6 d. Matth. 23, 9 e. Jn 1, 11-12 f. Matth. 5, 9 g. Éphés. 2, 14

30 5. Oramus pro uobis quia uolumus et uos pro nobis et cum
non uultis. Aut dicat unusquisque uestrum : Pater meus qui
in caelis es, et : Panem meum cotidianum da mihi hodie, et :
Dimitte mihi peccata quomodo et ego debitori meo [h]. Igitur
si quae mandata sunt mutari non possunt, uidetis nos non
35 in totum ab inuicem esse separatos dum et nos pro uobis
oramus uolentes et uos pro nobis oratis etsi nolentes ! Vides,
frater Parmeniane, sanctae germanitatis uincula inter nos et
uos in totum rumpi non posse.

3. 1. Iam peccator quaerendus est cuius potuit uel oleum
timeri uel sacrificium repudiari. Cesset humana suscipio,
utriusque partis praesumptio sileat, qui sit peccator solus
indicet Deus. Legimus in quadragesimo nono psalmo sub
5 secundo diapsalmate spiritum sanctum dixisse : *Peccatori
autem dixit Deus* [i]. Hoc loco aduertenda est tota mentis
intentio et uidendum qui sit peccator. **2.** Si enim post quod
lectum est : *Peccatori autem dixit Deus*, uerba huiusmodi
sequerentur, ut diceret : Tulisti arma, processisti de castris,

---

30 oramus : rogamus G ‖ uos : nos G ‖ cum : quia G ‖ 31 meus : noster G ‖ 32 et : aut G ‖ cotidianum : cottidianum V   quotidianum G ‖ et :
aut G ‖ 33 peccata : + mea G ‖ 34 si : *om.* RBV ‖ mandata : emendata G ‖
nos : uos G ‖ non : *om.* G ‖ 35 uobis : nobis R[ac] ‖ 36 oramus : rogamus G
‖ oratis : oretis V   rogatis G ‖ nolentes : non uultis G ‖ 37 sanctae : -ta RB
-tam V ‖ germanitatis : gemina RBV
3, 3 utriusque : utrisque R[ac]V ‖ qui *codd.* : quis z ‖ 4 indicet : iudicet B
‖ in : *om.* RBV ‖ quadragesimo nono : XXXVIII RBV ‖ 6 aduertenda : -
tanda B ‖ 7 qui *codd.* : quis z ‖ quod : *om.* RBV ‖ 9 ut : et G ‖ processisti :
proiecisti RBV z ‖ de : *om.* RBV te z

---

h. Cf. Matth. 6, 9. 11.12 ; Lc 11, 2-4   i. Ps. 49, 16

---

1. Le recours à la prière est préconisé par l'apôtre Paul ; cf. *Phil.* 4, 6-
7 : « Recourez à l'oraison et à la prière, pénétrées d'action de grâces, pour
présenter vos requêtes à Dieu. Alors la paix de Dieu, qui suppose toute
intelligence, prendra sous sa garde vos cœurs et vos pensées, dans le Christ
Jésus » ; *I Tim.* 2, 1 : « Je recommande donc, avant tout, qu'on fasse des

auraient séparés [1]. 5. Nous prions pour vous parce que
nous le voulons, et vous, vous priez pour nous, même si
vous ne le voulez pas. Ou alors, que chacun d'entre vous
dise : « Mon père, qui es aux cieux », et : « Donne-moi
aujourd'hui mon pain quotidien », et : « Pardonne-moi mes
péchés comme je pardonne aussi à celui qui m'a offensé [h] [2]. »
Ainsi, s'il est vrai que les commandements qui ont été donnés sont immuables, vous voyez que nous n'avons pas été
totalement séparés les uns des autres puisque nous prions
pour vous de bon gré et que vous priez pour nous, même
contre votre gré ! Tu vois, frère Parménien, que les liens de
la sainte fraternité, entre vous et nous, ne peuvent être totalement rompus.

III. Le Psaume 49

3. 1. Il faut rechercher maintenant quel est le pécheur
dont on a pu craindre l'huile ou repousser le sacrifice. Que
les hommes cessent de se livrer à des conjectures, que
chaque parti fasse taire son impudence, que Dieu seul révèle
qui est le pécheur. Nous lisons dans le Psaume 49 [3], après la
seconde pause, que l'Esprit-Saint a dit : « Mais au pécheur
Dieu a dit [i]. » C'est ici qu'il faut porter toute notre attention et qu'il faut voir qui est le pécheur. **2.** En effet, si après
ce que l'on vient de lire : « Mais au pécheur Dieu a dit », on
trouvait des paroles de ce genre : « Tu as porté les armes, tu

demandes, des prières, des supplications, des actions de grâces pour tous
les hommes. »
    2. Le *Pater* occupe une place importante dans la catéchèse baptismale
et dans les traités spirituels de l'Antiquité. La *Didachè* (VIII, 2-3) recommande qu'on dise cette prière trois fois par jour.
    3. Augustin montrera, lui aussi, que le Psaume 49, cité par Parménien,
condamne en réalité les donatistes : « Plût à Dieu qu'ils veuillent dans ces
paroles qu'ils rapportent du psaume se reconnaître comme dans un miroir »
(*C. Parm.*, II, IX, 19).

10 stetisti contra hostes in acie, timendum erat militi, quia
potuit ipse uideri peccator ! Aut si diceret : Comparasti
merces, peregrinatus es, egisti nundinas, lucri causa quod
emeras, uendidisti, timendum erat negotiatori, quia potuit
ipse uideri peccator ! 3. Aut si diceret : Fabricasti nauem,
15 struxisti funibus, ornasti uelis, opportunos ut nauigares cap-
tasti uentos, timendum erat nautae, quia potuit ipse uideri
peccator ! Aut post quod lectum est : *Peccatori autem dixit
Deus*, si sequerentur haec uerba : Dissensio et schisma tibi
displicuit, concordasti cum fratre tuo et cum una ecclesia
20 quae est in toto orbe terrarum, communicasti septem eccle-
siis et memoriis apostolorum, amplexus es unitatem, si haec
subsequens lectio contineret, nobis timendum erat nos esse
potuimus peccatores ! 4. Cum autem dicit Deus : *Ad quid
exponis iustitias meas et adsumis testamentum meum per os
25 tuum ? Tu autem contempsisti disciplinam et abiecisti sermones meos retro ; sedens aduersus fratrem tuum denotabas
et aduersus filium matris tuae ponebas scandalum ; uidebas
furem et currebas cum eo et cum adulteris portionem tuam
ponebas* [j]. Haec ad uos dicta sunt omnia. Excusate uos ab
30 his omnibus si potestis !

4. 1. A uobis enim contempta est disciplina. Vt quid recitas testamentum, qui testamento non seruis, in quo descripta

10 stetisti : stetis B ‖ acie : -em G ‖ 15 struxisti : instruxisti G ‖ 16 nautae : nauite G ‖ ipse : *om.* B ‖ 17 aut : + si G ‖ 18 dissensio : -ntio G ‖
schisma : scismata RBV ‖ 19 fratre : -tri V ‖ tuo : *om.* G ‖ 20 quae est : *om.*
G ‖ 21 et : *om.* G ‖ 23 potuimus : + esse B ‖ potuimus esse G ‖ ad : ut G
‖ 24 iustitias : iustificationes G ‖ meum : tuum B ‖ 26 aduersus : + aduersus B ‖ denotabas : detrahebas G ‖ 28 currebas : occurrebas RB   concurrebas V ‖ adulteris portionem : mechis particulam G ‖ 30 his : hiis V ‖
omnibus : *om.* G
4, 2 descripta : scripta G

j. Ps. 49, 16-20

t'es élancé hors du camp, tu t'es dressé contre tes ennemis
sur la ligne de bataille », c'est le soldat qui devrait redouter
de s'être montré pécheur ! Ou alors, s'il disait : « Tu as
acquis des revenus, tu as voyagé à l'étranger, tu as fait du
commerce, tu as vendu ce que tu avais acheté pour en tirer
un profit », c'est le marchand qui devrait redouter de s'être
montré pécheur ! 3. Ou encore s'il disait : « Tu as fabriqué
un navire, tu l'as muni de câbles, tu l'as paré de voiles, tu as
recherché les vents favorables pour naviguer », c'est le marin
qui devrait redouter de s'être montré pécheur [1] ! Ou encore,
si après ce que l'on a lu : « Mais au pécheur Dieu a dit », ces
paroles venaient ensuite : « Tu as désapprouvé la discorde et
le schisme, tu es resté en union avec ton frère et avec l'É-
glise unique, qui est répandue dans tout l'univers, tu es resté
en communion avec les sept Églises et avec les tombeaux des
apôtres [2], tu es resté attaché à l'unité », si les lignes qui suivent contenaient ces paroles, c'est nous qui devrions redouter de nous être montrés pécheurs ! 4. Mais Dieu a dit :
« Pourquoi exposes-tu mes préceptes et pourquoi as-tu mon
Testament à la bouche ? Tu as méprisé la discipline et tu as
rejeté mes paroles ; tu siégeais contre ton frère et tu l'injuriais, et tu déshonorais le fils de ta mère ; tu voyais un voleur
et tu te mettais avec lui, et tu étais de connivence avec les
adultères [j]. » Tout cela a été dit contre vous. Justifiez-vous
de tout cela, si vous le pouvez !

1. Le mépris de la discipline

4. 1. En effet, vous avez méprisé la discipline. Alors,
pourquoi lis-tu le Testament, toi qui ne respectes pas le

---

1. La méthode employée par Optat (comparaison avec le soldat, le marchand, le marin) rappelle étrangement la maïeutique de Socrate. Cf.
PLATON, *Gorgias,* 455 b-c : « S'il s'agit de bâtir des murs, c'est aux archi-
tectes qu'on demande conseil ; s'il s'agit d'élire des généraux, c'est aux
experts dans l'art militaire... »
2. Cf. l'Introduction, t. 1, p. 109-110.

est disciplina, quam seruare non uultis ? Non enim potestis
dicere uos eam seruare contra quam militatis. Deus dicit :
5   *Quaere pacem et consequeris eam* [k]. Tu repudiasti pacem :
non est contemnere disciplinam ? In euangelio legitur : *Pax
hominibus in terra bonae uoluntatis* [l] *!* Tu nec uoluntatem
bonam uis habere nec pacem : non est contemnere disciplinam ? 2. Item in psalmo centesimo tricesimo secundo legi-
10 tur : *Ecce quam bonum est et iucundum habitare fratres in
unum* [m] *!* In uno habitare cum fratribus non uis : non est
contemnere disciplinam ? Christus dicit in euangelio : *Qui
semel lotus est non habet necessitatem iterum lauandi* [n]. Tu
rebaptizando iterum lauas : non est contemnere discipli-
15 nam ? Deus dicit : *Ne tetigeritis christos meos neque in prophetas meos manum miseritis* [o] ! Vos tot sacerdotes Dei
honoribus exspoliastis : non est contemnere disciplinam ?
3. Christus dicit : *Inde scio quia discipuli mei estis, si uos
inuicem diligatis* [p]. Odio nos habetis, fratres utique uestros,
20 nec apostolos imitari uoluistis, a quibus etiam negator dilec-
tus est Petrus : non est contemnere disciplinam ? Exponis
iustificationes Dei et adsumis testamentum eius per os tuum.
Quomodo disputas : *Quaere pacem* [q], cum non habeas
pacem ? Testamentum recitas et testamentum non seruas in
25 quo descripta est disciplina !

5. 1. Electi estis qui sedentes populum doceatis et detrahitis nobis utique fratribus uestris, quoniam sicut supra dixi

---

3 disciplina : -nam G ‖ 4 seruare eam + et G ‖ seruare : -uasse RBV ‖
8 non : utique hoc G [*sic et postea* 11 14 17 21] ‖ est : *om.* G RB ‖ 10 fratres :
om. R[ac]V ‖ 11 uno *codd* : unum z ‖ uis : + numquid G ‖ 12 dicit : dixit G
‖ 15 prophetas : -thas B ‖ 16 miseritis : -eris G ‖ 17 exspoliastis : expolias-
tis RB spoliastis G ‖ 18 inde : unde V ‖ 19 diligatis : + uos G ‖ 23 cum :
+ tu RBV ‖ 24 pacem : + quomodo z ‖ seruas : -uis G ‖ 24-25 in quo —
disciplina : *om.* RBV

---

k. Ps. 33, 15   l. Lc 2, 14   m. Ps. 132, 1   n. Jn 13, 10   o. Ps. 104, 15   p.
Jn 13, 35   q. Ps. 33, 15

Testament où figure la discipline, que vous ne voulez pas
observer ? Car vous ne pouvez pas dire que vous observez
celle que vous combattez. Dieu dit : « Recherche la paix et
poursuis-la [k]. » Toi, tu as rejeté la paix : n'est-ce pas mépriser la discipline ? On lit dans l'Évangile : « Paix sur la terre
aux hommes de bonne volonté [l] ! » Toi, tu refuses à la fois
d'être un homme de bonne volonté et de vivre dans la paix :
n'est-ce pas mépriser la discipline ? 2. De même, on lit
dans le Psaume 132 : « Qu'il est bon et qu'il est agréable
d'habiter en frères tous ensemble [m] ! » Tu refuses d'habiter
avec tes frères, tous ensemble : n'est-ce pas mépriser la discipline ? Le Christ dit dans l'Évangile : « Celui qui a été lavé
une fois n'a pas besoin d'être lavé une seconde fois [n]. » Toi,
en rebaptisant, tu laves une seconde fois : n'est-ce pas mépriser la discipline ? Dieu dit : « Ne touchez pas à ceux qui me
sont consacrés, à mes prophètes ne faites pas de mal [o] ! »
Mais, vous, combien de prêtres de Dieu n'avez-vous pas pri-
vés de leur dignité [1] ? N'est-ce pas mépriser la discipline ?
3. Le Christ dit : « Je sais que vous êtes mes disciples si vous
vous aimez les uns les autres [p]. » Vous nous haïssez, nous
qui sommes assurément vos frères, et vous n'avez pas voulu
suivre l'exemple des apôtres, qui ont aimé Pierre malgré son
reniement [2] : n'est-ce pas mépriser la discipline ? Tu exposes
les préceptes de Dieu et tu as son Testament à la bouche.
Comment peux-tu expliquer : « Recherche la paix [q] », alors
que tu ne vis pas dans la paix [3] ? Tu lis le Testament et tu
n'observes pas le Testament où figure la discipline !

2. La haine de ses frères

5. 1. Vous avez été élus pour siéger et pour instruire le
peuple et vous nous calomniez, nous qui sommes assuré-

---

1. Cf. Opt., II, 19, 4-5 ; II, 21, 1-5 ; II, 24, 1-3 ; II, 25, 10-12.
2. L'argument sera repris et développé au livre VII, 3, 1-12 (L'unité
avant tout : le reniement de Pierre).
3. Cf. l'Introduction, t. 1, p. 117-121.

una nos mater ecclesia genuit, unus nos Deus pater excepit.
Et tamen scandala contra nos ponitis mandando singulis ne
5 nos salutent, ne a nobis dignationem accipiant. Considerate
uerba superbiae uestrae, considerate tractatus, considerate
mandata, actus quoque uestros reuoluite et inuenietis oleum
uestrum timuisse, qui rogabat. 2. Nullus uestrum est qui
non conuicia nostra suis tractatibus misceat, qui non aut
10 aliud initiet aut aliud explicet. Lectiones dominicas incipitis
et tractatus uestros ad nostras iniurias explicatis. Profertis
euangelium et facitis absenti fratri conuicium. Auditorum
animis infunditis odia, inimicitias docendo suadetis. Haec
omnia dicendo contra nos scandala ponitis. 3. Ergo uni-
15 cuique uestrum dictum est : *Sedens aduersus fratrem tuum
denotabas et aduersus filium matris tuae ponebas scandalum* ᵣ. Peccatorem arguit et sedentem increpat Deus : spe-
cialiter ad uos dictum esse constat, non ad populum, qui in
ecclesia non habent sedendi licentiam ! Vides ergo procul
20 dubio uobis imputari debere cum dicit Deus : *Sedens aduersus filium matris tuae ponebas scandala* ˢ. 4. Vnam matrem
nos habere iam totiens comprobaui nec uos negare potestis
qui contra nos scandala ponitis, dum aliqui uestrum et non
intellectas proferunt lectiones ut auferant etiam illud quod
25 inter omnes solet esse commune, salutationis uidelicet offi-
cium. Nam et uos ipsi aliqui in perfunctiora salutatione

5, 6 considerate ² : *om.* RBV ‖ 7 actus quoque : actusque B ‖ et : *om.*
RBV ‖ 9 aut : *om.* G ‖ 10 initiet : -itet V ‖ aut : *om.* G ‖ 13 animis : -as
RBV ‖ infunditis : infigitis RBV ‖ inimicitias : + suadendo V ‖ 16 scandalum : + dum z ‖ 17-21 peccatorem — scandala : *om.* G ‖ 23 et : *om.* G ‖
24 etiam : *om.* G ‖ quod : quo B ‖ 25 omnes : + homines G

---

r. Ps. 49, 20   s. Ps. 49, 20

---

1. Cf. A.-G. MARTIMORT₄, *L'Église en prière*, p. 157 : « Être assis est
l'attitude du docteur qui enseigne et du chef qui préside : c'est pourquoi
l'évêque a un siège, *cathedra*, d'où il préside et d'où il parle (...). Bien qu'an-
ciennement les édifices du culte n'eussent pas de sièges pour les fidèles, cer-

ment vos frères, puisque, comme je l'ai dit plus haut, une
même mère, l'Église nous a engendrés, un même Père, Dieu,
nous a accueillis. Et cependant vous nous déshonorez en
demandant à chacun de ne pas nous saluer, de ne pas accepter de marques d'estime de notre part. Considérez les
paroles que vous dicte votre orgueil, considérez vos sermons, considérez les ordres que vous donnez, rappelez-
vous aussi vos actes et vous découvrirez que c'est votre huile
que celui qui priait a redoutée. 2. Il n'est personne parmi
vous qui ne mêle à ses sermons des accusations contre nous,
qui n'en prononce une au début ou une autre à la fin. Vous
commencez par lire un passage de l'Écriture et vous ache-
vez votre sermon par des injures adressées contre nous.
Vous proclamez l'Évangile et vous portez des accusations
contre votre frère absent. Vous versez la haine dans le cœur
de vos auditeurs, vous persuadez ceux que vous instruisez
de nous haïr. Et en disant tout cela, vous nous déshonorez.
3. C'est donc pour chacun de vous qu'il a été dit : « Tu siégeais contre ton frère et tu l'injuriais, et tu déshonorais le
fils de ta mère ͬ. » Puisque Dieu accuse le pécheur et qu'il
admoneste celui qui siège, il est clair que ces paroles ont été
prononcées tout particulièrement contre vous, et non contre
le peuple qui, lui, n'a pas la permission de s'asseoir dans
l'église [1] ! Tu vois donc qu'il ne peut y avoir de doute : c'est
bien à vous que doivent être appliquées les paroles de Dieu :
« Tu siégeais et tu déshonorais le fils de ta mère ˢ. » 4. J'ai
prouvé plus d'une fois déjà que nous avions une même mère,
et vous ne pouvez le nier, vous qui nous déshonorez.
Certains d'entre vous citent même des passages de l'Écriture
qu'ils n'ont pas compris, si bien qu'ils vont jusqu'à suppri-
mer ce que nous avons l'habitude d'avoir tous en commun,
c'est-à-dire le devoir de nous saluer. Car certains d'entre

tains évêques les faisaient asseoir à terre pour la lecture et la prédication,
tandis qu'ailleurs, il est vrai, cette tolérance leur était refusée. »

oscula denegatis solita et docentur multi ne aue dicant cui-
quam nostrum ; et uidentur sibi hoc de lectione sed non
intellecta mandari ignorantes de quibus apostolus hoc dixe-
30 rit : *Cum his nec cibum capere* [t], *aue illi ne dixeritis* [u], *serpit
enim eorum sermo uelut cancer* [v]. 5. Dixit hoc de haereti-
cis quorum coeperat illis temporibus uitiosa esse doctrina,
qui subtili seductione uerborum morbis obscure serpentibus
corrumperent fidei sanitatem. Vt Marcion, qui ex episcopo
35 apostata factus inducebat duos Deos et duos Christos ; ut
Ebion qui argumentabatur patrem passum esse, non filium ;
ut Valentinus qui conabatur carnem Christo subducere.
Horum est sermo qui habuit cancer ad fidei membra
uexanda. Talis sermo est et Scorpiani haeretici qui negabat
40 debere esse martyria. 6. Sed uenena sua sibi seruent nec
eorum relatio auditorum intellectus simplices uel leuiter
uexet ! Huius igitur sermo est qui uitandus est ne serpat
sicut cancer. Dictum est hoc et de Ario qui conabatur docere
filium Dei ex nullis substantiis factum esse, non ex Deo

---

27 solita denegatis G ‖ ne : + nos salutant ne uel G ‖ 29 mandari : -re
RBV ‖ hoc : *om.* G ‖ 30 his : hiis V ‖ 30-31 aue — cancer : *om.* G ‖ serpit : -piet R -pi B -pite V ‖ 32 coeperat : ceperat G BV ‖ 34 Marcion : -
chion G ‖ 35 Christos : scriptos R[ac]V scrixptos R[pc]B ‖ ut : aut RBV ‖ 36
Ebion : Hebion G ‖/on V Praxeas z ‖ patrem : -trum V ‖ 37 carnem : +
sub B ‖ 38 qui : quem G ‖ 39 est et sermo G ‖ Scorpiani : Corpiani RBV
‖ negabat : -gat G ‖ 40 seruent : serpent RBV ‖ 41 relatio : elatio G ‖ 42
serpat : -piat G R[ac]V ‖ 43 et : *om.* G ‖ Ario : Arrio RBV

---

t. I Cor. 5, 11   u. II Jn 10   v. II Tim. 2, 17

---

1. Aucun témoignage ne permet d'affirmer que Marcion ait été évêque.
Mais d'après l'*Aduersus omnes haereses*, VI, 2 (ouvrage faussement attribué
à Tertullien, cf. t. 1, p. 188, n. 1), il aurait été excommunié par son père,
qui était lui-même évêque. D'autre part, s'il est vrai que Marcion oppose
au Dieu créateur le Dieu de l'amour qui s'est révélé dans le Christ, il est
inexact d'affirmer, comme le fait Optat, qu'il distinguait aussi deux Christs.
Sur Marcion, cf. t. 1, p. 188, n. 1 et p. 190, n. 1.
2. D'après Tert. (*Praescr.*, 33, 5), Ébion aurait été le fondateur de la
secte des ébionites, étymologie contestée par ailleurs (cf. Kelly[4], *Initiation,*

vous refusent, pour s'acquitter de ce salut, de nous donner
le baiser coutumier, et nombreux sont ceux qui apprennent
à ne dire bonjour à aucun d'entre nous ; et ils semblent tirer
cet enseignement d'un passage qu'ils n'ont pas compris, car
ils ignorent au sujet de qui l'Apôtre a prononcé ces paroles :
« Ne prenez pas de nourriture avec eux [t], ne leur dites pas
bonjour [u], car leur parole s'insinue comme un chancre [v] ! »
5. Il a dit cela au sujet des hérétiques, dont la doctrine mal-
saine avait commencé à se répandre à cette époque-là, et qui,
par une sournoise séduction, en faisant sourdement circuler
leurs paroles mauvaises, altéraient la santé de la foi. Ainsi
Marcion, qui, d'évêque devenu apostat, introduisait deux
Dieux et deux Christs [1] ; ainsi Ébion, qui soutenait que le
Père avait souffert, non le Fils [2] ; ainsi Valentin, qui s'efforçait de retirer au Fils son humanité [3]. C'est la parole de ces
hommes qui fut un chancre destiné à tourmenter les
membres de la foi. Telle est aussi la parole de l'hérétique
Scorpianus qui affirmait qu'il ne devait pas y avoir de martyre [4]. 6. Mais qu'ils gardent pour eux leurs poisons, que
leurs discours ne viennent pas tourmenter les esprits innocents de leurs auditeurs, ne fût-ce que légèrement ! C'est
donc le discours de cet homme qu'il faut éviter, afin qu'il
ne s'insinue pas comme un chancre. Cela a été dit également
au sujet d'Arius, qui s'efforçait de démontrer que le Fils de
Dieu avait été créé à partir de rien et qu'il n'était pas né de

p. 148). La définition qui suit dans le texte d'Optat ne peut pas se rappor-
ter à l'ébionisme, qui nie la divinité du Christ, mais résume plutôt la doctrine de Praxéas. Aucun manuscrit cependant ne donne cette leçon.

3. Sur Valentin, cf. t. 1, p. 188, n. 1 et p. 190, n. 1.

4. Le nom Scorpianus (dérivé de *scorpio* ou *scorpius*, le scorpion) pro-
vient peut-être d'une lecture erronée du titre de l'ouvrage de Tertullien,
le *Scorpiace* (ou *Scorpiacum*). Ce mot désigne chez Tertullien un « remède
contre les piqûres des scorpions », c'est-à-dire contre l'influence des
gnostiques qui affirmaient que le martyre est contraire à la volonté de
Dieu.

45 natum. Cuius doctrina nisi in Nicaeno concilio a trecentis
decem et octo episcopis dissiparetur, pectora multorum
sicuti cancer intrauerat. Dictum est hoc de Photino prae-
sentis temporis haeretico qui filium Dei ausus est dicere tantummodo hominem fuisse non Deum. 7. Potuit hoc et de
50 uobis dici quia sermo uester animis et auribus aliquorum
non leue intulit cancer. Vester enim sermo est quem ad pacis
filios habetis dum dicitis : Peristis, adtendite post uos, peribit anima uestra, quamdiu uos tenetis ? Sic fecistis de fidelibus paenitentes, sic mortificastis in sacerdotibus honores.
55 Ecce et uester sermo est qui serpit uelut cancer hodie, ut
salutatio et conuictus prohibeatur. 8. Noster sermo quid
tale facere potuit, qui simplici doctrina filios pacis retine-
mus, non alienos seducimus nec quemquam exterminamus ?
Manifestum est igitur uos contra nos cotidie scandala
60 ponere et longum est percurrere omnes modos quibus nobis
detrahitis et omnia genera quibus scandala ponitis.

6. 1. Nam et cum dicit : *Videbas furem et concurrebas
cum eo* [w], de qua re hoc putatis dictum esse ? Numquid de

---

45 doctrina : -nam RBV ‖ Nicaeno : -ceno *codd.* ‖ 46 decem : -cim RB
‖ pectora : peccata R[ac]V peccator R[pc]B ‖ 47 sicuti : sicut G ‖ hoc : + et G
‖ Photino : Fotino *codd.* ‖ 49 non : + et G ‖ 50 quia : + et G ‖ uester sermo
z ‖ 51 leue : -em RBV ‖ 52 habetis : -beretis B ‖ peribit : -iuit G ‖ 55 uelut :
sicut G ‖ 56 conuictus : conuentus G ‖ 58 exterminamus : -auimus G ‖ 59
cotidie : *om.* G ‖ 60 ponere : -nitis V ‖ 60-61 et longum — ponitis : *om.* V
‖ 61 genera : *om.* RB
6, 1 et [1 et 2] : *om.* G

---

w. Ps. 49, 18

---

1. Arius, prêtre de l'église d'Alexandrie (vers 206-336), soutenait que le
Fils était la créature du Père, non éternellement préexistante. Il fut
condamné pour hérésie par le premier concile œcuménique réuni à Nicée
en 325 par l'empereur Constantin. Le concile déclare expressément que le
Fils est vrai Dieu issu du vrai Dieu, engendré et non créé, *homoousios,* c'est-
à-dire consubstantiel au Père. Cf. l'Introduction, t. 1, p. 84.

2. Photin, évêque de Sirmium (vers 340-360), était un disciple de Marcel
d'Ancyre, qui participa en 325 au concile de Nicée. Farouchement anti-arien,

Dieu. Et si la doctrine de cet homme n'avait pas été mise en
pièces au concile de Nicée par trois cent dix-huit évêques,
elle aurait pénétré comme un chancre dans le cœur de bien
des hommes [1]. Cela a été dit également au sujet de Photin,
un hérétique de notre temps qui a osé dire que le Fils de
Dieu avait été seulement homme et non Dieu [2]. 7. Cela a
pu également être dit à votre sujet, puisque, par vos paroles,
vous avez répandu dans les esprits et dans les oreilles de certains un chancre qui n'est pas sans gravité. Car telle est bien
la parole que vous adressez aux fils de la paix quand vous
dites : « Vous êtes perdus, regardez en arrière, vous allez
perdre votre âme, depuis combien de temps tardez-vous ? »
Ainsi, de fidèles vous avez fait des pénitents ; ainsi, vous avez
tué la dignité des prêtres. C'est donc votre parole qui s'insinue comme un chancre aujourd'hui pour interdire de nous
saluer et d'avoir commerce avec nous. 8. Comment notre
parole aurait-elle pu avoir de telles conséquences ? Car nous
retenons les fils de la paix par une doctrine innocente, nous
ne séduisons pas ceux qui nous sont étrangers, et nous ne
faisons périr personne. Il est donc manifeste que vous nous
déshonorez chaque jour, et il serait trop long de passer en
revue tous les moyens par lesquels vous nous calomniez et
toutes les manières dont vous nous déshonorez.

3. La complicité avec le voleur et l'adultère

6. 1. Et lorsqu'il dit : « Tu voyais un voleur et tu te mettais avec lui [w] », à quel sujet pensez-vous qu'aient été pro-

---

Marcel d'Ancyre insiste tellement sur l'unité du Père et du Fils que ses adversaires l'accusent de verser dans l'hérésie opposée, le modalisme, qui nie la
réalité des personnes dans la Trinité (c'était la vieille erreur de Sabellius, cf.
t. 1, p. 188, n. 1). Photin semble avoir combiné la doctrine de Marcel
d'Ancyre avec une christologie adoptianiste : Jésus est un homme auquel
Dieu a insufflé sa grâce et son pouvoir. Avg. (*Bapt.*, IV, XVI, 23) cite Photin
comme un exemple d'hérétique. ~ Sur les péripéties de la crise arienne, cf.
Kelly[4], *Initiation*, p. 235-261 ; Daniélou-Marrou[3], t. 1, p. 290-309.

subducto uestimento aut de inuolato gremio aut de aliquibus rebus quae ablatae uel lucra uel damna inter homines
5 faciunt ? Equidem sunt et ista prohibita, sed in hac lectione
illa furta increpat Deus, quae sibi sunt facta. Quaeritis quae
furta sint Deo facta ? Apud uos inueniuntur ! 2. Possessio
Dei est turba fidelium, ex qua cotidie fur diabolus cupit aliquid inuolare. Qui christiani aut christianae uult uel mores
10 ex aliqua parte corrumpere et si non totum hominem sed
quodcumque de homine rapere. Talem furem cum uideatis
contra nos uim facere, uestris operibus adiuuistis. Nam
neminem fugit quod omnis homo qui nascitur, quamuis de
parentibus christianis nascatur, sine spiritu immundo esse
15 non possit, quem necesse sit ante salutare lauacrum ab
homine excludi et separari. 3. Hoc exorcismus operatur,
per quem spiritus immundus depellitur et in loca deserta
fugatur. Fit domus uacua in pectore credentis, fit domus
munda ; intrat Deus et habitat apostolo dicente : *Vos estis*
20 *templum Dei et in uobis Deus habitat* [x]. 4. Et cum Deo
unusquisque plenus sit de quo fur diabolus aliquid inuolare
contendit, uos rebaptizando exorcizatis hominem fidelem et
dicitis Deo habitanti : Maledicte, exi foras ! ut compleatur
quod a Deo dictum est per Ezechielem prophetam : *Et*
25 *maledicebant mihi in populo meo propter plenam manum*
hordei et buccellam ut occiderent animas quas non oportuit

3 de [1] : *om.* G ‖ inuolato : inuiolato G ‖ 4 uel [1 et 2] : aut G ‖ 5 equidem :
et quidem B ‖ 6 quae [1] : qui R[ac]BV ‖ quae [2] : quare G ‖ 7 sint : sunt RBV ‖
8 qua : quo RBV ‖ diabolus : diabulus R dyabolus [*sic et postea*] B ‖ 9 inuolare : inuiolare G [*sic et postea*] ‖ qui : *om.* RBV + in quouis G ‖ christiani :
-no G ‖ christianae : -na G ‖ 11 uideatis : *om.* G ‖ 12 uim : eum V uultis
G ‖ 14 immundo : mundi RBV ‖ 15 possit : posse *codd.* ‖ necesse : necessit
B ‖ salutare : seculare RB ‖ lauacrum : -chrum B ‖ 16 excludi et : excludite
V ‖ 17 depellitur : repellitur G ‖ 19 Deus intrat B ‖ 17 habitat : inhabitat G
‖ 18 de quo : unde G ‖ contendit : -dis V ‖ 22 rebaptizando : -zandos R[ac]V
‖ exorcizatis : exorzizatis ‖ 23 maledicte : -dicti RB ‖ compleatur : -pleretur
G ‖ 24 prophetam Ezechielem V ‖ Ezechielem : *om.* RB ‖ prophetam : +

noncées ces paroles ? Est-ce au sujet d'un vêtement dérobé
ou d'un manteau volé, ou de ces objets dont le vol représente un gain ou un dommage pour les hommes ? Certes,
ces actes, eux aussi, sont interdits, mais dans ce passage Dieu
blâme les vols qui ont été commis contre lui-même. Vous
demandez quels sont les vols qui ont été commis contre
Dieu ? On les trouve chez vous ! 2. C'est à Dieu qu'appartient la foule des fidèles contre laquelle, chaque jour, le
diable, ce voleur, désire commettre un vol. Il veut du moins
corrompre en partie les mœurs du chrétien ou de la chrétienne et emporter, sinon l'homme tout entier, du moins une
part de l'homme. Vous voyez un tel voleur nous faire violence et pourtant vous l'avez aidé par vos actes. Et il
n'échappe à personne que tout homme qui naît, même s'il
naît de parents chrétiens, possède nécessairement un esprit
impur, qu'il faut chasser et écarter de l'homme avant le bain
qui procure le salut. 3. On pratique alors l'exorcisme [1],
grâce auquel l'esprit impur, une fois repoussé, se réfugie
dans des lieux déserts. La maison devient libre dans le cœur
du croyant, la maison devient pure ; Dieu entre et l'habite,
comme le dit l'Apôtre : « Vous êtes le temple de Dieu, et
Dieu habite en vous [x]. » 4. Et alors que chaque homme
contre lequel le diable, ce voleur, cherche à commettre un
vol est rempli de Dieu, vous, en rebaptisant, vous exorcisez
le fidèle et vous dites au Dieu qui l'habite : « Maudit, sors
d'ici ! » Ainsi s'accomplit ce que Dieu a dit par la bouche
du prophète Ézéchiel : « Et ils médisaient de moi devant
mon peuple pour une poignée d'orge et une bouchée de
pain, en tuant des âmes qui ne devaient pas mourir et en

---

dicentem RB ‖ 25-26 propter — buccellam : *om.* G ‖ 25 manum : -nu V ‖
26 hordei : ordei V ‖ buccellam : bucellam R   buscellam B

---

x. I Cor. 3, 16

---

1. Sur les rites prébaptismaux et sur la pratique de l'exorcisme au
IVe siècle, cf. A.-G. Martimort[4], *L'Église en prière*, p. 521-523.

mori dum adnuntiant populo meo uanas seductiones [y].
5. Audit ergo Deus iniurias non sibi debitas et huiusmodi
habitaculum deserit ! Et homo qui Deo plenus in ecclesiam
30 intrauerat, egreditur uas inane. Diabolus qui uolebat quasi
fur aliquid inuolare adiutus operibus uestris uidet totum
suum factum esse, unde uolebat paululum aliquid tollere !
6. Ergo de uobis dixit Deus : *Videbas furem et concurrebas
cum eo* [z]. Denique in euangelio sic scriptum est : *Cum autem*
35 *Deus deseruerit hominem, remanet uas inane, spiritus autem*
immundus errans per loca deserta ieiunus dicit : Domus mea
uacua est – hoc est dicere : qui me excluserat exclusus est –
reuertar illuc et habitabo. Et adducit secum alios septem
saeuiores et habitabit illic et erunt hominis illius peiora
40 *nouissima quam quod fuerunt prima* [a]. 7. Hoc est : *Videbas*
furem et concurrebas cum eo et cum moechis particulam
tuam ponebas [b]. Haereticos dicit *moechos* et *moechas* ecclesias illorum quas aspernatur et repudiat Christus in canticis
canticorum quasi dicat : Quid mihi colligitis non necessa-
45 rias ? *Vna est dilecta mea, una est sponsa mea, una est*
columba mea [c], id est catholica in qua et uos cum esse possetis rebaptizando inter moechos particulam habere uoluistis. 8. Et quoniam uos esse peccatores diuino testimonio
manifestissime comprobatum est, etiam illud ostensum est
50 tua auxilia contra te militasse. In auxilium enim addideras
prophetam in quo lectum est : *Sacrificium peccatoris quasi*

29 ecclesiam : -sia G R ‖ 30 egreditur : -dietur G ‖ diabolus : dyabolus
BV ‖ 31 inuolare : inuiolare + de homine G ‖ 32 esse factum G ‖ 33 de :
om. G ‖ concurrebas : currebas G ‖ 34 sic : *om.* RB ‖ 36 dicit : -cet RBV
‖ 38 reuertar : -tari V ‖ alios : *om.* G ‖ 39 saeuiores : seuiores B   seniores
G R ‖ habitabit : -tauit RB ‖ 40 quod : *om.* G ‖ fuerunt : -erint G ‖ 41
concurrebas : currebas G ‖ moechis : mechis G   mestis B ‖ 42 moechos :
moecos V   mestos B ‖ 43 quas : + et G ‖ 44 necessarias : -ria G ‖ 47
moechos : moecos V   mestos B   mechos + hereticos G ‖ 49 manifestissime :
om. G ‖ est : *om.* G ‖ 50 tua : tu RBV ‖ enim : meum V ‖ addideras :
adduxisti G ‖ 51 lectum : letum B

disant à mon peuple de vains mensonges y. » 5. Dieu
entend donc des injures qui ne lui sont pas dues, et il abandonne une demeure de ce genre ! Et l'homme, qui était
entré dans l'Église rempli de Dieu, en sort comme un vase
vide. Le diable qui, tel un voleur, voulait commettre un vol,
aidé par vos actes, voit l'homme tout entier devenir sien,
alors qu'il voulait en prendre seulement une petite partie !
6. C'est donc à votre sujet que Dieu a dit : « Tu voyais un
voleur et tu te mettais avec lui z. » Enfin, il est écrit dans
l'Évangile : « Mais lorsque Dieu a quitté l'homme, le vase
reste vide, mais l'esprit impur, errant dans des lieux déserts,
privé d'abri, dit : Ma maison est libre — c'est-à-dire : celui
qui m'avait chassé a été chassé —, je retournerai là-bas et
je l'habiterai. Et il amène avec lui sept autres esprits plus
cruels et il habitera là-bas, et le dernier état de cet homme
sera pire que le premier a. » 7. Tel est le sens de ces
paroles : « Tu voyais un voleur et tu te mettais avec lui et
tu étais de connivence avec les adultères b. » Il appelle
« adultères » les hérétiques et « adultères » leurs églises, que
le Christ rejette et repousse dans le Cantique des
Cantiques, comme s'il disait : « Pourquoi rassemblez-vous
pour moi des églises qui ne me sont pas alliées ? » « Unique
est ma bien-aimée, unique ma fiancée, unique ma
colombe c », c'est-à-dire l'Église catholique, dans laquelle
vous pourriez être vous aussi. Mais, en rebaptisant, vous
avez voulu être de connivence avec les adultères [1]. 8. Et
puisqu'il a été prouvé de façon très manifeste par le témoignage divin que vous êtes des pécheurs, il a été montré aussi
que ceux que tu as appelés à ton secours ont combattu
contre toi. En effet, tu avais appelé à ton secours le prophète dans les livres duquel on peut lire : « Le sacrifice du

---

y. Éz. 13, 19   z. Ps. 49, 18   a. Matth. 12, 43-45   b. Ps. 49, 18   c. Cant.
6, 8

---

1. Cf. Opt., I, 10, 2-3.

qui uictimet canem [d]. Iam peccatores uos esse si pudor est
ullus cum dolore cognosce !

7. 1. Etiam illud disce cuius uox sit : *Oleum peccatoris*
non ungat caput meum [e] *!* Tu enim non intellexisti cuius
haec uox sit, utique Christi qui necdum unctus fuerat cum
rogaret ut oleum peccatoris non inquinaret caput eius. Haec
5 tu non intellegens dixisti quia Dauid propheta timuit oleum
peccatoris. A Samuele iamdudum pe/runctus fuerat qui can-
tabat [f]. Non fuit ratio ut iterum ungeretur ! **2.** Ergo uox
est Christi dicentis : *Oleum peccatoris non ungat caput*
meum [g]. Preces sunt, non iussiones, desideria sunt, non
10 praecepta ; nam si iussio esset diceret : Oleum peccatoris
non unget caput meum. Vox igitur est filii Dei iam tunc
metuentis oleum peccatoris incurrere, id est cuiusque hominis quia nemo est sine peccato nisi solus Deus. Ideo filius
eius timuit oleum hominis quia foedum fuerat ut Deus ab
15 homine ungeretur. **3.** Ideo deprecatur patrem ut non unga-
tur ab homine sed ab ipso Deo patre. Petit ergo filius.
Videamus an consenserit pater. Hoc spiritus sanctus indicat
et manifestat in psalmo quadragesimo et quarto ubi ait ad
ipsum filium : *Vnget te dominus Deus tuus oleo exultationis*
20 *aliter a consortibus tuis* [h]. Consortes fuerant Iudaeorum
sacerdotes et reges quos singulos unctos ab hominibus
constat. **4.** Sed quia filius a patre, Deus a Deo erat ungen-

52 uos peccatores G ‖ pudor est ullus : ullus est pauor cum pudore G
7, 2 ungat : -get B -guet RV impinguet G ‖ 3 cum : dum G ‖ 4 rogaret : -retur RBV ‖ ut : *om.* RBV ‖ inquinaret : impinguet G ‖ 6 Samuele :
Samuhele R ‖ perunctus : puero dei unctus G ‖ 7 est uox G ‖ 11 unget : -
gat B -guat RV impinguet G ‖ est igitur G ‖ Dei : *om.* G ‖ 12 metuentis : + ne homo eius G ‖ incurrere : -curreret G -currerunt V ‖ cuiusque :
cuiuscumque G ‖ 13 est sine peccato : qui non est peccator RBV ‖ 14 fuerat : erat G ‖ 15 deprecatur : precatur G ‖ patrem : *om.* G ‖ 16 Deo :
domino RBV ‖ petit : perit B ‖ 19 ipsum : suum G ‖ dominus : deus G ‖
20 aliter a : pre G

d. Is. 66, 3   e. Ps. 140, 5   f. Cf. I Sam. 16, 13   g. Ps. 140, 5   h. Ps. 44, 8

pêcheur est comme l'immolation d'un chien [d]. » Apprends
donc avec douleur, si tu as quelque sentiment de l'honneur,
que vous êtes des pécheurs !

IV. Dernières réfutations

1. L'onction du Christ

7. 1. Apprends encore quel est l'auteur de ces paroles :
« Que l'huile du pécheur ne couvre pas ma tête [e] ! » Toi, en
effet, tu n'as pas compris quel était l'auteur de ces paroles.
C'est assurément le Christ, qui n'avait pas encore reçu l'onction et qui demandait que l'huile du pécheur ne vînt pas
souiller sa tête. Toi, tu n'as pas compris cela et tu as dit :
« C'est le prophète David qui a redouté l'huile du pécheur. »
Mais le psalmiste avait reçu auparavant l'onction de Samuel [f].
Il n'y avait pas de raison pour qu'il la reçût une seconde
fois ! 2. L'auteur de ces paroles est donc le Christ, qui dit :
« Que l'huile du pécheur ne couvre pas ma tête [g] ! » C'est
une prière, non un ordre, c'est un désir, non un commandement ; car si c'était un ordre, il dirait : « L'huile du pécheur
ne couvrira pas ma tête. » L'auteur de ces paroles est donc
le Fils de Dieu qui, déjà, craignait de recevoir l'huile du
pécheur, c'est-à-dire de n'importe quel homme, car personne
n'est sans péché si ce n'est Dieu seul. Son Fils a redouté
l'huile de l'homme, parce qu'il eût été indigne que Dieu reçût
l'onction de l'homme. 3. C'est pourquoi il prie son Père et
il lui demande de ne pas recevoir l'onction de l'homme, mais
de Dieu lui-même, son Père. C'est donc une demande du
Fils. Voyons si le Père l'a satisfaite. L'Esprit-Saint l'indique
clairement dans le Psaume 44, où il dit au Fils lui-même :
« Le Seigneur, ton Dieu, te donnera l'onction d'une huile
d'allégresse, comme à aucun de tes rivaux [h]. » Ses rivaux
étaient les prêtres et les rois des juifs qui, tous — cela est établi —, avaient reçu l'onction de l'homme. 4. Mais puisque

dus, secundum quod filius petiit et spiritus promissa nuntiauit, compleuit pater in Iordane. Quo cum ueniret filius
25 Dei, saluator noster, a Iohanne ostensus est his uerbis : *Ecce
agnus Dei, hic est qui tollit peccata mundi* [i]. Descendit in
aquam non quia erat quod in Deo mundaretur sed super-
uenturum oleum aqua debuit antecedere ad mysteria ini-
tianda et ordinanda et implenda baptismatis. 5. Lotus cum
30 in Iohannis manibus haberetur, secutus est ordo mysterii et
compleuit pater quod rogauerat filius et quod nuntiauerat
spiritus sanctus. Apertum est caelum Deo patre ungente.
Spiritale oleum statim in imagine columbae descendit et
insedit capiti eius et perfudit eum. Et oleum digestum est,
35 unde coepit dici Christus, quando unctus est a Deo patre.
6. Cui ne manus imposita defuisse uideretur, uox audita est
Dei de nube dicentis : *Hic est filius meus, de quo bene sensi,
hunc audite* [j] *!* Hoc est igitur quod lectum est : *Oleum peccatoris non ungat caput meum* [k] *!* Rationem ueritatis, frater
40 Parmeniane, uel sero addisce, quoniam nunc tempus est
inuenire discendi.

        23 petiit : -tit *codd.* ‖ 24 compleuit : + et G ‖ quo : qui RBV ‖ 25 nos-
ter : *om.* B ‖ a Iohanne : ad Iohannem RBV z ‖ his uerbis : *om.* G ‖ 26
agnus Dei hic : *om.* G ‖ 27 aquam : -a RBV ‖ 28 mysteria : ministeria
RBV ‖ 29 et [1] : *om.* G ‖ 30 mysterii : ministerii RBV ‖ 31 nuntiauerat :
nu/tiauerauerat B ‖ 33 imagine : -nem RBV ‖ 34 insedit : sedit RBV ‖
eum : *om.* G ‖ et *codd.* : *om.* z ‖ oleum : *om.* RBV ‖ digestum : -ta RBV
‖ 35 coepit : cepit G BV ‖ dici : *om.* RBV ‖ 36 ne : nec RBV ‖ imposita :
impositio G ‖ 40 sero : *om.* G ‖ est : *om.* G ‖ 41 inuenire discendi : discendi inuenisti G

i. Jn 1, 29   j. Lc 9, 35   k. Ps. 140, 5

1. Cf. OPT., I, 8, 1-4 (le baptême du Christ dans le Jourdain).
2. Nous avons ici un témoignage précieux de l'interprétation que les
Pères de l'Église ont pu donner du baptême du Christ dans le Jourdain.
Optat interprète clairement le baptême de Jésus comme l'institution du
baptême chrétien et comme le prototype de ce sacrement. Les actes essen-
tiels de la liturgie du baptême sont très précisément annoncés : immersion,

le Fils devait recevoir l'onction du Père, et Dieu la recevoir de Dieu, ce que le Fils a demandé et ce que l'Esprit a promis et annoncé, le Père l'a réalisé dans le Jourdain. Comme le Fils de Dieu, notre Sauveur, arrivait là, il fut désigné par Jean en ces termes : « Voici l'Agneau de Dieu, celui qui enlève les péchés du monde [i]. » Il descendit dans l'eau, non qu'il y eût en Dieu quelque chose à purifier [1], mais parce que l'eau devait précéder l'huile à venir, pour l'établissement, l'institution et l'accomplissement du mystère du baptême [2].

5. Et comme, une fois baptisé, il se trouvait entre les mains de Jean, le rite du mystère s'accomplit alors, et le Père réalisa ce que le Fils avait demandé et ce que l'Esprit-Saint avait annoncé. Le ciel s'ouvrit, et Dieu le Père donna l'onction. L'huile spirituelle descendit aussitôt sous la forme d'une colombe, se posa sur sa tête et le recouvrit. L'huile fut répandue, et dès lors, il fut appelé Christ, puisqu'il avait reçu l'onction de Dieu le Père.   6. Et de peur que l'imposition des mains ne parût avoir manqué, on entendit la voix de Dieu, venue d'un nuage, qui disait : « Celui-ci est mon Fils bien-aimé, qui a eu toute ma faveur, écoutez-le [j] ! » Tel est donc le sens de ces paroles : « Que l'huile du pécheur ne couvre pas ma tête [k] ! » L'essence de la vérité, frère Parménien, apprends-la, même tard, puisque maintenant c'est le moment d'apprendre à la découvrir [3].

onction, imposition des mains. Cette tradition liturgique remonte, pour l'Afrique, à Tertullien. Cf. R.F. REFOULÉ, *SC* 35, p. 36-45.

3. CYPR. (*Ep.*, LXX, II, 2) interprète différemment ce verset : « "Que l'huile du pécheur ne couvre pas ma tête" [*Ps.* 140, 5]. Cet avertissement nous est donné d'avance dans les Psaumes, de peur que quelqu'un sortant de la voie tracée (*exorbitans*), en s'écartant du vrai chemin (*a uia ueritatis exerrans*), n'aille se faire oindre chez les hérétiques et les adversaires du Christ. » Cf. AVG., *C. Parm.*, II, X, 22 (*BA* 28, p. 325) : « C'est évident, l'huile du pécheur signifie les caresses du flatteur », « Vnde manifestum est oleo peccatoris blanditias adulatoris esse significatas ».

8. 1. Et illud quod in Salomone propheta lectum esse
dixisti : *Filios adulterorum inconsummatos et spuria uitula-*
mina altas radices dare non posse [1]. Hoc et simpliciter dictum esse intellegi potest, unde si figuram facias ueros adul-
5 teros excusasti. Sed fac ut figuraliter dictum sit : hoc de
haereticis dictum est apud quos sunt sacramentorum falsa
conubia et in quorum toris iniquitas inuenitur, ubi in exter-
minium fidei corrupta sunt semina. **2.** Dum Valentinus
filium Dei in phantasmatis, non in carne fuisse contendit,
10 fidem suam suorumque corrupit. Natiuitatis eorum semen
exterminatum est, qui non crediderunt filium Dei in carne
natum de uirgine Maria et passum in carne.

9. 1. Nam et illud quod in Hieremia propheta te legisse
commemoras, exhorruisse caelum, quod duo maligna fecerit populus Dei, ut *derelinquerent fontem aquae uiuae et*
foderent sibi lacus detritos, qui non possent aquam conti-
5 *nere* [m]. Legisti quidem sed, ut se res habent, intellegere
noluisti. Studio criminandi ad conuicium catholicorum
cuncta componens multum ad arbitrium tuum declinare

8, 1 Salomone : psalomone B   salomonem V ‖ propheta : -tam V ‖
esse : est G ‖ 2 dixisti : *om.* G ‖ filios : oleum peccatoris et G ‖ inconsummatos : consummatos RBV   + esse G ‖ uitulamina : -mine G ‖ 3 altas :
-ta BV ‖ 4 ueros : uestros G ‖ 5 fac ut : facit V ‖ 6 sacramentorum : -tum
B ‖ 7 conubia : conuiuia G ‖ toris : thoris G RB   choris V ‖ in [2] : inter G
‖ 9 phantasmatis : fantasmate G ‖ 10 corrupit : -rumpit G ‖ 11 est exterminatum G ‖ in carne natum : incarnatum G ‖ 12 Maria uirgine G ‖ Maria :
ma maria B

9, 1 Hieremia : iheremia B   iheremiamV ‖ propheta : -tam V   *om.* G ‖
2 commemoras : -rasti G ‖ 4 foderent : -erunt G ‖ lacus : -cos V ‖ possent :
-sunt G ‖ aquam : aque B ‖ 5 res se G ‖ habent : -bet G ‖ 7 declinare : des-
tinare RBV

l. Sag. 3, 16 ; 4, 3   m. Jér. 2, 13

1. Cf. OPT., I, 10, 2 ; III, 6, 7.
2. Une tendance christologique qui remonte à l'âge apostolique, connue
sous le nom de docétisme (du verbe δοκεῖν qui signifie « paraître »), sou-

2. Salomon accuse les hérétiques

8. 1. Tu as lu, as-tu dit, dans les livres du prophète Salomon : « Les fils des adultères sont imparfaits, et la prolifération de rejetons bâtards ne peut donner des racines profondes [1]. » On peut comprendre ce passage au sens propre, et en l'interprétant comme une allégorie, tu as disculpé les véritables adultères. Mais supposons que ces paroles soient allégoriques : c'est contre les hérétiques qu'elles ont été prononcées, car chez eux se trouve l'union illégitime des sacrements, dans leurs couches se trouve l'iniquité, et leur postérité a été corrompue pour l'extermination de la foi [1]. **2.** Quand Valentin a soutenu que le Fils de Dieu était une apparence et non un homme de chair, il a corrompu sa propre foi et celle des siens. Elle a été exterminée, la postérité de ceux qui n'ont pas cru que le Fils de Dieu a pris chair de la Vierge Marie et qu'il a souffert dans la chair [2].

3. Jérémie accuse les juifs

9. 1. Tu rappelles aussi ce que tu as lu dans les livres du prophète Jérémie, que le ciel a frémi d'horreur en voyant le peuple de Dieu commettre un double méfait : « Ils abandonnaient la source d'eau vive pour se creuser des citernes lézardées qui ne pouvaient retenir l'eau [m][3]. » Tu as lu, certes, mais, en réalité, tu n'as pas voulu comprendre. Dans ton désir de nous incriminer, tu as tout arrangé dans le dessein d'accuser les catholiques et tu t'es efforcé bien souvent d'in-

---

tient que le Christ a pris une « apparence » de chair et que ses souffrances ne sont pas réelles. La christologie des gnostiques a souvent été influencée par cette doctrine. Contre Valentin, Tert. (*Carn.*, XVII, 1) affirme que le Christ est né de la Vierge Marie et qu'il a reçu d'elle sa chair. Cf. Kelly[4], *Initiation*, p. 159-161. Sur Valentin, cf. t. 1, p. 188, n. 1 et p. 190, n. 1.

3. Ce texte était une référence classique de la théologie cyprianique et africaine. Cf. Cypr., *Epist.*, LXX, I, 1 ; Avg., *C. Parm.*, II, X, 22.

conatus es. 2. Si enim putas per prophetas sic dicta esse
omnia ut ad tempora nostra pertineant excusasti Iudaeos, de
10 quibus haec dicta esse constat, qui dimiserunt Deum uiuum,
Deum uerum, Deum qui illis beneficia praestitit, et fecerunt
sibi idola, hoc est lacus detritos qui non possunt aquam
continere. In Deo perennis maiestas exundat sicut in fonte
aqua largiter fluentibus uenis exuberat. 3. Idola uero si
15 non fiant non sunt, et lacus si non fodiantur sinus capaces
habere non possunt ! Lacus sine arte et ferramentis cauari
non potest nec idolum sine artifice fieri potest. In idolis uirtus naturalis nulla est sed hominum errore adiungitur et
applicatur. Aestimatur in idolo uirtus quae illic nata non est.
20 Lacus est arte detritus cuius fabrica uexatio est ut aquam nec
de se habeat et acceptam continere non possit. 4. Sic et
idolum nec de se est aliquid et, dum colitur, nihil est ! Hoc
est quod dixit Deus duo mala fecisse populum suum quia
dereliquerunt fontem aquae uiuae et effossos ac detritos sibi
25 fecerunt lacus. Etenim Iudaeorum populus deseruerat
ueram aquam, non nouerat maiestatem Dei et idolorum
inquinatam sectatus fuerat religionem. Hoc est quod dolet
Deus, hoc est quod dicit caelum exhorruisse ! 5. Nam et
per Esaiam prophetam idem Dei dolor est, dum in hoc duo
30 testatur elementa dum dicit : *Audi, caelum, et percipe auri-*

---

8 es : *om.* G ‖ per : *om.* G ‖ prophetas : -tam G ‖ dicta : -tum G ‖ 9 ut
omnia G ‖ excusasti : excusa tu RBV ‖ 10 uiuum : unum G ‖ 11 Deum
uerum : *om.* G ‖ qui : + in RB ‖ praestitit : prestiterat G ‖ 12 idola : ydola
B [*sic et postea*] ‖ possunt : -sent G ‖ 13 in Deo : ideo RBV ‖ perennis :
perhemnis B ‖ maiestas exundat : male destans exultant RBV ‖ 14 aqua :
qui G ‖ largiter : + de RBV ‖ exuberat : -erant RBV ‖ 15 fiant : -at RᵃᶜV ‖
sunt : sum RBV ‖ si non : nisi RBV ‖ fodiantur : -deatur RBV ‖ 17 potest :
possunt G ‖ idolum : -lus RᵃᶜV ‖ 18-19 hominum — applicatur : meror
hominum [hominum meror V] adiunguntur et applicantur RBV ‖ 19 aestimatur : -antur RBV ‖ in : *om.* RBV ‖ idolo : -la G ‖ 20 uexatio est : uexa-
tiones RB   uexationem V ‖ 21 se : *om.* RBV ‖ acceptam : -ta RBV ‖ possit : posse RBV ‖ 22 se : *om.* B ‖ 23 quia : quod + se G ‖ 24 dereliquerunt :
-linquerent G ‖ effossos : defossos G ‖ 26 aquam : quam G ‖ non : *om.* G

terpréter les textes à ton gré. 2. En effet, si tu penses que tout ce qui a été dit par les prophètes concerne notre époque, alors tu as disculpé les juifs ! Car il est clair que ces paroles ont été prononcées au sujet de ces hommes qui ont abandonné le Dieu vivant, le Dieu vrai, le Dieu qui leur a prodigué ses bienfaits, et qui se sont fabriqué des idoles, que désignent les citernes lézardées qui ne peuvent retenir l'eau. La majesté éternelle abonde en Dieu, comme dans une source l'eau jaillit abondamment, à larges flots. 3. Quant aux idoles, si on ne les fabrique pas, elles n'existent pas, et si on ne les creuse pas, les citernes ne peuvent posséder de cavité capable de contenir l'eau ! Une citerne ne peut être creusée sans une technique et des outils, et une idole ne peut être fabriquée sans un artisan. Les idoles ne possèdent aucune puissance naturelle, mais cette puissance leur est assignée et attribuée par la folie des hommes. On imagine dans l'idole une puissance qui n'est pas naturellement en elle. La citerne lézardée a été construite grâce à la technique, mais la construction est si mauvaise qu'elle ne possède pas d'eau par elle-même et qu'elle ne peut retenir celle qu'elle a reçue. 4. De même, l'idole n'est rien par elle-même, et quand on l'adore, elle n'est rien non plus ! Ainsi que Dieu l'a dit, son peuple a commis un double méfait, puisqu'il a abandonné la source d'eau vive et qu'il s'est creusé des citernes lézardées. En effet, le peuple des juifs avait abandonné l'eau véritable, il n'avait pas reconnu la majesté de Dieu et il avait pratiqué l'immonde culte des idoles. Voilà ce que Dieu déplore, voilà pourquoi il dit que le ciel a frémi d'horreur ! 5. En effet, dans les livres du prophète Isaïe, la douleur de Dieu est la même, car il en donne deux témoignages lorsqu'il dit : « Écoute, ciel, et ouvre tes oreilles,

---

‖ Dei : om. G ‖ 27 sectatus : secutus G ‖ fuerat : est RB om. V ‖ 28 dicit : + deus V ‖ caelum : om. RBV ‖ 29 Esaiam : Ysayam B ‖ prophetam : om. RBV ‖ idem : id est G ‖ dolor est : dolores RBV ‖ 30 testatur : -antur RBV

bus, terra ! Filios generaui et exaltaui, ipsi autem me dereli-
querunt [n] *!* Quare non de hac lectione aliquid, frater
Parmeniane, dixisti ? An quia hic non est aqua nominata ?
Intellegeris enim studio criminandi sic pulsasse legem, ut
35 ubicumque *aquam* scriptam legeris praestigiis quibusdam ad
inuidiam collegisses et euerriculo quodam malitiae argu-
mentorum intexto ad te omnia quae sunt bona traxisti !
6. Nam qualis est tuus intellectus in hoc capitulo
Hieremiae [o], cum clamet Deus se desertum esse et sic effos-
40 sos lacus ? Pro se irascitur, non pro re sua, aqua enim baptismatis res Dei est, non Deus ! Et si putatis desertos esse
quando apud uos fuerunt qui apud nos baptizati sunt, ut
merito uestri desertores ad nos uenire uiderentur ?
Probatum est ergo te non contra nos sed contra uos dixisse
45 quod a te dictum est de oleo et sacrificio peccatoris.

31 dereliquerunt : -linquerunt G B[ac] ‖ 32 aliquid : *om.* G ‖ 33 non est
post nominata *transp.* G ‖ 34 intellegeris : -ligeres G ‖ pulsasse : palpasse
G ‖ 35 ubicumque : ubique B ‖ scriptam : -tum RBV ‖ 36 collegisses
scripsi : collegisse *codd.* conligeres z ‖ euerriculo : curriculo RBV ‖ malitiae : + quodam B ‖ 39 Hieremiae : iheremie BV ‖ 41 si : + uos G ‖ 42 uos :
nos G ‖ qui : quia RB ‖ 43 uiderentur : + quare uides — aditus clausit *codd.*
in libr. III, 12 transposita ‖ 45 a te : ante RBV ‖ peccatoris : altaris B +
amen G

terre ! J'ai engendré des fils et je les ai glorifiés, mais eux, ils m'ont abandonné [n] ! » Pourquoi n'as-tu rien dit de ce passage, frère Parménien ? Est-ce parce que l'eau n'a pas été nommée ici ? Je vois bien, en effet, que dans ton désir de nous incriminer, tu as maltraité à ce point la Loi que tu as rassemblé tous les textes où figurait le mot *eau*, par je ne sais quelles jongleries, pour satisfaire ta haine, et ainsi, par je ne sais quel filet tissé des arguments de la méchanceté, tu as tiré à toi tout ce qui te semblait bon ! 6. Et quelle est ton interprétation de ce chapitre de Jérémie [o] où Dieu proclame qu'il a été abandonné et que des citernes ont été creusées ? C'est pour lui-même qu'il est en colère, non pour ce qui lui appartient, car l'eau du baptême est un bien de Dieu mais elle n'est pas Dieu ! Et pensez-vous avoir été abandonnés sous prétexte qu'il y eut chez vous des hommes qui avaient été baptisés chez nous, si bien que vos déserteurs semblaient avoir raison de revenir chez nous ? Il a donc été prouvé que tu n'as pas parlé contre nous mais contre vous lorsque tu as parlé de l'huile et du sacrifice du pécheur.

Explicit liber quartus G EXPLICIT LIBER QUARTUS RV Explicit liber qrtus B

n. Is. 1, 2 o. Cf. Jér. 2, 13

LIBER QVINTVS

1. 1. Traditores legis qui fuerint et auctores schismatis in primo libro manifestissimis documentis ostendimus et apud nos esse unam ueram ecclesiam catholicam secundo mons-trauimus. Tertio uero probauimus quae aspere facta esse
5 dicuntur ad nos minime pertinere et uos magis peccatores esse indicio diuino docuimus. Iam de baptismate hoc loco dicendum est. **2.** In qua re quae nunc agitur, quaestio tota consistit quod baptisma uestra uiolauit audacia dum id uoluistis iterare quod semel mandauit Christus esse facien-
10 dum. Quod nec tu negas, frater Parmeniane, quia in princi-pio tractatus tui multa contra uos pro nobis quae sunt nostra dixisti. Commemorasti enim in comparatione baptismatis semel factum esse diluuium et unam circumci-sionem fuisse ad populum Iudaeorum. **3.** Et cum haec ini-
15 tio dictionis tuae tractaueris, in processu tractatus tui tamen

G RBV z

Titulus: Incipit liber Quintus Sancti Optati G   INCIPIT LIBER QUINTUS R   Incipit liber Quintus B

1, 1 traditores legis qui fuerint : nam et qui fuerunt traditores RBV ‖ 3 unam : + et G ‖ 4 aspere : -ra RBV ‖ 6 indicio : iudicio BV ‖ 7 est : *om.* B ‖ in qua re : inquire V ‖ 9 iterare : -ari G ‖ esse faciendum : *om.* RBV ‖ 10 Parmeniane : -nine B [*sic et postea*] ‖ quia : qui G ‖ in : *om.* G ‖ 11 nobis : uobis RBV ‖ 12 commemorasti : cum memorasti G ‖ 14 ad : apud G ‖ haec : + in principio G ‖ 15 dictionis : distinctionis B ‖ tuae : + male RB mala V ‖ tamen : *om.* G

1. Sur la théologie du baptême dans le traité d'Optat, cf. l'Introduction, t. 1, p. 87-100.

LIVRE V

I. Deux figures du baptême :
la circoncision et le déluge

1. 1. Dans le premier livre, nous avons montré par des preuves très manifestes quels ont été les traditeurs de la Loi et les auteurs du schisme, et nous avons démontré dans un second temps que l'Église catholique unique et véritable se trouve chez nous. En troisième lieu, nous avons prouvé que nous ne sommes absolument pas responsables des actes de violence dont on parle, et nous avons apporté la preuve, grâce au témoignage divin, que c'est plutôt vous qui êtes pécheurs. Il faut à présent parler ici du baptême [1]. 2. Dans la question qu'il s'agit maintenant de traiter, tout le problème réside dans le fait que vous avez, dans votre audace, porté atteinte au baptême, puisque vous avez voulu réitérer ce que le Christ a ordonné de ne conférer qu'une fois. Et cela, tu ne le nies pas, frère Parménien, puisque, au début de ton traité, tu as fait, contre vous et en notre faveur, bien des déclarations que nous faisons nous-mêmes. Tu as rappelé en effet, dans une comparaison avec le baptême, que le déluge n'avait eu lieu qu'une fois et qu'une seule circoncision avait été pratiquée chez le peuple des juifs [2]. 3. Et bien que tu aies expliqué cela au début de ton exposé, tu l'as cependant

2. Sur ces deux figures du baptême, cf. l'Introduction, t. 1, p. 87-89.

horum immemor factus es inducendo duas aquas, et argu-
mentis de aqua uera et falsa dicturus principium sermonis
tui insipienter praestruens ordinasti. Infirmando confirmas
sancti baptismatis unionem ! De circumcisione Iudaica quasi
20 fundamentum iactare uoluisti, quod baptisma christianorum
in   Hebraeorum   circumcisione   fuerat   adumbratum.
4. Defendisti catholicam, dum impugnas ! Etenim in progressu tractatus tui alterum te inanire professus es ut alterum replere uidereris. Extra haereticorum baptisma dum
25 dicis alterum et alterum, licet diuersa ostendere conatus sis,
non possis negare quia duo sunt ! Ex quibus dum conaris
auferre alterum, laborasti ut de secundo quasi primum
facere uidereris. 5. Circumcisio autem ante aduentum baptismatis in figura praemissa est, et a te tractatum est apud
30 christianos duas esse aquas ! Ergo et apud Iudaeos duas cir-
cumcisiones ostende, alteram meliorem, peiorem alteram !
Hoc si quaeras, non poteris inuenire ! Abrahae prosapia qua
Iudaei censentur, hoc sigillo se insigniri gloriantur. Ergo
talis debet ueritas sequi, qualis eius imago praemissa est.
35 6. Nam et Deus, qui uoluit ostendere rem singularem post
esse debere insequente ueritate, non de auricula, non de
digito uoluit aliquid tolli, sed ea pars corporis electa est unde
peritomen semel ablatum salutare in illis faceret signum

---

18 tui : *om.* G ‖ praestruens : praestringens RB praesciens V ‖ confirmas : -mans G ‖ 19 circumcisione : -nem G ‖ 20 quod : quia G ‖ 22 defendisti : deffendisti B ‖ etenim : sed enim RBV ‖ progressu : processu G ‖ 23
te : *om.* B ‖ 24 baptisma : -mata G V ‖ 26 quia duo : qui ad uos B ‖ 27
auferre : -rrum B ‖ 28 autem : *om.* RBV ‖ aduentum : *om.* RBV ‖ 32 prosapia : pro sapientia RBV ‖ 34 talis : tales RB ‖ imago : ymago B ‖ 35 rem :
om. RBV ‖ post : postea G ‖ 36 debere esse G ‖ insequente : sequente RB
‖ 37 unde : de RBV ‖ 38 faceret : faciat RBV

---

1. Cf. *Rom.* 4, 11 : « Abraham reçut le signe de la circoncision comme
sceau (σφραγίς) de la justice qu'il avait obtenu par la foi quand il était
incirconcis. » ~ Optat utilise le terme *sigillum* pour traduire le mot grec
σφραγίς alors que la Vulgate emploie *signaculum*. (Cf. TERT., *Apol.*, XXI,

oublié dans la suite de ton traité, quand tu t'es mis à parler
de deux eaux, et alors que tu avais l'intention d'argumenter
sur l'eau fausse et sur l'eau véritable, tu as établi bien sotte-
ment les fondements de ton discours. Tu prouves, tout en
la réfutant, l'unicité du saint baptême ! En ce qui concerne
la circoncision juive, tu as voulu en quelque sorte apporter
la preuve que le baptême des chrétiens avait été préfiguré
par la circoncision des Hébreux. 4. Tu as défendu l'Église
catholique tandis que tu l'attaquais ! En effet, dans le cours
de ton traité, tu as déclaré ouvertement que tu démontrais
la vanité de l'un des baptêmes pour prouver la validité de
l'autre. Puisque, en dehors du baptême des hérétiques, tu
parles de l'un et de l'autre baptême, même si tu t'es efforcé
de montrer qu'ils sont différents, tu ne peux nier qu'ils sont
deux ! Tu t'es efforcé de détruire l'un de ces baptêmes et tu
as travaillé à faire, pour ainsi dire, du second le premier.
5. Or, la circoncision a été instaurée avant l'établissement
du baptême pour le préfigurer, et toi, tu as expliqué qu'il
existait deux eaux chez les chrétiens ! Montre donc qu'il
existe également deux circoncisions chez les juifs, l'une
meilleure que l'autre ! Si tu cherches cette preuve, tu ne
pourras pas la trouver ! La race d'Abraham, à qui appartiennent les juifs, se glorifie d'être marquée de ce sceau [1].
Ainsi, la réalité qui suit doit être conforme à la figure qui l'a
précédée. 6. Et Dieu, qui a voulu montrer le caractère
unique de la réalité qui doit suivre la préfiguration, n'a pas
voulu qu'un morceau d'oreille ou de doigt fût sectionné,
mais il a choisi cette partie du corps pour faire de l'excision
pratiquée une seule fois sur ces hommes le symbole du salut,

2 : *signacula corporis* ; Cypr., *Ep.*, LXXIII, IX, 2 : *signacula dominica*). ~
Sur le thème de la *sphragis* en relation avec la circoncision comme figure
du baptême, cf. Daniélou, *Bible et Liturgie*, p. 89-96, et notamment
p. 95 : « On voit que c'est toute la théologie du caractère sacramentel qui
est ici en germe, telle que saint Augustin l'a précisée contre les donatistes,
en condamnant la réitération du baptême. »

quod non potest iterum fieri. Semel enim factum seruat salu-
40 tem ; si iterum fiat, potest adferre perniciem. Sic et baptisma
christianorum trinitate confectum confert gratiam ; si repe-
tatur, facit uitae iacturam. 7. Quid tibi igitur placuit, frater Parmeniane, rem singularem proponere et contra hanc
licet diuersa duo baptismata comparare, unum uerum, alte-
45 rum falsum ? Sic enim postea disputasti duas aquas esse,
cum uobis unam uindicans ueram, alteram nobis mendacem
adscribere uoluisti. Post hoc etiam cataclysmi fecisti mentionem. Erat quidem imago baptismatis ut inquinatus totus
orbis demersis peccatoribus lauacro interueniente in faciem
50 pristinam mundaretur. 8. Sed qui postea dicturus eras
extra haereticorum morbidos fontes esse etiam aliam aquam,
id est mendacem contra ueram, ut quid cataclysmum, quod
semel fuit, commemorare uoluisti ? Si ita est, ostende prius
duas arcas etsi non similes et duas columbas dispares diuer-
55 sos ramos ore suo portantes [a], si aquam ueram et falsam pro-
baturus es ! Aqua igitur sola et uera illa est, quae non de
loco, non de persona sed de trinitate condita est. 9. Et quia
dixisti et aquam esse mendacem, etiam hoc disce, ubi eam
poteris inuenire : apud Praxeam patripassianum qui ex toto

---

39 quod non potest : et sic ut non possit G ‖ potest : possit G ‖ 40
adferre : auferre RV   aufferre B ‖ sic : sed B ‖ 42 igitur tibi V ‖ 43 et : e
R[ac]V ‖ 45 sic : si RBV ‖ 46 cum : om. G RB ‖ alteram : om. RBV ‖ 47
cataclysmi : cataclismi RBV [sic et postea]   cathaclysmi G ‖ 49 demersis :
dimersis RB ‖ faciem : -ie RBV ‖ 50 pristinam : -na RBV ‖ qui : quid G
‖ 51 aquam : quam RBV ‖ 52 cataclysmum : cathaclysimum G ‖ 53 fuit :
fit RBV ‖ est : es B ‖ 54 arcas : archas RB ‖ etsi : et RBV ‖ 58 hoc : hanc
RBV ‖ 59 inuenire : + aut flauionem RBV ‖ Praxeam : Hebionem G ‖
qui : que B

---

a. Cf. Gen. 8, 8-12

---

1. Sur le déluge, l'une des figures du baptême les plus fréquemment
citées par les Pères, cf. DANIÉLOU, Bible et Liturgie, p. 104-118.
2. Cf. TERT., Bapt., VIII, 4 : « De même que, après les eaux du déluge,
par lesquelles l'antique iniquité fut purifiée, après le baptême, pour ainsi

qui ne peut être conféré une seconde fois. En effet, pratiquée une seule fois, elle assure le salut ; si elle est réitérée, elle peut entraîner la mort. De même, le baptême des chrétiens conféré au nom de la Trinité procure la grâce ; s'il est renouvelé, il provoque la perte de la vie. 7. Pourquoi as-tu cru bon, frère Parménien, de présenter une réalité unique et, contredisant cette unicité, d'établir une comparaison entre deux baptêmes, même si tu prétends qu'ils sont différents, l'un étant vrai, l'autre faux ? En effet, tu as soutenu ensuite qu'il existait deux eaux lorsque, revendiquant l'une pour vous, la véritable, tu as voulu nous attribuer l'autre, la fausse. Après cela, tu as fait également mention du déluge. C'était assurément une préfiguration du baptême, qui montrait que toute la terre, corrompue, était purifiée et retrouvait son aspect originel par l'immersion des pécheurs dans le bain spirituel [1]. 8. Mais puisque tu devais dire par la suite que, en dehors des sources malsaines des hérétiques, il existait également une autre eau, c'est-à-dire une eau fausse s'opposant à la véritable, pourquoi as-tu jugé bon de rappeler le déluge, qui n'a eu lieu qu'une fois ? S'il en est ainsi, démontre d'abord qu'il a existé deux arches, même dissemblables, et que deux colombes différentes ont apporté dans leur bec deux rameaux distincts [a], si tu veux prouver qu'il existe une eau véritable et une eau fausse [2] ! L'eau unique et véritable est donc celle qui ne dépend ni du lieu ni de la personne, mais de la Trinité. 9. Et puisque tu as dit qu'il existait aussi une eau fausse, apprends également où tu pourras la trouver : chez le patripassien Praxéas, qui nie totalement

dire, du monde, la colombe, envoyée de l'arche et revenant avec une branche d'olivier, signe encore maintenant de paix chez les peuples, a annoncé la paix aux terres ; ainsi, selon la même économie mais sur le plan spirituel, la colombe du Saint-Esprit descend sur la terre, c'est-à-dire sur notre chair, émergeant de la piscine baptismale après les anciens péchés, pour apporter la paix de Dieu envoyée du haut des cieux où est l'Église figurée par l'arche. »

60 filium negat et patrem passum esse contendit. Et cum sit
filius Dei ueritas, sicut ipse testatur dicens : *Ego sum ianua
et uia et ueritas* [b], ergo si filius Dei est ueritas, ubi ipse non
est, mendacium est ! Cum apud patripassianum non est
filius, non est nec ueritas, et ubi ueritas non est, ibi est aqua
65 mendax. 10. Quare uel sero iam desine confingere crimina
et quod in patripassianos dictum est in catholicos noli trans-
ferre ! Nunc quoniam manifeste monstratum est a nobis et
pro nobis dici potuisse quod de diluuio et circumcisione
locutus es, consequens est ostendere quomodo laudem bap-
70 tismatis ita dixeris ut in ea multa pro nobis et pro uobis, aliquid tamen contra uos. Pro utrisque illud est quod et nobis
et uobis commune est, ideo et uobis quia ex nobis existis.
11. Denique et apud uos et apud nos una est ecclesiastica
conuersatio, communes lectiones, eadem fides, ipsa fidei
75 sacramenta, eadem mysteria. Bene igitur laudasti baptisma.
Quis enim fidelium nesciat singulare baptisma uirtutum esse
uitam, criminum mortem, natiuitatem immortalem, caelestis regni comparationem, innocentiae portum, peccatorum,
ut et tu dixisti, naufragium ? Has res unicuique credenti non
80 eiusdem rei operarius, sed credentis fides et trinitas praes-
tat.

---

60 passum : *om.* B ‖ 62 et [1 et 2] : *om.* G ‖ ueritas [1] : + et uita G ‖ si : *om.*
G R[ac]V ‖ 63 patripassianum : -nos G ‖ 64 nec : et G ‖ 65 iam : quam RBV
‖ confingere : -fringere G[ac] ‖ 66 patripassianos : -no RBV ‖ 67 quoniam :
questio B ‖ manifeste : -tissime G ‖ nobis : uobis G ‖ 68 nobis : uobis RBV
‖ dici : dixi B ‖ 69 est : et RBV ‖ 70 ita : *om.* G ‖ multa : *om.* G ‖ 71 tamen :
+ et G ‖ 72 et uobis : *om.* RBV ‖ 73 apud nos et apud uos G ‖ 75 mysteria : misteria G RV ‖ 76 singulare : singurare G ‖ 78 peccatorum : -orem
G[ac] ‖ 79 et : *om.* G ‖ tu : + ipse G ‖ credenti : -nte G[ac] *om.* RBV

---

b. Jn 14, 6

---

1. Cf. OPT., I, 9, 2. Sur Praxéas, cf. t. 1, p. 188, n. 1 et p. 190, n. 1.
2. Optat reprend ici l'argumentation de CYPR. (*Ep.*, LXXIII, IV, 2) : « Si
c'est le même Père, le même Fils, le même Esprit-Saint, la même Église,
que reconnaissent avec nous les patripassiens, les anthropiens, les valenti-

la personne du Fils et qui prétend que c'est le Père qui a
souffert [1]. Et puisque le Fils de Dieu est vérité — comme il
l'atteste lui-même en disant : « Je suis la porte, le chemin et
la vérité [b] » —, ainsi, si le Fils de Dieu est vérité, le mensonge se trouve où il n'est pas ! Puisque le Fils ne se trouve
pas chez le patripassien, la vérité ne s'y trouve pas non plus !
Et où n'est pas la vérité, là se trouve l'eau fausse [2]. 10. C'est
pourquoi, cesse à présent, même tard, d'inventer des griefs
et n'applique pas aux catholiques ce qui a été dit contre les
patripassiens ! A présent, puisqu'il a été démontré de façon
manifeste que les paroles que tu as prononcées au sujet du
déluge et de la circoncision auraient pu être dites par nous
et en notre faveur, il est logique de montrer comment, dans
ta louange du baptême, tu as très souvent parlé à la fois en
votre faveur et en notre faveur, et comment, cependant, tu
as prononcé certaines paroles contre vous. Ce qui a été dit
en faveur de chacun de nous, c'est ce qui nous est commun,
à vous et à nous — à vous aussi parce que vous êtes issus
de nous. 11. Ainsi, par exemple, on trouve à la fois chez
vous et chez nous les mêmes règles ecclésiastiques, des lec-
tures communes, la même foi, les mêmes sacrements de la
foi, les mêmes mystères. C'est donc avec raison que tu as
loué le baptême. Qui, en effet, parmi les fidèles, ignore que
le baptême unique représente la vie des vertus, la mort des
péchés, la naissance éternelle, l'acquisition du royaume
céleste, le havre de l'innocence et, comme tu l'as dit toi-
même, le naufrage [3] des péchés ? Ce n'est pas l'artisan de cet
acte qui confère tout cela à chaque croyant, mais la foi du
croyant et la Trinité.

---

niens, les appelletiens, les ophites, les marcionites, et autres pestes d'hérétiques, qui ruinent la vérité par leurs doctrines meurtrières et empoison-
nées, ils peuvent avoir aussi un même baptême avec nous, s'ils ont une
même foi ! »

3. Sur le symbolisme du naufrage dans la typologie baptismale, cf.
H. Rahner, *Symbole der Kirche*, p. 443, 523 et 557.

2. 1. Deinde quaeris quid in laude baptismatis contra uos
dixeris ! Audi ! Sed prius est fatearis quod omnes negare
minime poteritis. Dicitis enim trinitatem pro nihilo haberi
ubi non interfuerit uestra praesentia. Si nobis derogatis uel
5 Deum reueremini qui in trinitate prior est, qui cum filio
suo et spiritu sancto omnia operatur et complet, etiam et
illic ubi non fuerit humana persona ! 2. Tu uero, frater
Parmeniane, in laude aquae de geneseorum lectione dixisti
aquas primum uiuas animas edidisse. Numquid sua sponte
10 eas generare potuerunt ? Numquid non et illic fuerat tota
trinitas ? Vtique et illic fuerat Deus pater, qui iubere dignatus est, qui dixit : *Educant aquae natantia, uolatilia* ᶜ, et
cetera. Quodsi sine operante fieret quod factum est diceret
Deus : Educite, aquae ! 3. Ibi erat ergo filius Dei, qui ope-
15 rabatur, ibi erat spiritus sanctus sicuti lectum est : *Et spiritus Dei superferebatur super aquas* ᵈ. Nihil illic uideo quar-
tum, nihil minus a tribus, et tamen natum est quod trinitas
operata est, et non ibi fuistis ! Aut si sine uobis nihil debet
licere trinitati, reuocate pisces in originem, iam uolantes
20 aues fluctibus mergite, si uobis absentibus nihil debet trinitas operari !

2, 2 quod : quia G ‖ 3 haberi : -re V ‖ 4 interfuerit : fuerit G ‖ 5 Deum :
dominum G ‖ 6 et³ : *om* G ‖ 8 Geneseorum : genesiorum V ‖ 9-10 sua
sponte — potuerunt numquid : *om.* V ‖ 10 et : *om.* G ‖ illic non G ‖ 11
et : *om.* G ‖ 12 uolatilia : uolantia G ‖ 14 educite aquae : educat ea que V
‖ ergo erat + et G ‖ Dei : *om.* G ‖ operabatur : operebatur RB ‖ 15 erat :
+ et G ‖ 16 Dei : domini G ‖ superferebatur : ferebatur G ‖ uideo illic B
‖ 17 natum : *om.* G ‖ 18 si : *om.* G B ‖ 19 originem : -ne G ‖ 20 mergite :
-itis V ‖ debet : + licere G ‖ trinitas : -tati G ‖ 21 operari : *om.* G

---

c. Gen. 1, 20   d. Gen. 1, 2

---

1. Optat affirme très clairement ici que la création est l'œuvre commune
de la Sainte Trinité. Cette doctrine, parfaitement orthodoxe, avait été ensei-
gnée, vers 360, par Athanase d'Alexandrie : « Le Père fait toutes choses par
le Verbe dans l'Esprit » (*Ad Serap.*, I, 28 ; SC 15, p. 134). A la même
époque, en Occident, Marius Victorinus, originaire d'Afrique, avait exposé

II. Premières réfutations : définition du baptême

1. La Trinité opère même en l'absence des donatistes

2. 1. Tu cherches, à présent, ce que tu as pu dire contre vous dans ta louange du baptême ! Écoute ! Mais il faut d'abord que tu avoues ce qu'il est tout à fait impossible à quiconque de nier. Vous dites en effet que la Trinité ne sert à rien là où vous n'êtes pas intervenus personnellement. Si vous nous outragez, respectez du moins Dieu, qui est la première personne de la Trinité et qui, avec son Fils et le Saint-Esprit, opère et accomplit toute chose, même en l'absence de toute personne humaine ! **2.** Mais toi-même, frère Parménien, dans ta louange de l'eau, tu as dit, d'après un passage de la Genèse, que les eaux avaient d'abord produit des êtres vivants. Est-ce que par hasard elles ont pu les engendrer de leur propre initiative ? La Trinité tout entière n'était-elle pas également présente dans cette œuvre [1] ? Assurément, Dieu le Père était présent, lui qui a jugé bon de donner cet ordre et qui a dit : « Que les eaux fassent éclore des êtres qui nagent, qui volent [c] », etc. Et si vraiment ce qui a été accompli l'avait été sans ministre, Dieu dirait : Faites éclore, eaux ! **3.** Là se trouvait donc le Fils de Dieu, qui opérait, là se trouvait l'Esprit-Saint, comme on peut le lire : « Et l'Esprit de Dieu planait au-dessus des eaux [d]. » Je ne vois pas là une quatrième personne, je n'en vois pas moins de trois, et cependant, ce que la Trinité a opéré s'est réalisé, et vous n'y étiez pas ! Et si l'on doit refuser à la Trinité le droit d'agir sans vous, alors, ramenez les poissons à leur état original, plongez dans les flots les oiseaux qui volent, s'il est vrai qu'en votre absence la Trinité ne doit rien opérer !

des idées sur la Trinité qui devaient exercer une influence sur la pensée d'Augustin (cf. Marius Victorinus, *Traités théologiques sur la Trinité*, SC 68 et 69).

3. 1. Cum ergo dixeris et unum fuisse diluuium et cir-
cumcisionem repeti non posse, et nos docuimus caeleste
munus unicuique credenti a trinitate conferri, non ab
homine. Quid uobis uisum est non post nos, sed post trini-
5 tatem baptisma geminare ? Cuius de sacramento non leue
certamen innatum est, et dubitatur an post trinitatem in
eadem trinitate hoc iterum liceat facere.   2. Vos dicitis :
licet ; nos dicimus : non licet. Inter licet uestrum et non licet
nostrum nutant et remigant animae populorum. Nemo
10 uobis credat, nemo nobis ! Omnes contentiosi homines
sumus. Quaerendi sunt iudices. Si christiani, de utraque
parte dari non possunt, quia studiis ueritas impeditur. De
foris quaerendus est iudex. Si paganus, non potest christiana
nosse secreta ! Si Iudaeus, inimicus est christiani baptisma-
15 tis.   3. Ergo in terris de hac re nullum poterit reperiri iudicium. De caelo quaerendus est iudex. Sed ut quid pulsamus
ad caelum, cum habeamus hic in euangelio testamentum ?
Quia hoc loco recte possunt terrena caelestibus comparari.
Tale est quod quiuis hominum habens numerosos filios,
20 quamdiu pater praesens est, pater et ipse imperat singulis.
Non est adhuc necessarium testamentum.   4. Sic et
Christus, quamdiu praesens in terris fuit – quamuis nec
modo desit –, pro tempore quicquid necessarium erat
apostolis imperauit. Sed quomodo terrenus pater, dum se in
25 confinio senserit mortis, timens ne post mortem suam rupta

3, 1 ergo : enim G ‖ 3 credenti : + uel ad trinitatem G ‖ ab homine : ad
hominem G ‖ 4 quid : et quid RBV   ecquid z ‖ nos : uos G^ac ‖ 5 baptisma :
om. B ‖ 6 an : + hoc G ‖ 7 hoc : *om.* G ‖ 8 dicimus : docuimus G ‖ 10
uobis : nobis G   uos B ‖ nobis : uobis G ‖ 12 dari : dare V ‖ 14 est : *om.*
G ‖ 15 reperiri : repperiri G   repperire RV   reperire B ‖ 17 habeamus : -
bemus V ‖ in : *om.* G ‖ testamentum : + inquam *codd.* ‖ 18 possunt : sunt
B ‖ 19 filios : + os R^ac   hos R^pcB   hiis V ‖ 20 pater¹ : *om.* G ‖ pater² et :
om. RBV ‖ 21 sic : si B ‖ 22 quamuis : quamquam G ‖ 23 erat : fuit G ‖
24 quomodo : + ter G ‖ dum : cum G

1. Cette comparaison n'est autre que la parabole, telle qu'on la rencontre dans les Évangiles. Optat prend soin d'en donner une explication

2. Le baptême ne doit pas être réitéré

3. 1. Tu as dit qu'il y avait eu un seul déluge et que la circoncision ne pouvait pas être renouvelée et, de notre côté, nous avons montré que le don céleste est accordé à chaque croyant par la Trinité et non par l'homme. Pourquoi avez-vous jugé bon de réitérer le baptême, non après nous mais après la Trinité ? Au sujet du sacrement du baptême, une grave controverse a pris naissance, et on se demande si après la Trinité il est permis de le conférer à nouveau dans cette même Trinité. 2. Vous, vous dites : c'est permis ; nous, nous disons ; ce n'est pas permis. Entre votre permission et notre interdiction, l'âme des fidèles doute et hésite. Que personne ne vous croie, que personne ne nous croie ! Nous sommes tous des hommes querelleurs. Il faut chercher des juges. S'ils sont chrétiens, on ne peut les prendre dans chacun de nos deux partis, car les passions entravent la vérité. Il faut chercher un juge à l'extérieur. S'il est païen, il ne peut connaître les mystères chrétiens ! S'il est juif, il est hostile au baptême chrétien. 3. Ainsi, sur terre, aucun jugement ne pourra être porté sur cette affaire. Il faut chercher un juge dans le ciel. Mais pourquoi frapper à la porte du ciel, quand nous possédons ici le Testament dans l'Évangile ? On peut très bien, à ce sujet, comparer les choses terrestres aux choses célestes [1]. Ainsi en est-il de tout homme qui a de nombreux enfants. Tant que le père est présent, le père donne lui-même ses ordres à chacun. Un testament n'est pas encore nécessaire. 4. De même, tant que le Christ a été présent sur la terre — encore qu'il ne soit pas absent aujourd'hui —, il a donné aux apôtres les ordres qui étaient nécessaires, selon les circonstances. Mais lorsque le père terrestre comprend que la mort est proche, craignant qu'après sa

---

claire, comme le fait Jésus, par exemple, pour la parabole de l'ivraie : « De même qu'on enlève l'ivraie et qu'on la consume par le feu, de même en sera-t-il à la fin du monde » (*Matth.* 13, 40).

pace litigent fratres, adhibitis testibus uoluntatem suam de
pectore morituro transfert in tabulas diu duraturas. 5. Et
si fuerit inter fratres nata contentio, non itur ad tumulum,
sed quaeritur testamentum, et qui in tumulo quiescit, taci-
30 tus de tabulis loquitur. Viuus cuius est testamentum, in
caelo est. Ergo uoluntas eius, uelut in testamento sic in
euangelio requiratur. Etenim de praescientia quae modo
facitis iam futura conspexerat Christus. Denique cum lauaret pedes discipulis suis, sic ait Petro filius Dei : *Quod ego*
35 *facio, tu nescis, scies autem postea* ᵉ. Dicendo *scies postea*,
haec tempora designabat. 6. Ergo inter ceteros testamenti
titulos hunc titulum de aqua constituit. Cum lauaret pedes
discipulis suis, tacentibus ceteris, si taceret et Petrus, solam
fecerat formam humilitatis, nihil pronuntiauerat de sacra-
40 mento baptismatis. Sed cum Petrus recusat nec pedes sibi
lauari permittit, negat illi Christus regnum nisi accepisset
obsequium. Sed cum caelestis regni mentio fieret, a quo pars
corporis petebatur ad obsequium, totum corpus obtulit ad
lauacrum ! 7. Nunc adestote, omnes turbae et singuli
45 christiani populi ! Quid liceat discite ! Dum prouocat
Petrus, Christus docet. Qui dubitat discat. Christi enim uox
est : *Qui semel lotus est non habet necessitatem iterum
lauandi, quia est mundus totus* ᶠ. Et de eo lauacro pronun-
tiauit quod de trinitate celebrandum esse mandauerat, non

27 duraturas : duratas V ‖ 28 nata : nato B ‖ 30 uiuus : unus V ‖ 31 est :
om. B ‖ 32 euangelio : + est + ergo — euangelio *rep.* RV ‖ 33 Christus :
om. G ‖ 34 suis : sicut : G ‖ ego : modo G ‖ 35 autem : *om.* G ‖ 37 cum :
dum G ‖ 40 sibi pedes B ‖ 41 permittit : -misit RBV ‖ 42 a : *om.* RBV ‖
47 lotus : lo‖tus R locutus BV ‖ iterum necessitatem G ‖ 48 quia — totus :
om. G

e. Jn 13, 7   f. Jn 13, 10

1. Le mot *praescientia* ne se trouve qu'une fois chez TERT. (*Marc.*, II,
VII, 1), qui lui préfère le terme *prouidentia*. Mais c'est *praescientia* qui s'im-

mort, une fois la paix rompue, les frères ne se querellent, il fait venir des témoins et du fond de sa poitrine mourante il fait passer ses volontés sur des tablettes qui dureront long-temps après lui. 5. Et si un conflit s'élève entre les frères, on ne va pas sur sa tombe mais on consulte son testament, et celui qui repose dans la tombe, silencieux, parle par ce document. Il est vivant dans le ciel, l'auteur du Testament. Sa volonté, comme dans un testament, doit être cherchée dans l'Évangile. En effet, dans sa prescience [1], le Christ avait eu la vision des actes à venir que vous accomplissez maintenant. Ainsi, comme il lavait les pieds de ses disciples, le Fils de Dieu dit à Pierre : « Ce que je fais, tu ne le sais pas, mais tu le sauras plus tard [e]. » Par ces paroles : « Tu le sauras plus tard », il faisait allusion à notre époque. 6. Et parmi d'autres passages du Testament, il a consacré à l'eau ce passage-ci. Comme il lavait les pieds de ses disciples, tous se taisaient. Si Pierre s'était également tu, le Christ aurait seulement donné un exemple d'humilité, il n'aurait rien révélé sur le sacrement du baptême. Mais comme Pierre refuse de se laisser laver les pieds, le Christ lui dit qu'il ne participera pas au royaume s'il n'accepte pas cette marque de soumission. Et, comme il était fait mention du royaume céleste, celui à qui on demandait de présenter une partie de son corps pour recevoir une marque de soumission offrit son corps tout entier pour qu'il fût lavé ! 7. Maintenant, écoutez bien, tous et chacun, foules et peuples chrétiens ! Ce qui est permis, apprenez-le ! En réponse à Pierre, le Christ donne un enseignement. Que celui qui s'interroge s'instruise. Car telle est la parole du Christ : « Celui qui a été lavé une fois n'a pas besoin d'être lavé à nouveau car il est entièrement pur [f]. » Et il a déclaré cela à propos du bain spirituel qu'il a demandé de célébrer au nom de la

posera par la suite (notamment dans la Vulgate) pour désigner la prescience divine. Cf. R. Braun, *Deus christianorum*, p. 132-139.

50 de Iudaeorum aut haereticorum qui dum lauant sordidant,
sed de aqua sancta quae de trium nominum fontibus inun-
dat. 8. Sic enim ipse dominus praecepit dicendo : *Ite, bap-*
tizate omnes gentes in nomine patris et filii et spiritus
sancti [g] ! De hoc lauacro dixit : *Qui semel lotus est non habet*
55 *necessitatem iterum lauandi* [h]. Qui *semel* dixit, prohibuit iterum fieri et de re locutus est non de persona. Nam si esset
distantia diceret : Qui semel bene lotus fuerit ! Sed dum non
addidit uerbum : Bene, indicat quia quicquid in trinitate factum fuerit, bene est. 9. Inde est quod simpliciter a uobis
60 uenientes excipimus. Cum dicit : *Non habet necessitatem*
iterum lauandi, haec sententia generalis est, non specialis ;
nam si Petro haec dicerentur, diceret Christus : Quia semel
lotus es, non habes necessitatem iterum lauandi ! Ideo quo-
tiens a uobis baptizatus aliquis ad nos transitum uoluerit
65 facere, uenientem hoc magisterio et exemplo tota simplici-
tate suscipimus. 10. Absit enim ut umquam exorcizemus
sanum fidelem, absit iam lotum reuocemus ad fontem, absit
in spiritu sancto peccemus cui facinori et praesenti et futuro
saeculo indulgentia denegatur [i] ! Absit ut iteremus quod
70 semel est aut duplicemus quod unum est. Sic enim scriptum

---

51 de [1] : *om.* B ‖ de [2] : *om.* G ‖ de trium : deterium V ‖ 52 dominus :
om. G   + Christus V ‖ 56 fieri : -ret V   *om.* G ‖ et : sed B ‖ locutus : loquu-
tus R ‖ 57 bene : *om.* G ‖ lotus : locutus RᵃᶜV ‖ 58 indicat bene V ‖ quicquid : quod G ‖ in : de G ‖ 59 quod : quo G ‖ 60 cum : dum G ‖ 61-63
haec — lauandi : *om.* V ‖ 62 nam : + et G ‖ si : + pro G ‖ Christus : *om.*
G ‖ 63 es : est RB ‖ habes : -bet RᵃᶜB ‖ 64 aliquis : -qui RᵃᶜV ‖ uoluerit
transitum G ‖ 65 uenientem : -te G ‖ magisterio : -rie V ‖ et : *om.* RBV ‖
66 suscipimus : percipimus G ‖ 66-67 ut umquam — fidelem absit : *om.*
RBV ‖ 67 absit ¹ᵉᵗ² : + quam RBV   que G   ut z ‖ 68 et ¹ : *om.* RBV ‖ 69
ut : quam RBV ‖ 70 duplicemus : publicemus RBV ‖ est ² : *om.* RBV

---

g. Matth. 28, 19   h. Jn 13, 10   i. Cf. Matth. 12, 31-32 ; Mc 3, 29 ; Lc 12,
10

---

1. Optat applique au baptême la parole du Christ à Pierre : « Celui qui
s'est baigné n'a pas besoin d'un second bain » (*Jn* 13, 10). Mais le contexte
indique qu'il faut interpréter différemment ce passage : corrigeant un

Trinité [1]. Il ne s'agit pas du rite d'immersion des juifs ou des hérétiques qui, lorsqu'ils lavent, apportent la corruption, mais de l'eau sainte qui jaillit de la source des trois personnes. 8. Car le Seigneur lui-même a donné cet ordre : « Allez, baptisez toutes les nations au nom du Père et du Fils et du Saint-Esprit [g] ! » Il a dit cela de ce bain spirituel : « Celui qui a été lavé une fois n'a pas besoin d'être lavé à nouveau [h]. » En disant « une fois », il a interdit de le réitérer et il a parlé de l'acte même et non de la personne qui l'accomplit. Car s'il existait une différence, il dirait : « Celui qui aura été bien lavé une fois » ! Mais puisqu'il n'a pas ajouté le mot *bien*, il indique que tout ce qui aura été accompli dans la Trinité est bien. 9. Voilà pourquoi nous accueillons tout simplement ceux qui viennent de chez vous. Lorsqu'il dit : « Il n'a pas besoin d'être lavé à nouveau », cette phrase s'adresse à tous et non à un seul ; car si ces paroles s'adressaient à Pierre, le Christ dirait : « Puisque tu as été lavé une fois, tu n'as pas besoin d'être lavé à nouveau » ! C'est pourquoi, chaque fois que quelqu'un qui a été baptisé par vous veut passer chez nous, nous recevons en toute simplicité celui qui vient à nous, selon cet enseignement et cet exemple. 10. Loin de nous la pensée que nous puissions jamais exorciser un fidèle qui vit dans la droiture, loin de nous la pensée que nous puissions renvoyer à la source celui qui a déjà été lavé, loin de nous la pensée que nous puissions pécher contre le Saint-Esprit, car pour cette faute le pardon n'est accordé ni en ce monde ni dans l'autre [i] ! Loin de nous la pensée que nous puissions répéter ce qui est unique. Car dans l'Écriture l'Apôtre dit : « Un seul Dieu,

---

contresens de Pierre, qui croit que le Christ inaugure un nouveau rite de purification, Jésus précise que cette purification est déjà acquise (cf. *Jn* 15, 3 : « Émondés, vous l'êtes déjà grâce à la parole que je vous ai annoncée »). ~ Avg. (*Bapt.*, II, xiv, 19) reprend la citation de *Jn* 13, 10 et l'interprète, lui aussi, comme un argument pour condamner la réitération du baptême.

est apostolo dicente : *Vnus Deus, unus Christus, una fides, una tinctio* [j]. 11. Denique uos, qui baptisma quasi libenter duplicare contenditis, si datis alterum baptisma, date alteram fidem ; si datis alteram fidem, date et alterum

75 Christum ; si datis alterum Christum, date alterum Deum ! Vnum Deum esse negare non potestis, ne in Marcionis foueas incidatis ! Ergo Deus unus est, de uno Deo unus est Christus. Qui rebaptizatur iam christianus fuerat ; quomodo dici potest iterum christianus ? 12. Vna fides hoc

80 loco ab haereticorum erroribus et ab eorum uaria fide fides unica separatur. Etiam uobis praescribitur qui post semel iterum facitis, totum ponendo in dotibus, nihil in sacramentis, cum hoc nomen fidei pertineat ad credentem, non ad operantem. Quocumque enim interrogante qui credidit

85 Deo, credidit, et post illius unum credo tu exigis alterum credo ! 13. Deinde sequitur unum baptisma ut quia quod unum est sanctum est, per quod unum est non solum ab haereticorum profanis et sacrilegis baptismatibus separetur sed ne duplicetur quod unum est aut iteretur quod semel est.

4. 1. In hoc sacramento baptismatis celebrando tres esse species constat quas et uos nec augere nec minuere nec praetermittere poteritis. Prima species est in trinitate, secunda in

---

74 et : *om.* G ‖ 75 si datis alterum Christum : *om.* G ‖ date : + et G ‖ Deum : dominum G ‖ 76 ne : nec RB ‖ Marcionis : Martionis G ‖ 77 de uno Deo unus est : *repet.* RBV ‖ 78 iam christianus fuerat : *om.* G ‖ 81 unica : una G ‖ 84 quocumque : quodcumque B ‖ 85 credidit : credit V ‖ 86 ut : et G ‖ 88 sacrilegis : -giis *codd.* ‖ separetur : -ratur RBV ‖ 89 duplicetur : -citer RB ‖ iteretur : -ratur B

4, 2 et : *om.* G

---

j. Éphés. 4, 5

---

1. Le texte de Paul (*Éphés.* 4, 5-6) donne dans la Vulgate : *Vnus Dominus, una fides, unum baptisma, unus Deus et Pater.* CYPR. (*Ep.*, LXXIV, XI, 1) écrit : « Vnus Deus et Christus unus et una spes et fides una et una ecclesia et baptisma unum. » Augustin commente ce passage de Cyprien dans *Bapt.*, V, XXVI, 37.

un seul Christ, une seule foi, un seul baptême [j] [1]. »
11. Ainsi, vous qui prétendez renouveler pour ainsi dire
volontiers le baptême, si vous donnez un autre baptême,
donnez une autre foi ; si vous donnez une autre foi, donnez
aussi un autre Christ ; si vous donnez un autre Christ, donnez un autre Dieu ! Vous ne pouvez nier qu'il existe un seul
Dieu, à moins de tomber dans les pièges de Marcion [2] !
Donc, il existe un seul Dieu, et un seul Christ né de ce seul
Dieu. Celui qui est rebaptisé était déjà chrétien ; comment
peut-on dire qu'il est chrétien pour la deuxième fois ?
12. La foi unique se distingue ici des erreurs des hérétiques,
et l'unicité de cette foi s'oppose à la diversité de leur foi. Elle
est également en opposition avec vos actes, car vous réité-
rez ce qui a été fait une fois, en accordant tout aux dons [3] et
rien aux sacrements, alors que c'est la foi du croyant qui
importe ici, non celle du ministre [4]. En effet, quel que soit
celui qui l'interroge, l'homme qui a cru en Dieu a cru, et toi,
après son unique credo, tu exiges un second credo ! 13. Il
s'ensuit que, puisque ce qui est unique est saint, la baptême
unique, par son unicité même, non seulement diffère des
baptêmes profanes et sacrilèges des hérétiques, mais ne doit
pas être renouvelé, parce qu'il est unique, ni réitéré parce
qu'il existe une fois pour toutes.

3. La Trinité, la foi du croyant, le ministre

4. 1. Dans la célébration de ce sacrement du baptême, il
est clair que trois éléments interviennent, et vous ne pourrez ni augmenter ni diminuer leur nombre, ni les omettre.
Le premier est la Trinité, le second le croyant, le troisième

---

2. Sur Marcion, cf. t. 1, p. 188, n. 1 et p. 190, n. 1.
3. Sur les « dons » (*dotes*) de l'Église, cf. OPT., II, 2, 1 ; II, 6, 1-2 ; II, 7,
1 : II, 8, 1-2 ; II, 9, 1-4.
4. Cf. OPT., II, 10, 1-3 : « Parménien accorde trop aux dons au détri-
ment de la foi. »

credente, tertia in operante. Sed non pari libramine ponde-
5 randae sunt singulae. Duas enim uideo necessarias et unam
quasi necessariam. Principalem locum trinitas possidet, sine
qua res ipsa non potest geri. Hanc sequitur fides credentis.
2. Iam persona operantis uicina est, quae simili auctoritate
esse non potest. Duae priores permanent semper immuta-
10 biles et immotae. Trinitas enim semper ipsa est, fides in singulis una est, uim suam semper retinent ambae. Persona
uero operantis intellegitur duabus prioribus speciebus par
esse non posse eo quod sola esse uideatur mutabilis.
3. Inter nos et uos uultis eiusdem personae esse distantiam,
15 et sanctiores uos aestimantes superbiam uestram non dubitatis anteponere trinitati, cum persona operantis mutari possit, trinitas mutari non possit. Et cum ab accipientibus baptisma desiderari debeat, uos desiderandos esse proponitis !
Cum operantes inter alios sitis, ostendite qualem in eodem
20 mysterio locum habeatis et an ex eodem corpore esse possitis.   4. Baptismatis unicum nomen est, cui subest proprium corpus, cui corpori certa sunt membra, quibus nec
addi nec auferri aliquid potest. Inter quae membra si eligendus operarius inuenitur, totum corpus ad operantem
25 pertinet. Haec omnia huius corporis membra et semper et
semel secum sunt et mutari non possunt ; operarii uero cotidie mutantur et locis et temporibus et personis. Neque enim
unus homo est qui semper aut ubique baptizat.   5. In hoc

---

5 necessariam : + et V ‖ 6 sine : + sine R ‖ 13 eo : deo V   ideo RB ‖
uideatur esse G ‖ 15 dubitatis : indubitatis R^ac ‖ 16 mutari : -arier R   -are
V ‖ possit : -set V ‖ 17 ab : om. RB ‖ 20 mysterio : misterio sterio G ‖ 22
cui : cuius G ‖ corpori : -ris G ‖ sunt membra : om. G^ac ‖ quibus : cui G ‖
23 auferri : aufferri V   auferre B ‖ quae : qui R^ac   quia V   + et R^acV ‖ membra : -ras V ‖ eligendus : elegendus R ‖ 25 pertinet : -neat RBV ‖ corporis
membra huius B ‖ 26 semel : + et G

---

1. *Mysterium* se trouve déjà chez CICÉRON (cf. par exemple *Nat.
deor.*, II, XXIV, 62) pour désigner les mystères religieux. Tertullien ne

le ministre. Mais on ne doit pas accorder à chacun une valeur égale. Je constate en effet que deux de ces éléments sont nécessaires et que le troisième est d'une nécessité relative. La Trinité occupe la première place et sans elle le sacrement lui-même ne peut être célébré. Ensuite, vient la foi du croyant. 2. Tout de suite après vient la personne du ministre, mais elle ne peut avoir la même importance. Les deux premiers éléments demeurent toujours immuables et invariables. En effet, la Trinité est toujours la même, la foi est identique en chaque homme, toutes deux conservent toujours leur force. Quant à la personne du ministre, on comprend bien qu'elle ne peut égaler les deux premiers éléments, étant donné qu'elle seule est variable. 3. Au sujet de cette personne, vous prétendez qu'il existe, entre vous et nous, une différence et, vous estimant supérieurs en sainteté, vous n'hésitez pas, dans votre orgueil, à vous placer avant la Trinité, alors que la personne du ministre peut changer et que la Trinité ne peut pas changer. Et alors que c'est le baptême qui doit être recherché par ceux qui le reçoivent, vous affirmez que c'est vous qu'ils doivent rechercher ! Puisque vous êtes des ministres parmi les autres, montrez-nous quelle place vous occupez dans cette célébration [1] et si vous pouvez faire partie de cet ensemble. 4. Le nom du baptême est unique, et il recouvre un ensemble qui lui est propre, et cet ensemble possède des éléments qui lui sont particuliers, auxquels on ne peut rien ajouter ni retrancher. Et si l'ouvrier que l'on doit choisir se trouve parmi ces éléments, alors c'est l'ensemble tout entier qui est rattaché au ministre. Tous les éléments de cet ensemble sont unis, pour toujours, une fois pour toutes et ils ne peuvent changer ; mais chaque jour les ouvriers changent selon le lieu, le moment, la personne. En effet, ce n'est pas un seul et même homme qui baptise

---

l'emploie que pour les mystères païens. Cf. R. BRAUN₄, *Deus christianorum*, p. 437.

opere iamdudum alii fuerunt, modo alii, postea alii futuri
30   sunt. Operarii mutari possunt, sacramenta mutari non possunt. Cum ergo uideatis omnes qui baptizant operarios esse
non dominos, et sacramenta per se esse sancta non per
homines, quid est quod uobis tantum uindicatis ? Quid est
quod Deum a muneribus suis excludere contenditis ?
35   Concedite Deo praestare quae sua sunt ! 6. Non enim
potest id munus ab homine dari, quod diuinum est. Si sic
putatis, prophetarum uoces et Dei promissa inanire contenditis quibus probatur quia Deus lauat non homo. Adest
contra uos Dauid propheta qui ait in psalmo quinquage-
40   simo : *Lauabis me et super niuem dealbabor* [k]. Item in
eodem psalmo : *Deus, laua me ab iniustitia mea et a delicto
meo munda me* [l]. *Laua me*, dixit, non dixit : elige per quem
lauer ! 7. Et Esaias propheta sic dixit : *Quoniam abluet
dominus sordes filiorum et filiarum Sion* [m]. Sion ecclesiam
45   esse in tertio libro probauimus. Ergo Deus lauat filios et
filias ecclesiae. Non dixit : Lauabunt hi qui se sanctos
putant ! Dignamini ut uel prophetae uos uincant, uel sic
agnoscite quia non lauat homo sed Deus ! Quamdiu dicitis :
Qui non habet quod det quomodo dat ? uidete dominum
50   esse datorem, uidete Deum unumquemque mundare !
8. Sordes enim et maculas mentis lauare non potest nisi
Deus qui eiusdem fabricator est mentis. Aut si putatis quia

30 mutari [1] : + non R ‖ 32 esse per se B ‖ 33 quod : + apud uos solos
munus principale esse dicitis quid est quod G ‖ 34 Deum : dum G   dominum RB ‖ 35 enim : *om.* B ‖ 37 putatis : + et G ‖ prophetarum : -fetari RV
-phetari B ‖ inanire : manere B ‖ 39 quinquagesimo : XLVIIII RBV ‖ 41
me : *om.* B ‖ mea : *om.* G ‖ a : *om.* B ‖ 42 elige : elegit V ‖ 43 Esaias : Ysayas
B ‖ dixit : dicit G ‖ abluet dominus : lauauit deus G ‖ 44 sordes : -dem RB
‖ 44-46 Sion ecclesiam — ecclesiae : *om.* RBV ‖ 46 hi : hii G   me RBV ‖ 47
ut : *om.* RBV ‖ 48 agnoscite : -itur RBV ‖ 49 det : debet RBV ‖ quomodo :
quando RBV ‖ 49-50 uidete — datorem : *om.* RBV ‖ 50 Deum : dominum
G ‖ mundare : mandare G[ac] ‖ 52 Deus : *om.* RBV

k. Ps. 50, 9   l. Ps. 50, 4   m. Is. 4, 4

toujours et partout. 5. Dans cette œuvre, auparavant, des hommes ont exercé leur ministère, d'autres le font aujourd'hui, d'autres le feront demain. Les ministres peuvent changer, les sacrements, eux, sont immuables [1]. Ainsi, puisque vous voyez que tous ceux qui baptisent sont des ouvriers et non des maîtres, et que les sacrements sont saints par eux-mêmes et non par les hommes qui les confèrent, pourquoi revendiquez-vous autant pour vous ? Pourquoi prétendez-vous exclure Dieu de ses dons ? Permettez à Dieu d'accorder ce qui lui appartient ! 6. Car ce don, parce qu'il est divin, ne peut être fait par l'homme. Si vous pensez que cela est possible, vous prétendez réduire à néant les paroles des prophètes et les promesses de Dieu, qui prouvent que c'est Dieu qui lave et non l'homme. Contre vous se dresse le prophète David qui dit dans le Psaume 50 : « Tu me laveras et je serai plus blanc que neige [k]. » Et dans le même Psaume : « Dieu, lave-moi de mes iniquités et de ma faute purifie-moi [l] ! » « Lave-moi », a-t-il dit, il n'a pas dit : « Choisis quelqu'un pour me laver ! » 7. Et le prophète Isaïe a dit : « Puisque le Seigneur lavera les souillures des fils et des filles de Sion [m]. » Nous avons prouvé dans le troisième livre que Sion représente l'Église [2]. Donc, Dieu lave les fils et les filles de l'Église. Il n'a pas dit : « Ils laveront, ceux qui se croient saints » ! Acceptez que les prophètes, du moins, l'emportent sur vous et reconnaissez ainsi que ce n'est pas l'homme qui lave mais Dieu ! Chaque fois que vous dites : « Celui qui ne possède pas ce qu'il donne, comment peut-il le donner ? », pensez que c'est le Seigneur qui donne, pensez que c'est Dieu qui purifie chaque homme ! 8. Les souillures et les taches de l'esprit ne peuvent être lavées que par Dieu, qui a créé cet esprit. Ou si vous croyez que c'est

---

1. Cf. l'Introduction, t. 1, p. 94-96.
2. Cf. OPT., III, 2, 6-9.

lauacrum uestrum est, dicite qualis est ipsa mens quae per
corpus lauatur aut quam habet formam aut quo loco in
55　homine habitet. Hoc homini scire negatum est. Ergo quomodo putas quia lauas, qui nescis quale sit quod lauas ? Dei
est mundare non hominis. 9. Ipse enim per prophetam
Esaiam promisit se loturum dum ait : *Et si fuerint peccata
uestra uelut coccum, ut niuem inalbabo* [n]. *Inalbabo,* dixit,
60　non : Faciam inalbari ! Si hoc Deus promisit, quare uos uultis reddere quod uobis nec promittere licet nec reddere nec
habere ? Ecce in Esaia se promisit Deus inalbare peccatis
adfectos, non per hominem ! Reuertimini ad euangelium,
uidete quid in salutem generis humani sit pollicitus
65　Christus ! 10. Cui cum mulier Samaritana aquam negaret,
tunc a filio Dei dictum est quod praescribat praesumptioni-
bus uestris : *Aquam,* inquit, *quam ego do, qui biberit non
sitiet in aeternum* [o]. *Aquam quam ego do,* inquit ; non dixit :
quam dederint qui se sanctos putant, sicut uobis uidemini,
70　sed se dixit daturum. Ipse est ergo qui dat, ipsius est quod
datur. Quid est quod uobis tota importunitate uindicare
contenditis ?

---

53 est uestrum G ‖ 55 habitet : inhabitet G ‖ homini : -nis V ‖ 56 nescis : -cit R[ac]V ‖ Dei : domini RB　deum V ‖ 57 Esaiam prophetam G ‖ 58
loturum : locuturum RB ‖ 59 inalbabo [1] : dealbabor G ‖ inalbabo [2] : *om.*
RBV ‖ non dixit G ‖ 60 non : *om.* RBV ‖ faciam : + nec ab RBV ‖ hoc :
om. G ‖ 61 quod uobis — reddere : *om.* RB ‖ 62 in Esaia : iam per G ‖
Esaia : Esaiam R　Esayam V　Ysayam B ‖ 63 adfectos : effetos G ‖ euangelium : + et G ‖ 64 salutem : -te RBV ‖ 65 negaret : denegaret G ‖ 66 tunc :
+ ei G ‖ 67 inquit : inquid V ‖ 68 in aeternum : unquam G ‖ aquam : *om.*
G ‖ 69 dederint : -erit V ‖ sicut : sicuti + nunc G ‖ 71 uindicare : + conten-
dicare B

---

n. Is. 1, 18　o. Jn 4, 13

---

1. Cf. AMBROISE, *De myst.*, 34 : « Après le baptême, tu as reçu les vêtements blancs, pour qu'ils soient la marque que tu as dépouillé le revête-

vous qui lavez, dites-nous quel est cet esprit qui est lavé à travers le corps, ou quelle est sa nature, ou encore quel lieu il habite dans l'homme. Ces connaissances ont été refusées à l'homme. Alors, comment peux-tu croire que tu laves, toi qui ne connais pas la nature de ce que tu laves ? C'est à Dieu qu'il appartient de purifier, non à l'homme. 9. En effet, il a promis lui-même qu'il laverait quand il a dit par la bouche du prophète Isaïe : « Même si vos péchés sont comme l'écarlate, je les rendrai blancs comme la neige [n]. » « Je les rendrai blancs [1] », a-t-il dit, et non : « Je les ferai blanchir ! » Si Dieu a fait cette promesse, pourquoi voulez-vous réaliser ce qu'il ne vous est permis ni de promettre, ni de réaliser, ni de posséder ? Voici que Dieu a promis, dans les livres d'Isaïe, de blanchir lui-même les hommes accablés de péchés, et cela sans l'intermédiaire de l'homme ! Retournez à l'Évangile, voyez ce que le Christ a prédit pour le salut du genre humain ! 10. Comme la Samaritaine refusait de lui donner de l'eau, le Fils de Dieu prononça alors ces paroles qui s'opposent à votre présomption : « L'eau, dit-il, que je donne, celui qui l'aura bue n'aura plus soif pour l'éternité [o] [2]. » « L'eau que je donne », dit-il ; il n'a pas dit : « qu'auront donnée ceux qui se croient saints », comme vous, mais il a dit qu'il la donnerait lui-même. C'est donc lui qui donne, c'est à lui qu'appartient ce qui est donné. Pourquoi vous efforcez-vous, de façon tout à fait importune, de le revendiquer pour vous ?

---

ment du péché et que tu as revêtu les purs vêtements de l'innocence. » Dans le *De baptismo*, Tertullien ne fait pas allusion au rite du vêtement blanc, qui lui est peut-être postérieur(cf. R.-F. REFOULÉ, *SC* 35, p. 41). ~ Sur le symbolisme du vêtement blanc, cf. J. DANIÉLOU, *Bible et Liturgie*, p. 69-75.

2. Cf. CYPR., *Ep.*, LXIII, VIII, 4 : « Ces seules paroles montrent que ce qui est annoncé c'est le baptême de l'eau du salut, qu'on ne prend qu'une fois et qu'on ne réitère pas. »

5. 1. Cum hanc rem cumulet Iohannes Baptista qui prae-
cursor uenerat saluatoris, cum multos tingeret in paenitentia et remissa peccatorum, nuntiauit filium Dei esse uenturum. Cuius uerba haec sunt : *Ecce uenit qui uos baptizet* ᵖ !
5 Et tamen non legimus post Iohannem Christum aliquem
rebaptizasse. Quod ergo dixit : *Qui uos baptizet*, ueniens
Christus illo tempore post Iohannem neminem tinxit.
2. Promissum erat temporibus nostris ut ipse daret quod
hodie datur secundum quod ait : *Aquam quam ego do, qui*
10 *biberit non sitiet in aeternum* �q. Nam et discipuli Iohannis
cum dicerent magistro suo : *Ecce quem baptizasti baptizat* ʳ,
baptizabat quidem sed per manus apostolorum quibus leges
baptismatis dederat. Denique lectum est alio loco : *Nam ipse*
neminem baptizauit sed discipuli eius ˢ. **3.** In hac re omnes
15 discipuli eius sumus, ut nos operemur ut ille det qui se daturum esse promisit. Et tamen cum Iohannes infinita milia
hominum baptizaret, iam Christo praesente operabatur
seruus et uacabat dominus ! Antequam baptizandi daret formam, per actum non modicum tempus milia hominum in
20 paenitentia et remissione tincta sunt peccatorum. **4.** Sed
nemo tinctus fuerat in trinitate, nemo adhuc nouerat
Christum, nemo audierat esse spiritum sanctum. At ubi
uenit tempus plenitudinis, certo tempore dedit leges baptismatis filius Dei et dedit uiam qua iretur ad regna caelorum.

5, 3 et : + in G ǁ 6 rebaptizasse : baptizasse G ǁ baptizet : + et G ǁ 7
neminem : *om.* RBV ǁ tinxit : tincxit R   tingit G ǁ 8 promissum : -sus G
ǁ 9 datur : -turus V ǁ 10 biberit : beberit V ǁ 11 quem : quam V ǁ baptizasti : -zas RBV ǁ baptizat : *om.* RBV ǁ 12 baptizabat : -zat G ǁ 15 ut ² : et
G ǁ 16 hominum milia G ǁ 17 baptizaret : tingeret G ǁ operabatur : -raret
RBV ǁ 18 seruus — daret : *om.* RBV ǁ uacabat : uaccabat G ǁ 19 actum :
acceptum RBV ǁ 20 paenitentia : penitentiae R   penitentie BV ǁ et : *om.*
RBV ǁ 21 fuerat : erat B ǁ nemo ² : *om.* RB ǁ adhuc nemo G ǁ 22 spiritum : christum RBV ǁ 24 qua : quam RBV ǁ caelorum : celestia G

p. Jn 1, 33   q. Jn 4, 13   r. Jn 3, 26   s. Jn 4, 2

III. Réitération du baptême, rôle du ministre et rôle de la foi

1. La réitération. Baptême de Jean et baptême du Christ

5. 1. Jean-Baptiste, qui était venu en précurseur du Sauveur, apporte à ce sujet un témoignage suprême. Comme il plongeait la multitude dans l'eau, pour la pénitence et pour la rémission des péchés, il annonça la venue du Fils de Dieu. Telles sont ses paroles : « Voici que vient celui qui doit vous baptiser [p]. » Et cependant, nous ne lisons nulle part que le Christ ait rebaptisé quelqu'un après Jean. Il a dit : « Celui qui doit vous baptiser » ; or, en ce temps-là, le Christ, en venant, n'a plongé personne dans l'eau du baptême après Jean. 2. Cette promesse concernait donc notre époque. Il devait donner ce qu'il donne aujourd'hui, conformément à sa parole : « L'eau que je donne, celui qui l'aura bue n'aura plus soif pour l'éternité [q]. » Et lorsque les disciples de Jean disaient à leur maître : « Voici que celui que tu as baptisé baptise [r] », il baptisait, certes, mais par les mains des apôtres à qui il avait donné les lois du baptême. En effet, on peut lire ailleurs : « Car lui-même n'a baptisé personne, mais c'étaient ses disciples [s]. » 3. En cela, nous sommes tous ses disciples : nous agissons, pour qu'il donne, lui qui a promis de donner. Et cependant, comme Jean baptisait un nombre infini d'hommes, le Christ étant déjà présent, le serviteur agissait et le maître restait inactif ! Avant que ne fût institué le rite du baptême, pendant une période assez longue, des milliers d'hommes furent plongés dans l'eau pour la pénitence et pour la rémission des péchés. 4. Mais personne n'avait été baptisé dans la Trinité, personne ne connaissait encore le Christ, personne n'avait entendu parler du Saint-Esprit. Au contraire, lorsque vint le temps de la plénitude, à un moment précis, le Fils de Dieu donna les lois du baptême et il montra le chemin qui conduit au royaume des

25 Etiam nunc praecepit dicens : *Ite, docete gentes, baptizantes*
eas in nomine patris et filii et spiritus sancti ᵗ. Ex ea die oportuit fieri quod mandatum est. 5. Ante tempus noluit emen-
dare quod operatum est ne licentiam rebaptizandi daret,
quamuis alterum fuerit baptisma Iohannis et alterum sit
30 Christi. Baptisma Iohannis ante legem pro pleno uoluit esse
quod non erat plenum ! Et tamen supra memorata milia
hominum quia in Deum crediderant quamuis ignorarent
filium Dei et spiritum sanctum, regnum caelorum eis dene-
gare non potuit. 6. Inde est uox filii Dei dicentis : *A die-*
35 *bus Iohannis usque in hodiernum regnum Dei uim patitur,*
et qui uim faciunt, diripiunt illud ᵘ. Ideo dixit *uim faciunt*
quia adhuc baptizabat Iohannes. Denique quia alterum tempus erat ante praecepta, alterum post praecepta, qui post
praecepta in nomine saluatoris baptizati sunt in regnum
40 legibus intrauerunt ; qui ante praecepta sine lege uim fecerunt sed exclusi non sunt. 7. Ergo ante praecepta baptisma
Iohannis cum esset imperfectum pro perfecto iudicatum est
ab eo cui nemo iudicat, et quia quasi quidam limes fixus
esset iussionis inter tempora antecedentia et sequentia. Cum
45 apud Ephesum baptizarentur aliqui in baptismate Iohannis
post praecepta, hos uidens beatissimus Paulus interrogauit
an accepissent spiritum sanctum ; dixerunt se illi nescire an
esset spiritus sanctus, et dixit illis ut post baptisma Iohannis
acciperent spiritum sanctum. 8. Sic enim baptizati erant

25 etiam tunc : dum G ‖ praecepit : precipit G ‖ docete : + omnes z ‖
26 eas : eos RB z ‖ 28 rebaptizandi daret : rebaptizaret Rᵃᶜ rebaptizarent
V ‖ 29 fuerit : fuit G ‖ sit : *om.* G ‖ 30 Iohannis : -nes RBV ‖ legem : -ges
RBV ‖ 32 quia : qui V ‖ Deum : deo RBV ‖ 36 diripiunt illud : possident
eum G ‖ ideo dixit uim faciunt : *om.* RBV ‖ 38 alterum post praecepta :
om. RBV ‖ qui : quia V ‖ 40 qui : quia B ‖ 42 pro perfecto *scripsi cum* z :
profecto *codd.* ‖ 43 ab eo : a deo G ‖ quia : *om.* G ‖ quidam : quidem G ‖
44 esset : est G ‖ 45 Ephesum : Effesum RV Efesum B [*sic et postea*] ‖ 46
interrogauit : -gat G ‖ 49 sic : si B

t. Matth. 28, 19   u. Matth. 11, 12

cieux. C'est alors qu'il donna aussi cet ordre : « Allez, ensei-
gnez les nations, les baptisant au nom du Père et du Fils et
du Saint-Esprit [t] ! » Depuis ce jour-là, il a fallu accomplir
l'ordre reçu. 5. Avant ce moment, il n'a pas voulu corri-
ger ce qui avait été accompli, afin de ne pas accorder la permission de rebaptiser, bien que le baptême de Jean fût différent du baptême du Christ [1]. Il a voulu que le baptême de
Jean ait pleine valeur de baptême, avant qu'il eût légiféré,
alors qu'il ne possédait pas la pleine valeur ! Et cependant,
parce que les milliers d'hommes dont j'ai parlé plus haut
avaient cru en Dieu, bien que le Fils de Dieu et le Saint-
Esprit leur fussent inconnus, il n'a pas pu leur refuser le
royaume des cieux. 6. Voilà pourquoi le Fils de Dieu dit :
« Depuis les jours de Jean jusqu'à ce jour, le royaume de
Dieu souffre violence, et ceux qui lui font violence le prennent de force [u]. » Il a dit : « Ils lui font violence », parce que
Jean baptisait encore. Mais autre était le temps d'avant les
préceptes, autre celui d'après les préceptes ! Ceux qui ont
été baptisés après les préceptes au nom du Sauveur sont
entrés dans le royaume conformément à la loi ; ceux qui
l'ont été avant les préceptes, sans connaître la loi, ont fait
violence au royaume, mais ils n'en ont pas été exclus.
7. Ainsi, avant les préceptes, le baptême de Jean, bien qu'il
fût imparfait, fut jugé parfait par celui contre qui personne
ne porte de jugement, parce qu'il avait fixé une sorte de
limite entre les temps qui précèdent son commandement et
ceux qui le suivent. Comme, à Éphèse, certains fidèles
étaient baptisés dans le baptême de Jean après les préceptes,
le bienheureux Paul les vit et leur demanda s'ils avaient reçu
le Saint-Esprit ; ils répondirent qu'ils ne savaient pas si
c'était le Saint-Esprit, et il leur dit qu'après le baptême de
Jean ils devaient recevoir le Saint-Esprit. 8. Ces hommes,

---

1. Sur la distinction établie par Optat entre le baptême de Jean et le baptême du Christ, cf. l'Introduction, t. 1, p. 89-90.

50   quemadmodum multi a Iohanne fuerant baptizati. Sed qui
      ante legem baptizati sunt ad indulgentiam pertinuerunt quia
      praesens fuerat qui indulgentiam daret. Non erant ex toto
      rei qui legibus non fuerant occupati. Hi uero qui apud
      Ephesum post legem Iohannis baptismate baptizati fuisse
55   leguntur ᵛ post leges in sacramento errauerant quia iam
      introductum fuerat baptisma domini et exclusum fuerat
      serui, et ideo quia post mandata diuina legibus debuerant ire
      in regnum, non per uiolentiam.   9. Iam enim terminum
      temporis fixerat Christus dicendo : *A diebus Iohannis usque*
60   *in hodiernum* ʷ. Post hodiernum iam non licebat quod heri
      licuit. Quare nolite uobis blandiri de dicto apostoli Pauli qui
      non post personam operarii interrogauit sed post rem, cui
      res, non persona displicuit. Denique baptisma saluatoris ius-
      sit ut discerent qui non nouerant quia non ipsum sed aliud
65   acceperant.   10. Vos uero quid immutatis ? Si res potuistis
      mutare, recte feceritis, si tamen de lege aliquid feceritis.
      Paulus dixit : *In quo baptismate baptizati estis* ? Et dixerunt
      illi : *Iohannis* ˣ. Persuasit eis ut baptisma Christi acciperent.
      Vos non dicitis : Quid accepistis ? sed : A quo accepistis ?
70   Et insectamini personas hominum et uultis iterare quod
      semel est. Qui baptizati erant apud Ephesum crediderant in
      paenitentiam et remissionem peccatorum.   11. Recte illis
      dictum est ut baptizarentur in nomine patris et filii et spiri-

---

50 quemadmodum : + et G ‖ fuerant : -erunt V ‖ 51 legem : -ges G ‖
baptizati sunt : *om.* G ‖ 52 fuerat : fuerant Rᵃᶜ   erat G ‖ indulgentiam : -
tia B ‖ daret : + non G ‖ 53 fuerant : -erunt V ‖ hi : hii RV ‖ 54 Iohannis
baptismate : baptisma Iohannis + baptiste G ‖ fuisse : esse G ‖ 55 errauerant : -erunt G ‖ 56 fuerat : erat G ‖ 57 quia : *om.* G ‖ 61 licuit : licuerat
G ‖ quare : qua de re G ‖ 64 qui : quid G ‖ 65 acceperant : acciperant RᵃᶜV
‖ quid : qui BV ‖ immutatis : imitamini G ‖ res : rem G ‖ 66 feceritis :
fecistis G ‖ aliquid de lege G ‖ 68 Iohannis : -nes G ‖ eis : eos G ‖ ut : *om.*
G ‖ acciperent : -ere G ‖ 69 quid : quia RV ‖ 70 insectamini : + in RᵃᶜV ‖
72 paenitentiam : penitentia *codd.* ‖ et : + in RBV ‖ remissionem : -ne G R
‖ 73 est : *om.* RBV

en effet, avaient été baptisés du même baptême que celui que beaucoup avaient reçu de Jean. Mais ceux qui furent baptisés avant la loi ont eu droit au pardon parce que celui qui pouvait donner le pardon était présent. Ils n'étaient pas du tout coupables puisqu'ils n'avaient pas été instruits de la loi. Au contraire, ceux qui, à Éphèse, comme on peut le lire [v], avaient été baptisés du baptême de Jean après la loi, avaient commis une faute concernant le sacrement tel qu'il existait après la loi, car le baptême du Seigneur avait déjà été introduit et celui du serviteur avait été aboli. C'est pourquoi, une fois donnés les ordres divins, ils auraient dû entrer dans le royaume conformément à la loi et non par la violence. 9. Car déjà le Christ avait fixé une limite dans le temps en disant : « Depuis les jours de Jean jusqu'à ce jour [w] ». Après ce jour, il n'était plus permis d'accomplir ce qui était permis la veille. Aussi, ne vous prévalez pas de la parole de l'apôtre Paul, car il ne les a pas interrogés sur la personne du ministre mais sur le sacrement même, et c'est le sacrement, non la personne, qui lui a déplu. Ainsi, il leur a ordonné de recevoir le baptême du Sauveur afin de leur faire connaître ce qu'ils ignoraient, car ils n'avaient pas reçu ce baptême mais un autre. 10. Mais vous, quel changement apportez-vous ? A supposer que vous ayez pu apporter quelque changement aux sacrements, vous auriez bien agi, à condition toutefois que vous ayez agi conformément à la loi. Paul a dit : « Dans quel baptême avez-vous été baptisés ? » Et ils ont dit : « Celui de Jean [x] ». Il les a persuadés de recevoir le baptême du Christ. Vous, vous ne dites pas : « Quel baptême avez-vous reçu ? » mais : « De qui l'avez-vous reçu ? » Vous vous attaquez aux personnes et vous voulez réitérer ce qui existe une fois pour toutes. Ceux qui avaient été baptisés à Éphèse avaient cru à la pénitence et à la rémission des péchés. 11. C'est à juste titre qu'ils ont reçu l'ordre

v. Cf. Act. 19, 2-4   w. Matth. 11, 12   x. Act. 19, 3

tus sancti. Vos uero quid mutatis in hominibus qui iam dixe-
75 runt se credidisse in nomine patris et filii et spiritus sancti ?
Siue ipsum interrogetis siue aliud, conuincamini necesse est
peccare uos, siue illud interrogetis quod iussum non est siue
hoc uelitis facere quod iam factum est.

6. 1. Redeo nunc ad illud uestrum quod dicitis : Qui non
habet quod det, quomodo dat ? Vnde haec uox est ? De qua
lectione recitari potest ? Vox est de uico collecta, non de
libro lecta : Qui non habet quod det quomodo dat ? Haec
5 uerba in lege scripta non sunt, nam si ut uultis homo dat,
Deus uacat ! Et si Deus uacat, et apud uos est omne quod
dandum est, ad uos sit conuersio ! Quos baptizatis in
nomine uestro tingantur ! 2. Erubescite beatissimo Paulo
clamanti et suam gratulationem profitenti : *Numquid in*
10 *nomine meo baptizati estis* [y] ? Ille gaudet quod duos solos et
unam domum baptizauerit. Et uos populos rebaptizare
contenditis et peccasse uos et peccare gaudetis dicentes :
Quid dat qui non habet quod det ? Cui creditur, ipse dat
quod creditur, non per quem creditur ! 3. Denique sub
15 Iohanne infinita multitudo hominum baptizata est. Probate
Iohannem aut accepisse aut habuisse quod daret ! Illo autem

74 quid : qui BV ‖ in : *om.* G ‖ se dixerunt RBV ‖ 76 ipsum : *om.* B ‖
conuincamini : communicamini G[ac]B ‖ 77 illud interrogetis quod : aliud
inter quos RBV ‖ 78 uelitis : uellitis RV

6, 1 nunc : tunc RBV ‖ illud : illum RBV ‖ 2 det : debet B ‖ 3 collecta :
om. RBV ‖ 4 lecta : collecta RBV ‖ 5 in lege scripta : *om.* RBV ‖ non : +
non B ‖ 6 uacat [1] : uocat B ‖ 7 quos : quod B ‖ baptizatis : -zastis V ‖ 8
uestro : *om.* B ‖ 9 clamanti : -nte V   calumnianti G ‖ profitenti : -nte V ‖
numquid : + inquit G ‖ 10 duos : uos B ‖ 13 quid dat : *om.* G ‖ det : +
quomodo dat G ‖ 15 hominum : + non G

y. I Cor. 1, 13

1. Les donatistes citaient *I Cor.* 4, 7 : *Quid habes quod non accepisti ?*
Cf. CYPR., *Ep.*, LXX, II, 3 ; AVG., *C. Parm.*, II, XIII, 27-28.

de se faire baptiser au nom du Père et du Fils et du Saint-Esprit. Mais vous, quel changement apportez-vous à des hommes qui ont déjà dit qu'ils croyaient au nom du Père et du Fils et du Saint-Esprit ? Que vous posiez cette question ou l'autre, soyez convaincus que vous péchez nécessairement, soit que vous posiez une question qu'il n'a pas été ordonné de poser, soit que vous vouliez faire ce qui a déjà été fait.

2. Le rôle du ministre

Le baptême est un don de Dieu **6.** 1. Je reviens maintenant à ce que vous dites : « Celui qui ne possède pas ce qu'il donne, comment peut-il le donner [1] ? » D'où cette phrase est-elle tirée ? D'après quel texte peut-elle être citée ? C'est une phrase recueillie dans la rue, elle n'a pas été lue dans l'Écriture ! « Celui qui ne possède pas ce qu'il donne, comment peut-il le donner ? » Ces mots ne sont pas écrits dans la Loi, car si, comme vous le prétendez, c'est l'homme qui donne, alors Dieu n'agit pas ! Si Dieu n'agit pas, et si tout ce qu'il faut donner se trouve chez vous, alors c'est à vous qu'il faut se convertir ! Que ceux que vous baptisez soient plongés dans l'eau du baptême en votre nom ! 2. Rougissez de honte devant le bienheureux Paul qui crie et proclame sa reconnaissance : « Serait-ce en mon nom que vous avez été baptisés [y] ? » Il se réjouit d'avoir baptisé seulement deux hommes et une famille. Et vous, vous vous efforcez de rebaptiser les foules et vous vous réjouissez de vos péchés passés et présents, en disant : « Que peut donner celui qui ne possède pas ce qu'il donne ? » C'est celui en qui l'on croit qui donne ce en quoi l'on croit, et non celui par qui l'on croit ! 3. Ainsi, au temps de Jean, une foule infinie d'hommes a été baptisée. Prouvez donc que Jean a reçu ou a possédé ce qu'il donnait ! En fait, il était le ministre, et c'est Dieu qui donnait, lui qui ne cesse de donner.

operante dabat Deus qui dando non deficit. Et nunc ope-
rantibus cunctis humana sunt opera, sed Dei sunt munera.

7. 1. Iam illud quam ridiculum est quod quasi ad gloriam
uestram a uobis semper auditur : Hoc munus baptismatis
esse dantis, non accipientis ! Et utinam hoc de Deo dicere-
tis, qui huius rei dator est ! Sed quod stultum est, uos dici-
5   tis esse datores. Si ita est, et nos et uos teneamus singulos
gentiles. Vos, qui uos sanctos dicitis, interrogate eum quem
tenetis an renuntiet diabolo et credat domino, et ille dicat :
Nolo. **2.** Contra nos peccatores, ut uultis, interrogemus
alterum gentilem an renuntiet diabolo et credat Deo, et
10 cetera, et dicat : Renuntio et credo, et cetera. Cum uos tin-
gatis nolentem, nos uolentem, dicatur quis eorum possit ad
Dei gratiam pertinere ! Vtique sine dubio ille consequitur
qui credit, non ille cuius uoluntate, ut dicitis, sanctitas uestra succedit. Operarios uos esse uel sero cognoscite, aut si
15 in operario est res ipsa, et non in se, hoc sibi uindicent aliqui homines in artibus suis ! **3.** Vt quia sic prouocatis ad
res diuinas etiam artes comparemus humanas. Cum pretio-
sus inficitur color, natura saepe conuertitur, dum confectione uellus candidum purpurascit. Sic alba lana regalem
20 transit in purpuram, quomodo catechumenus in fidelem.

7, 1 quam : quod B ‖ ridiculum : ri/culum B ‖ 3 dantis esse G ‖ dantis : *om.* R^{ac}V ‖ 4 est² : + hoc RBV ‖ uos : uobis RBV ‖ 5 et uos et nos G
‖ 6 sanctos uos G ‖ 7 an : ab B ‖ diabolo : diabulo R [*sic et postea*] dya-
bobolo B ‖ domino : deo + et cetera G ‖ 8-10 nolo — et dicat : *om.* G ‖
10 cum : tum V ‖ 12 consequitur : *om.* G ‖ 13 credit : credidit G ‖ 14 esse
uel : *om.* RBV ‖ sero cognoscite : se recognoscite B ‖ si : *om.* B ‖ 15 et :
om. G ‖ uindicent : + et G ‖ 17 artes : *om.* G ‖ 18 inficitur : conficitur G
‖ dum : + in G ‖ 19 candidum : -dus RBV ‖ purpurascit : -rescit RBV ‖
alba lana : albaria B ‖ 20 catechumenus : cathicumenus G caticumenus
RBV ‖ in fidelem : in fideli V infidelis RB

---

1. La renonciation à Satan et la profession de foi sont deux actes inti-

Et, en vérité, il appartient à tous les ministres d'accomplir des actes humains, mais les dons, eux, appartiennent à Dieu.

Le ministre n'est que l'ouvrier de Dieu 7. 1. Comme elle est ridicule, cette phrase qu'on vous entend répéter sans cesse, comme pour vous glorifier : « Ce don du baptême dépend de celui qui le donne, non de celui qui le reçoit » ! Ah ! Si seulement vous disiez cela de Dieu, qui en est le dispensateur ! Mais, ce qui est stupide, vous dites que c'est vous qui en êtes les dispensateurs. S'il en est ainsi, retenons chacun un païen, vous et nous. Vous, qui vous dites saints, demandez à celui que vous retenez s'il renonce au diable et s'il croit au Seigneur, et supposons qu'il dise non. 2. Au contraire, nous, les pécheurs, comme vous le prétendez, demandons à l'autre païen s'il renonce au diable, s'il croit en Dieu, etc., et supposons qu'il dise : « Je renonce et je crois, etc [1]. » Vous, vous plongez dans l'eau du baptême un homme qui ne le désire pas ; nous, nous baptisons un homme qui le désire. Qu'on nous dise alors lequel de ces hommes peut obtenir la grâce de Dieu ! Assurément, c'est, sans nul doute, celui qui croit, et non celui pour qui votre sainteté, comme vous dites, tient lieu de consentement. Reconnaissez, même tard, que vous êtes des ouvriers, ou alors, si l'essence de l'œuvre réside dans l'ouvrier et non dans l'œuvre elle-même, que tel ou tel homme revendique cette vertu dans son propre métier ! 3. Et puisque vous nous y invitez, comparons les métiers des hommes aux affaires divines. Lorsqu'on imprègne d'une couleur précieuse, souvent, on transforme la nature. Ainsi en est-il lorsque, grâce à une préparation, une toison blanche prend la couleur de la pourpre. La laine blanche devient pourpre royale, comme le catéchumène

---

mement liés de la liturgie baptismale. Cf. A.-G. MARTIMORT[4], *L'Église en prière*, p. 534 ; J. DANIÉLOU[4], *Bible et Liturgie*, p. 38-49.

Vtique dum incipit esse quod non erat desinit esse quod fuerat. Lana et colorem mutat et nomen, et homo et uocabu-
lum mutat et mentem.   4. Consideranda sunt effecta,
retractanda sunt efficienta. Dicis a te datum esse quod homo
25 fidelis effectus est. Si hoc totum tuum est, dicat et operarius
artifex purpurae quod pretiosum colorem in suis manibus
habeat et non procuret pretiosa pigmenta ex Oceano multis
ignota, quibus tincta uellera per colorem promoueantur in
admirabilem dignitatem, non admixto sanguine piscis pur-
30 puram solo tactu conficiat !   5. Si igitur operarius iste per
tactum solum dare colorem non potest, sic nec operarius
baptismatis ex se sine trinitate dare aliquid potest. Tale est
et hoc unde modo certamen est : nam in quo baptizentur
gentes a saluatore mandatum est, per quem baptizentur
35 nulla exceptione discretum est. Non dixit apostolis : Vos
facite, alii non faciant ! Quisquis in nomine patris et filii et
spiritus sancti baptizauerit, apostolorum opus impleuit.
6. Denique lectum est in euangelio Iohanne dicente :
Magister, uidimus quendam in nomine tuo expellentem dae-
40 *monia et prohibuimus eum quia non sequitur nobiscum.* Sic
Christus ait : *Nolite prohibere ; qui enim non est contra uos*
pro uobis est [z]. Nam et ipsis sic mandatum est ut opus esset
illorum sanctificatio trinitatis, nec in nomine suo tingerent,
sed in nomine patris et filii et spiritus sancti.   7. Ergo
45 nomen est quod sanctificat, non opus. Intellegite uos uel

---

23 consideranda : -rata RBV ‖ 24 dicis : -citis G ‖ 25 tuum : *om.* RBV
‖ 26 artifex : *om.* G ‖ 27 habeat : -bebat G ‖ et : *om.* G ‖ Oceano : occeano
+ mari G ‖ 28 promoueantur : -uentur G ‖ 30 tactu : tractu G ‖ si : *om.*
RBV ‖ 31 tactum : tractum G ‖ nec : et G ‖ 32 aliquid : + non G ‖ 33 baptizentur : -zarentur G ‖ 35 discretum : desertum V ‖ 42 ipsis : si RBV ‖ 43
illorum : + sed dei RBV ‖ sanctificatio : + est RB ‖ 43-45 trinitatis — non
opus : *om.* RBV

---

z. Lc 9, 49-50

---

1. Curieusement, Optat inverse ici le symbolisme des couleurs. Il avait
pourtant cité *Is.* 1, 18 peu auparavant (V, 4, 9) : « Quand vos péchés seraient

devient fidèle [1]. Assurément, quand il commence à être ce
qu'il n'était pas, il cesse d'être ce qu'il était. La laine change
de couleur et de dénomination, et l'homme change de nom
et d'esprit.   4. Il faut considérer les effets, il faut examiner
les causes. Tu dis que c'est toi qui es responsable du fait que
l'homme est devenu fidèle. Si tu es entièrement responsable
de cela, que l'ouvrier qui fabrique la pourpre dise, lui aussi,
qu'il détient la précieuse couleur dans ses mains et qu'il ne
se procure pas les précieuses matières colorantes venues de
l'océan, inconnues de beaucoup, grâce auxquelles les toi-
sons, une fois teintes, sont élevées, par leur couleur à un rang
admirable ; qu'il dise qu'il n'utilise pas, pour fabriquer la
pourpre, un mélange de sang de poisson, mais qu'il la produit seulement par le toucher !   5. Et si cet ouvrier ne peut
pas produire la couleur par le seul toucher, l'ouvrier qui
confère le baptême ne peut rien donner non plus par lui-
même sans la Trinité. Tel est aussi l'objet du conflit actuel :
le Sauveur a indiqué au nom de qui les nations doivent être
baptisées, mais il n'a fait aucune réserve sur celui par qui
elles doivent l'être. Il n'a pas dit aux apôtres : « Vous, faites-
le, que les autres ne le fassent pas ! » Quiconque a baptisé
au nom du Père et du Fils et du Saint-Esprit a accompli
l'œuvre des apôtres.   6. Ainsi, on lit dans l'Évangile ces
paroles de Jean : « Maître, nous avons vu quelqu'un expul-
ser les démons en ton nom et nous l'en avons empêché parce
qu'il ne te suit pas avec nous. » Et le Christ dit : « Ne l'en
empêchez pas ; qui n'est pas contre vous est pour vous [z]. »
Ainsi leur a-t-il donné mission de transmettre le pouvoir
sanctifiant de la Trinité. Il ne leur a pas demandé de baptiser en leur nom mais au nom du Père et du Fils et du Saint-
Esprit. 7. C'est donc le nom qui sanctifie, non l'acte.

comme l'écarlate, comme neige ils blanchiront ; quand ils seraient rouges
comme la pourpre, comme laine ils deviendront. » C'est certainement de
ce passage qu'il s'inspire encore ici, mais cette fois la « pourpre royale »
symbolise le fidèle baptisé.

sero operarios esse, non dominos. Et si ecclesia uinea est et
uites sunt homines et ordinati cultores, quid in dominium
patris familias irruitis ? Quid uobis quod Dei est uindicatis ? Quid uultis uestrum esse totum, ubi nec partem habere
50   potestis ? Nam propter tumorem uestrum quo in nos intu-
mescitis increpat Corinthios beatissimus Paulus. 8. In se et
Apollo actus temporis nostri conformat : *Ne alter*, inquit, *in
alterum intumescat* [a], ut ostenderet quia hoc totum sacramentum baptismatis Dei est, ut illic sibi nihil uindicet ope-
55   rarius, sic ait : *Ego quidem plantaui* – hoc est : de pagano
catechumenum feci – *Apollo rigauit* – hoc est : ille catechumenum baptizauit – *sed ut cresceret quod plantatum aut irri-
gatum est, Deus fecit* [b]. 9. Nam et quiuis hodie uolens
uineam suam pastinare operarium placita mercede conducit,
60   qui curuato dorso et desudatis lateribus sinus terrae faciat
ubi deponat electa plantaria et aquam calcatis scrobibus
superducat. Scrobem fodere et plantaria ponere potest,
aquam inducere potest, imperare ut teneat non potest, est
enim hoc solius Dei de medullis palmitum producere radices
65   coalescentes in terram et gemmantes oculos, incrementa
frondium prouocare. 10. Denique beatus apostolus Paulus

---

46 uinea ecclesia G ǁ est : esset V ǁ et : *om.* V ǁ 47 uites : *om.* RBV ǁ
ordinati : + sunt G ǁ quid : qui G ǁ dominium : -nio RV   domino B ǁ
48 irruitis : inruistis RBV ǁ 50 potestis : -teritis RBV ǁ quo : qui B ǁ 51
Corinthios : Chorintios B   Chorinteos V ǁ et in se G ǁ 52 conformat : -
firmat R[ac]G ǁ ne : nec B ǁ 54 Dei : deus B ǁ nichil sibi G ǁ 55-56 hoc
est — feci : *post* rigauit *transp.* RBV ǁ 56 catechumenum : caticuminum
codd. ǁ hoc : + id G ǁ hoc est : *om.* RBV ǁ ille : *om.* G ǁ catechumenum :
caticuminum G RV   catecuminum B ǁ 57 plantatum : + est G ǁ aut : et
G ǁ 58 et : *om.* V ǁ 59 suam : *om.* RBV ǁ mercede : crede V ǁ 60 desudatis : exudatis G ǁ sinus : -num G ǁ faciat : -ciet V ǁ 64 solius : -lus B ǁ
radices : -cente B[ac] ǁ 65 coalescentes : *om.* B ǁ gemmantes : geminantes V

---

a. I Cor. 4, 6   b. I Cor. 3, 6

Comprenez, même tard, que vous êtes des ouvriers, non des maîtres. Et si l'Église est la vigne, les hommes les sarments et les membres du clergé les vignerons, pourquoi vous emparez-vous du commandement, qui appartient au père de famille ? Pourquoi revendiquez-vous ce qui appartient à Dieu [1] ? Pourquoi voulez-vous que tout soit à vous, quand vous ne pouvez en posséder même une partie ? Car c'est à cause d'un orgueil semblable à celui qui vous gonfle de haine contre nous que le bienheureux Paul admoneste les Corinthiens. 8. Par son exemple et celui d'Apollos, il dicte la conduite de notre époque : « Ne vous gonflez pas de vanité l'un par rapport à l'autre [a] », dit-il, et pour montrer que ce sacrement du baptême appartient tout entier à Dieu, pour que l'ouvrier, en cela, ne revendique rien pour lui-même, il dit : « Certes, moi j'ai planté » — c'est-à-dire : d'un païen j'ai fait un catéchumène —, « Apollos a arrosé » — c'est-à-dire : il a baptisé le catéchumène, « mais c'est Dieu qui a fait croître ce qui a été planté et arrosé [b] [2]. » 9. Et quiconque aujourd'hui veut faire travailler sa vigne engage un ouvrier pour un salaire convenu, afin que celui-ci, le dos courbé et les flancs en sueur, creuse des sillons dans la terre, y dépose les plants choisis et amène l'eau, après avoir bouché les trous en tassant la terre avec ses pieds. L'ouvrier peut creuser un trou et y placer de jeunes plants, il peut amener l'eau, il n'a pas le pouvoir de faire prendre le plant, car il appartient à Dieu seul de faire naître, de la moelle des sarments, des racines qui se développent dans la terre, et des yeux qui bourgeonnent, et de faire pousser des feuilles. 10. Ainsi, pour contenir votre

---

1. Cf. *Matth*. 20, 1 : « Il en va du Royaume des cieux comme d'un propriétaire qui sortit au point du jour afin d'embaucher des ouvriers pour sa vigne. » C'est sans doute cette parabole qui a servi de modèle à Optat.

2. Avg. (*C. Parm*., II, XIV, 32) utilise la même citation (*I Cor*. 3, 6) pour montrer que Parménien s'arroge l'œuvre de Dieu.

ut uestram praesumptionem tumoremque compesceret ne se
aestimet operarius baptismatis aut dominium habere, aut de
tanto isto munere particulam sibi aliquam uindicare, indi-
70 cans quia totum Dei est sic ait : *Neque qui plantat neque qui
rigat est aliquid sed solus Deus qui ad incrementa perducit* ᶜ.
Operarii inter alios estis intrante sole, hoc est finito saeculo
potestis in die retributionis nobiscum de mercede conten-
dere.   11. Nolite uobis maiestatis dominium uindicare ;
75 nam si ita est, uindicent sibi et ministri qui mensae dominicae famulantur ut pro humanitate exhibita ab inuitatis gra-
tulatio eis referatur. Christi uox est inuitantis : *Venite, benedicti patris mei, percipite regnum quod uobis paratum est ab
origine mundi* ᵈ. Veniunt gentes ad gratiam, exhibet ille qui
80 inuitare dignatus est ; ministerium exercet turba famulo-
rum ; non famulantibus sed pascenti referendae sunt gra-
tiae !   12. Vos cum ministri sitis, inuerecunde totum uobis
conuiuii dominium uindicatis, cum se et ceteros beatissimus
Paulus famulos cum humilitate fateatur ; ne qui putaret in
85 solis apostolis aut episcopis spem suam esse ponendam, sic
ait : *Quid est enim Paulus uel quid Apollo ? Vtique ministri
eius in quem credidistis* ᵉ. Est ergo in uniuersis seruientibus
non dominium sed ministerium.   13. Vides ergo iam, frater
Parmeniane, ex tribus speciebus supra memoratis illam

67 se : *om.* RBV ‖ 68 aestimet : estimaret B ‖ dominium : -num G B ‖
69 sibi : si G ‖ 70 qui ¹ *codd.* : quia z ‖ 73 die : diem *codd.* ‖ 74 maiestatis :
magestatis V ‖ dominium : -num G ‖ 75 nam : + et B ‖ 76 exhibita : prohibita Bᵃᶜ ‖ 78-79 percipite — mundi : *om.* RBV ‖ 79 gratiam : gloriam G
‖ 81 pascenti : -cent V ‖ 82 uos : + nobiscum RBV ‖ 83 inuerecunde : -dae R
inuericundie V ‖ 83 uindicatis : -cantis G ‖ 84 qui *codd.* : quis z ‖ 86 ait :
om. G ‖ est : *om.* B ‖ quid ² : + est G ‖ 87 in quem : cui G ‖ in ² : *om.* B

c. I Cor. 3, 7   d. Matth. 25, 34   e. I Cor. 3, 4-5

1. Cf. *Matth.*·20, 8 : « Le soir venu, le maître de la vigne dit à son inten-
dant : Appelle les ouvriers et remets à chacun son salaire. »

présomption et votre orgueil, et pour que l'ouvrier qui
confère le baptême ne s'imagine pas qu'il possède le pouvoir ou qu'il peut revendiquer une petite part dans l'attri-
bution de ce si grand bienfait, le bienheureux apôtre Paul
déclare que tout appartient à Dieu et il dit : « Ni celui qui
plante ni celui qui arrose n'a d'importance, mais Dieu seul
qui donne la croissance [c]. » Vous êtes des ouvriers comme
les autres au coucher du soleil, ce qui signifie que vous
pouvez prétendre avec nous à un salaire, le jour de la rétri-
bution, lorsque ce monde aura pris fin [1]. 11. Ne revendiquez pas le pouvoir qui appartient à la majesté divine ; car
si vous le faites, que les serviteurs qui servent à la table du
maître revendiquent aussi les remerciements des invités
pour l'hospitalité qu'ils ont reçue ! C'est le Christ qui prononce ces paroles d'invitation : « Venez, les bénis de mon
Père, recevez le royaume qui vous a été préparé depuis
l'origine du monde [d]. » Les nations viennent recevoir la
grâce, celui qui a bien voulu les inviter la leur accorde ; la
foule des serviteurs exerce son ministère ; ce n'est pas au
serviteur mais à l'hôte qu'il faut témoigner sa reconnaissance ! 12. Quant à vous, bien que vous soyez des serviteurs, vous revendiquez impudemment tout le commandement du festin, alors que le bienheureux Paul professe avec
humilité qu'il est, avec tous les autres, un serviteur ; afin
que personne ne pense qu'il doit placer sa seule espérance
dans les apôtres ou dans les évêques, il dit : « Qu'est-ce
donc que Paul ou qu'est-ce qu'Apollos ? Assurément, les
serviteurs de celui en qui vous avez cru [e]. » Le propre de
tous ceux qui servent n'est pas le commandement mais le
ministère [2]. 13. Tu vois donc à présent, frère Parménien,
que, parmi les trois éléments dont j'ai parlé plus haut,
la Trinité, tout d'abord, est inébranlable, invincible et

---

2. Sur la distinction entre *dominium* et *ministerium*, cf. l'Introduction,
t. 1, p. 95-96.

90   primo tripertitam esse immotam, inuictam et immutabilem,
     operantis uero temporariam esse personam.

     8. 1. Restat iam de credentis merito aliquid dicere, cuius
     est fides quam filius Dei et sanctitati suae anteposuit et
     maiestati. Non enim potestis sanctiores esse quam Christus
     est ! Ad quem cum mulier illa ueniret cuius filia erat mor-
5   tua et rogaret ut suscitaretur [f], nihil promisit de uirtute sua
     sed post fidem interrogat alienam, ut si mulier crederet pro
     matris credulitate filia surgeret, si non crederet, uirtus filii
     Dei feriata cessaret. **2.** Interrogatur mulier, respondit se
     credere fieri posse quod rogabat. Iubetur ire ; redit ad
10   domum mulier, inuenit puellam uiuam quam dimiserat mor-
     tuam. Non ruit in oscula, non properat in amplexus, sed
     redit ut saluatori gratias ageret. Et ut ostenderet filius Dei
     se uacuisse, fidem tantummodo operatam esse : *Vade*,
     inquit, *mulier, in pace, fides tua te saluauit* [g]. Vbi est quod
15   dicitis : Dantis est, non accipientis ? **3.** Quid uobis uidetur
     et centurionis fides [h] ? Cuius puer cum male haberet salua-
     torem petiit ut ab eo mortem repelleret. Iam Christus per-
     euntem ueniebat ad puerum ; sic eum centurio tenuit ut
     indignitatem tecti sui confessus quod filius Dei totus non

90 tripertitam : triperitam B   tripartitam z ‖ immutabilem : + et RBV ‖
91 uero : *om.* RBV ‖ temporariam : -poralem G

8, 4 cum : *om.* R[ac]V ‖ 5 promisit : puis sit B ‖ 6 pro : per G ‖ 7 credu-
litate : -tatem G ‖ filia : -ias G[ac] ‖ filii : -ius B ‖ 8 interrogatur : -gata G ‖
9 redit : -diit R[pc]B ‖ 10 dimiserat : remiserat G ‖ 11 properat : -rauit RBV
‖ 12 redit : -diit R[pc]B ‖ saluatori : *post* ageret *transp.* G ‖ 13 uacuisse :
uacasse R[pc] z *om.* G ‖ esse operatam : + sic ait G ‖ 15 dicitis : dicis R[ac]V
dixisti B ‖ 16 et : *om.* G ‖ cuius : *om.* V ‖ 18 tenuit centurio G ‖ ut : *om.*
G ‖ 19 indignitatem : dignitatem R[ac]V ‖ quod : quo G

f. Cf. Matth. 9, 18 ; Mc 5, 23 ; Lc 8, 42 ; Jn 4, 47-51   g. Lc 7, 50 ; Mc 5,
34 ; Matth. 9, 22   h. Cf. Matth. 8, 5-13 ; Lc 7, 2-10

1. Cf. Avg., *C. Parm.*, II, XI, 23 (*BA* 28, p. 329) : « Quel que soit
l'homme qui donne le baptême du Christ, c'est le Christ qui baptise par

immuable ; la personne du ministre, au contraire, est
variable [1].

3. Le rôle de la foi

8. 1. Il me reste à présent à parler du rôle du croyant, qui
possède la foi que le Fils de Dieu a placée au-dessus de sa
sainteté et de sa majesté. Et vous ne pouvez être plus saints
que le Christ ! Comme venait à lui une femme dont la fille
était morte et qu'elle lui demandait de la ressusciter [f], il ne
lui promit rien du pouvoir qu'il possédait, mais il l'interroge
sur sa foi : si la femme croyait, par la croyance de la mère la
fille ressusciterait ; si elle ne croyait pas, le pouvoir du Fils
de Dieu resterait inefficace. **2.** Interrogée, la femme répondit qu'elle croyait que ce qu'elle demandait pouvait se réaliser. Il lui ordonne de s'en aller ; la femme retourne chez elle
et trouve en vie sa fille, qu'elle avait laissée morte. Elle ne se
précipite pas pour l'embrasser, elle ne se hâte pas de la ser-
rer dans ses bras, mais elle retourne auprès du Sauveur pour
lui rendre grâce. Et pour montrer qu'il n'avait rien fait mais
que seule la foi avait agi, le Fils de Dieu dit : « Femme, va
en paix, ta foi t'a sauvée [g]. » Où est ce que vous dites : « Cela
dépend de celui qui donne, non de celui qui reçoit » ? **3.** Et
que pensez-vous aussi de la foi du centurion [h] ? Comme son
serviteur était malade, il demanda au Sauveur d'éloigner de
lui la mort. Déjà le Christ venait auprès du serviteur mourant ; mais le centurion l'arrêta, déclarant que sa maison était
indigne et que le Fils de Dieu ne devait pas y pénétrer en
personne mais faire agir son pouvoir [2] à distance ; grâce à

---

ses mains, le seul homme dont il a été dit : "C'est lui qui baptise par
l'Esprit-Saint" [*Jn* 1, 33]. »

2. Le mot *uirtus* est ici l'équivalent du grec δύναμις et désigne la force
surnaturelle de Dieu. Tous les emplois scripturaires de *uirtus* qu'on relève
chez Tertullien correspondent à ce sens. Cf. R. BRAUN₄, *Deus christianorum*, p. 106-109.

20 deberet intrare sed suam uirtutem mittere, qua puer fugata
    morte reuiuiscere potuisset. 4. Non fortitudo centurionis,
    non sapientia laudata est sed fides : *Et curatus est puer in illa*
    hora ^i. Certe dantis est, non accipientis ! Multa sunt huius-
    modi in euangelio de fide perfecta sed uel tria complenda
25 sunt fidei testimonia. Quid uobis uidetur et illa mulier quae
    de secreto causae feminarum cum per annos duodecim labo-
    raret ^j et omnem substantiam suam in medicos erogasset,
    cum uideret a filio Dei tantas celebrari uirtutes, processit in
    turbam. 5. Videt medicum, uidet et populum. Cogebat
30 illam dolor ut medicinam peteret, pudor impediebat ne cau-
    sam suam coram masculis indicaret. Inuenit consilium tacita
    fides : *Mittam*, inquit, *manum meam et tangam fimbriam*
    uestimenti huius et sana fiam ^k. Nemine uidente inter turbas
    manum misit, tetigit et sanata est. Nec ausa et indicare quod
35 ausa non fuerat petere. 6. Sed ne fructus fidei apud igno-
    rantes latere uideretur sic saluator ait : *Quis me tetigit ?*
    Mirati sunt discipuli eius dicentes : *Turbae te comprimunt,*
    tu dicis : quis me tetigit ? Et Christus : *Quis me, inquam,*
    tetigit ? Sensi a me exisse uirtutem ^l. Sic mulier confessa est
40 se tetigisse et sanam esse. 7. Iamdudum pro filia mater
    petiit, pro puero centurio postulauit ; hoc loco nec mulier
    petiit, nec Christus promisit, sed fides quantum praesump-
    sit exegit. Certe dantis est, non accipientis !

---

20 uirtutem suam G ‖ mittere : -eret G ‖ 21 potuisset : + et RBV ‖ cen-
turionis : + et RBV ‖ 27 substantiam : -tanctiam G ‖ 30 peteret : + sed G
‖ pudor : -dore V ‖ 32 et : *om.* G ‖ 33 huius : eius G ‖ sana fiam : sanabor
G ‖ fiam : fiet V ‖ 34 tetigit : *om.* RBV ‖ ausa : causa G^{ac} B ‖ 35 sed ne :
sine V ‖ 38 inquam : inquit G ‖ 39 sensi : sentio + enim G ‖ 40 se : sic B
‖ sanam : sanatam G ‖ 41 et 42 petiit : -tit G ‖ 42 sed : *om.* G ‖ fides : +
tantum G ‖ quantum : + sibi G ‖ 43 exegit : exigit G

---

i. Matth. 8, 13   j. Cf. Matth. 9, 20-22 ; Mc 5, 25-34   k. Matth. 9, 21 ;
Mc 5, 28   l. Mc 5, 30-31

---

1. Le lien étroit qu'Optat établit entre la foi et le baptême est conforme
à l'enseignement traditionnel de l'Église : « Celui qui croira et sera baptisé,

celui-ci, une fois la mort chassée, le serviteur pourrait retrouver la vie. 4. Ce n'est pas le courage du centurion ni sa sagesse qui furent loués, mais sa foi : « Et le serviteur fut guéri sur l'heure [i]. » Assurément, cela dépend de celui qui donne, non de celui qui reçoit ! Nombreux sont les exemples de ce genre qui, dans l'Évangile, prouvent l'excellence de la foi, mais il faut apporter au moins trois témoignages de foi. Que pensez-vous encore de cette femme qui depuis douze ans souffrait en secret d'un mal particulier aux femmes [j] et qui avait dépensé toute sa fortune chez les médecins ? Voyant que le Fils de Dieu réalisait tant de miracles, elle s'avança dans la foule. 5. Elle voit le médecin, elle voit aussi le peuple. La douleur la poussait à demander la guérison ; la honte l'empêchait de parler de son mal devant des hommes. La foi lui inspira cette pensée secrète : « Que j'avance la main, se dit-elle, et que je touche la frange de son manteau et je serai sauvée [k]. » Sans qu'on la vît, elle avança la main au milieu de la foule, toucha le manteau et fut guérie ; et elle n'osa pas révéler une guérison qu'elle n'avait pas osé demander. 6. Mais, afin que le fruit de la foi ne demeurât pas caché et inconnu des hommes, le Sauveur dit : « Qui m'a touché ? » Ses disciples, étonnés, lui dirent : « La foule te presse et tu demandes : Qui m'a touché ? », et le Christ : « Qui m'a touché ? dis-je, j'ai senti qu'une force était sortie de moi [l]. » Alors la femme avoua qu'elle l'avait touché et qu'elle était guérie. 7. Dans les exemples précédents, la mère a demandé pour sa fille, le centurion a imploré pour son serviteur ; ici, la femme n'a pas demandé la guérison et le Christ ne l'a pas promise, mais c'est grâce à la foi que cette femme a obtenu tout ce qu'elle avait espéré. Assurément, cela dépend de celui qui donne, non de celui qui reçoit [1] !

dit le Christ aux Apôtres, celui-là sera sauvé » (*Mc* 16, 16). Sur le baptême et la foi, cf. l'Introduction, t. 1, p. 96-100.

9. 1. Nam quod ad amplificandos tractatus tuos, frater
Parmeniane, Naaman Syrum [m] quasi immaturam quandam
durissimorum nascentium uulnerum massam diu describere
uoluisti. Quid hoc ad praesentem pertinet causam ? Bene
5   hoc diceres et longa oratione recte uti potuisses si inuenires
aliquem catechumenum scabrosissimis moribus qui gereret
durissimam mentem, qui lenissimam gratiam aquae saluta-
ris accipere detrectaret. **2.** Bene hominis innouationem
uerbis a te dictis ostenderes, bene ueternosam naturalem
10 duritiam in infantilem carnem immutari ac molliri posse
monstrares. In hoc uero negotio, quod inter partes tempore
praesenti tractatur, ut quid a te talis commemorata est lectio ? In qua non legitur aliquis illum leprosum ante dictum
uel iussionem Helisaei lauisse ut merito denuo melius laua-
15 retur ! Quod et si fieret nec sic uobis occurreret quod recte
imitari possetis. **3.** Non enim legitur ille prius lauisse in
fluminibus Syriae aut ab aliquo lotus esse et nihil profecisse.
Nam et si hoc legeretur non ad Helisaei laudem, qui non
lauit sed consilium dedit, sed ad Iordanis gloriam pertine-
20 ret, illi homini in eo flumine primitiuam gratiam prouenisse,
in quo postea sub Iohanne per confessionem in paenitentia
populorum peccata fuerant moritura.

9, 1 ad : *om.* G ‖ amplificandos : applicandos G ‖ 2 Naaman : Naman
G B ‖ immaturam : -turum RBV ‖ quandam : -do B ‖ 4 ad : *om.* RBV ‖
pertinet : + ad R[pc]B ‖ 5 diceres : -re RBV ‖ et : sed RBV ‖ si : ut RBV ‖ 6
catechumenum : caticuminum *codd.* ‖ scabrosissimis : scabrosissi V   sca-
brosis G ‖ 7 aquae : *om.* RBV ‖ 8 detrectaret : detractaret R[ac]V ‖ innouationem : nouationem RBV ‖ 9 a te : ante V ‖ ueternosam : ueterosam B ‖
10 in : *om.* RBV ‖ infantilem : -ile RBV ‖ carnem : -ne RBV ‖ 11 uero :
uerbo RBV ‖ partes : -te V   + est RBV ‖ 13 aliquis : -quem G ‖ leprosum :
+ syrum RBV z ‖ 14 iussionem : -ne RBV z ‖ Helisaei : Helisei G RV
Helisey B ‖ ut : et RBV ‖ denuo : *om.* G ‖ 15 sic : si B ‖ 15 quod [2] : quot
V ‖ 17 lotus : -tum G ‖ esse : esset RBV ‖ 18 ad : + ipsius G ‖ 19 gloriam :
gratiam G ‖ pertineret : -nere G ‖ 21 per : *om.* G ‖ confessionem : professione G ‖ in : *om.* G ‖ paenitentia : penitentie G   paenitentiam V z ‖ 22
populorum : -li G

m. Cf. IV Rois 5, 1-14

IV. Dernières réfutations

1. Naaman le Syrien

9. 1. Pour allonger ton traité, frère Parménien, tu as voulu décrire longuement Naaman le Syrien [m] comme un amas de chancres indurés qui se forment et qui n'ont pas encore mûri. En quoi cela concerne-t-il notre affaire ? Tu en parlerais avec raison et tu aurais pu faire à juste titre un long discours sur ce sujet si tu trouvais un catéchumène aux mœurs très corrompues, qui eût un esprit très endurci et qui refusât de recevoir la grâce très lénifiante de l'eau salvatrice. **2.** Tu montrerais avec raison, par tes discours, le renouveau de l'homme, tu révélerais avec raison qu'une vieille peau racornie peut se transformer et retrouver la douceur d'une peau d'enfant [1]. Mais dans l'affaire qui est aujourd'hui débattue entre nos partis, pourquoi as-tu rappelé un tel texte ? On ne lit pas dans ce passage que quelqu'un ait lavé ce lépreux avant qu'Élisée en eût formulé l'invitation ou l'ordre, de sorte qu'il serait, à juste titre, mieux lavé une seconde fois ! Et même si cela était, il n'y aurait aucune raison pour que vous puissiez à bon droit imiter cet acte. **3.** En effet, on ne lit pas qu'il se soit d'abord lavé dans les fleuves de Syrie, ni que quelqu'un l'ait lavé sans qu'il en tirât profit. Et même si on lisait cela, ce n'est pas pour l'honneur d'Élisée, qui n'a pas lavé mais qui a seulement donné un conseil, mais pour la gloire du Jourdain qu'il importerait que cet homme eût reçu pour la première fois la grâce dans ce fleuve où, par la suite, au temps de Jean, les péchés des peuples devaient être effacés par la confession dans la pénitence !

---

1. Cf. *IV Rois* 5, 14 : « Il descendit donc et se plongea sept fois dans le Jourdain, selon la parole d'Élisée ; sa chair redevint nette comme la chair d'un petit enfant. » Sur l'interprétation baptismale de l'épisode de Naaman chez les Pères de l'Église, cf. J. DANIÉLOU[4], *Bible et Liturgie*, p. 151-155.

10. 1. Postremo qualis est illa pars tractatus tui de caelestibus nuptiis, ubi spem amputans futurorum totum in
praesenti tempore posuisti dicendo a societate uestra proiec-
tum esse eum qui ianitores et ministros fefellerit uestros ut
5 a communione fidelium foras cum iniuria mitteretur ? 2. Si
ita est, nihil est quod speret fides, nihil quod resurrectio
repraesentet, nihil quod in caelis amplius expectetur, nihil
quod rex ille caelestis et pater familias Deus in suo conuiuio
agnoscat, cum praesentia multorum gaudeat et de aliquorum
10 absentia contristetur, et multos dicat uocatos, paucos uero
electos [n]. 3. Nihil erit quod irascatur uestem nuptialem
non habenti [o] cum filius Dei ipse Christus sit sponsus et uestis et tunica natans in aqua, quae multos uestiat et infinitos
expectet nec uestiendo deficiat. Sed ne quis dicat temere a
15 me filium Dei uestem esse dictum, legat apostolum dicentem : *Quotquot in nomine Christi baptizati estis, Christum
induistis* [p]. 4. O tunica semper una et immutabilis, quae
decenter uestiat et omnes aetates et formas nec in infantibus
rugat nec in iuuenibus tenditur nec in feminis immutatur !
20 Aderit profecto ille dies ut caelestes nuptiae incipiant cele-
brari ! Illic qui baptisma singulare seruauerint securi dis-
cumbent. Nam quicumque a uobis se rebaptizari consenserit, huiusmodi homini non denegatur resurrectio, quia
credidit in resurrectionem carnis. 5. Resurget quidem, sed

10, 1 est : + et G ‖ 4 uestros : -trum RBV ‖ 6 nihil [1] : non RBV ‖
quod [2] : quot V ‖ 7 nihil [1] : *om.* RBV ‖ 8 ille rex G ‖ caelestis : *om.* RBV ‖
9 cum : + ad G ‖ praesentia : presentiam G ‖ 10 et : ut G ‖ uocatos : + et
RBV ‖ uero : *om.* RBV ‖ 11 irascatur : -scat V ‖ 14 quis : qui G ‖ temere :
themere V ‖ 16 Christum : + uos G ‖ 17 induistis : uestistis G ‖ immutabilis : innumerabilis RBV ‖ 19 rugat *codd.* : rugatur z ‖ 22 se : *om.* RB ‖
rebaptizari : baptizari V ‖ consenserit : -serunt RBV ‖ 23 homini : *om.* B ‖
24 resurrectionem : -ne G ‖ resurget : -git RBV

n. Cf. Matth. 22, 2-14   o. Cf. Matth. 22, 11-13   p. Gal. 3, 27

1. Sur le symbolisme de la tunique, cf. J. DANIÉLOU, *Bible et Liturgie*,
p. 69-75.

2. Les noces célestes

10. 1. Enfin, quelle est donc cette partie de ton traité qui concerne les noces célestes, où, supprimant l'espérance du monde à venir, tu as tout rapporté à notre époque et tu as affirmé que celui qui a trompé vos portiers et vos servants a été exclu de votre communauté et qu'il a été rejeté avec violence de la communion des fidèles ? 2. S'il en est ainsi, il n'y a aucune raison d'espérer pour la foi, il n'y a aucune raison pour que la résurrection ait lieu, il n'y a aucune raison d'attendre davantage des cieux, il n'y a aucune raison pour que ce roi céleste et ce père de famille, Dieu, reconnaisse des hommes à son festin, quand il se réjouit de la présence de la multitude, qu'il s'afflige de l'absence de certains et qu'il dit que beaucoup sont appelés mais que peu sont élus [n]. 3. Il n'y aura aucune raison pour qu'il se mette en colère contre celui qui n'est pas revêtu du vêtement nuptial [o], alors que c'est le Fils de Dieu lui-même, le Christ, qui est l'époux, le vêtement et la tunique contenue dans l'eau du baptême, qui revêt la multitude, qui attend un nombre infini d'hommes et qui ne cesse de revêtir les hommes. Mais qu'on ne vienne pas me dire que je parle à la légère quand je dis que le Fils de Dieu est un vêtement. Qu'on lise les paroles de l'Apôtre : « Vous tous qui avez été baptisés au nom du Christ, vous avez revêtu le Christ [p] ! » 4. O tunique toujours une et immuable qui habille comme il convient les hommes de tout âge et de toute taille, qui ne fait pas de plis sur les enfants, qui n'est pas tendue sur les jeunes gens, qui ne change pas de forme sur les femmes [1] ! Oui, le jour viendra où l'on commencera à célébrer les noces célestes ! Ce jour-là, ceux qui auront conservé l'unique baptême se mettront tranquillement à table. Quant à celui qui a consenti à être rebaptisé par vous, la résurrection n'est pas refusée à un tel homme, car il a cru à la résurrection de la chair. 5. Certes, il ressuscitera, mais tout nu ! Mais puisqu'il a

25 nudus ! Sed quia nuptiali ueste a uobis se expoliari permisit,
hanc patris familias auditurus est uocem : Amice – hoc est
dicere : agnosco te – aliquando renuntiaueras diabolo et ad
me conuersus fueras et dederam tibi uestem nuptialem.
Vt quid sic uenisti non habens quod tibi dedi ? – hoc est
30 dicere : quare non habes quod tibi dedi ? – nemo enim potest
irasci non habenti rem quae data non sit ! 6. Vestem nuptialem inter istos acceperas et solus non habes ? Quare nudus
et lugubris uenisti ? Quis tibi detraxit spolia ? Quas fraudu-
lentas adisti fauces ? Quos incurristi latrones ? Quotquot
35 tales uenturi sunt, locum in illo conuiuio non habebunt q.

11. 1. Et ut uel sero compendium faciam, credo etiam
hoc sufficere, etsi tot probationes minime diceremus ! Vobis
absentibus uerbo tenus baptizati sunt mille, ex his sorte sua
defuncti sunt centum. Abstinete paulisper ab hoc scelere
5 manus. Sanctitas ut dicitis uestra primo resuscitet sepultos,
emendet si potest mortuos et sic reuertatur ad uiuos. **2.** Si
mortuos suscitare non potestis, ut quid uiuentibus conamini
manus inferre, nisi ut compleatur quod per Ezechielem prophetam de uobis locutus est Deus dicens : Vt *occiderent ani-*
10 *mas quas non oportuit mori* r !

25 sed : et G ‖ expoliari : spoliari G ‖ 27 agnosco : -sce V ‖ te : + cum
RBV ‖ diabolo : dyabolo BV ‖ 29 ut quid — dedi : *om.* RBV ‖ 31 potest :
-terit G ‖ 32 istos : filios B ‖ acceperas : -eris V ‖ 33 spolia : + uel G ‖ 35
sunt : + hoc exemplo G ‖ 36 habebunt : + amen V
   11, 1-10 Et ut uel sero — mori : *om.* RBV ‖ 6 sic *scripsi cum* z : si G ‖
Explicit Liber Quintus G   EXPLICIT LIBER QUINTUS RV   Explicit
liber qntus B

q. Cf. Matth. 22, 11-14 ; Lc 14, 24   r. Éz. 13, 19

1. Nous voyons comment le rite du baptême a pu être rattaché au thème
nuptial. Deux paraboles évangéliques développent le thème des noces
eschatologiques : celle des invités au festin nuptial (*Matth.* 22, 1-14) et celle
des dix vierges (*Matth.* 25, 1-13). La tradition chrétienne a mis ces deux
paraboles en relation avec le rite du baptême. Optat s'inscrit dans cette tradition lorsqu'il montre que le « vêtement nuptial » représente la tunique du

accepté que vous le dépouilliez de son vêtement nuptial, il entendra cette parole du père de famille : « Mon ami » — ce qui signifie : « je te reconnais » —, « un jour, tu avais renoncé au diable et tu t'étais converti à moi, et je t'avais donné le vêtement nuptial. Pourquoi es-tu venu ainsi, dépourvu de ce que je t'ai donné ? » — c'est-à-dire : « pourquoi n'as-tu pas ce que je t'ai donné ? », car personne ne peut s'irriter contre un homme qui n'a pas ce qu'on ne lui a pas donné ! 6. « Tu avais reçu le vêtement nuptial, avec ces hommes, et toi seul tu ne le portes pas ! Pourquoi es-tu venu, triste dans ta nudité ? Qui t'a dépouillé [1] ? Dans quel coupe-gorge es-tu allé ? Quels brigands as-tu rencontrés ? » Tous ceux qui viendront ainsi n'auront pas de place à ce festin [q].

11. 1. Mais je dois abréger, même tard, mon discours, et je crois aussi que cela suffit ; pourtant, parmi tant de preuves, nous n'en avons exposé qu'un petit nombre ! Supposons ceci : en votre absence, un millier d'hommes ont été baptisés, cent d'entre eux sont morts conformément à leur destin. Abstenez-vous quelque temps de commettre vos crimes. Que votre sainteté, comme vous le dites, ressuscite d'abord ceux qui sont ensevelis, qu'elle redresse, si elle le peut, les morts et qu'ensuite elle retourne vers les vivants. 2. Si vous ne pouvez pas ressusciter les morts, pourquoi vous efforcez-vous d'imposer les mains aux vivants, si ce n'est pour accomplir ce que Dieu a dit de vous par la bouche du prophète Ézéchiel : « Pour tuer des âmes qui ne devaient pas mourir [r] » !

baptême, symbole de la grâce du Christ qui couvre l'homme comme un vêtement. Ce symbolisme se rattache à l'exégèse du *Cantique des Cantiques,* que les Pères de l'Église considèrent comme une figure de l'union du Christ et de l'Église (cf. OPT., I, 10, 2-3). C'est aussi dans le *Cantique* qu'on rencontre le thème du dépouillement : « J'ai ôté ma tunique. Comment la remettrais-je ? » (*Cant.* 5, 3). Nous savons qu'après l'entrée dans le baptistère, le catéchumène était dépouillé de ses vêtements. Sur le symbolisme du dépouillement des vêtements et de la nudité baptismale, cf. J. DANIÉLOU[4], *Bible et Liturgie,* p. 53-57 et 264-265.

LIBER SEXTVS

1. 1. Vt mihi uidetur, liquido demonstratum est in diuinis sacramentis quid nefarie feceritis. Iam illa ostendenda
sunt quae crudeliter ac stulte uos fecisse negare minime
poteritis. Quid enim tam sacrilegum quam altaria Dei, in
5 quibus et uos aliquando obtulistis, frangere, radere,
remouere, in quibus et uota populi et membra Christi por-
tata sunt, quo Deus omnipotens inuocatus sit, quo postula-
tus descenderit spiritus sanctus, unde a multis et pignus
salutis aeternae et tutela fidei et spes resurrectionis accepta
10 est, altaria, inquam, in quibus fraternitatis munera non iussit saluator imponi nisi quae essent de pace condita ?
2. *Depone*, inquit, *munus tuum ante altare et redi prius,
concorda cum fratre tuo ut possit pro te sacerdos offerre* [a].
Quid est enim altare nisi sedes et corporis et sanguinis

CG RBV z

Titulus : Incipit Liber Sextus G   INCIPIT LIBER SEXTVS RV
Incipit lib sextus B

1, 1 ut mihi uidetur : indubitanter RBV ‖ 3 stulte : -tae R ‖ 4 enim :
om. G + in V ‖ sacrilegum : + admissum G ‖ 5 radere : + et G ‖ 6 remouere :
+ ausi estis G ‖ et [1] : *om.* RBV ‖ 7 sit : sin ‖ B ‖ quo [2] : qui R[ac]V *om.* B ‖
8 descenderit : -dit RBV ‖ et : *om.* RBV ‖ 10 in : *om.* RB ‖ 11 imponi : poni
RBV ‖ quae : qui RBV ‖ 12 depone : repone G ‖ inquit : inquid V ‖ 14
et [1] : *om.* G

a. Matth. 5, 24

1. Le texte de la Vulgate (*Matth.* 5, 24) est : *Relinque ibi munus tuum
ante altare et uade prius reconciliari fratri tuo et tunc ueniens offers munus
tuum* (« Laisse là ton offrande devant l'autel et va d'abord te réconcilier
avec ton frère, puis reviens et alors présente ton offrande »). En modifiant
la dernière partie de cette citation, Optat a sans doute voulu insister sur le

LIVRE VI

I. Actes sacrilèges des donatistes

Les autels de Dieu

1. 1. A mon avis, j'ai mis en évidence votre attitude impie à l'égard des sacrements divins. Il me faut parler à présent des actes cruels et insensés que vous avez commis, vous ne pourrez le nier. Qu'y a-t-il, en effet, d'aussi sacrilège que de briser, raser, déplacer les autels de Dieu, sur lesquels vous avez vous-mêmes un jour offert le sacrifice, sur lesquels on a porté les prières du peuple et le corps du Christ, où le Dieu tout-puissant a été invoqué, où l'Esprit-Saint est descendu à notre prière, où tant d'hommes ont reçu le gage du salut éternel, la protection de la foi et l'espérance de la résurrection, des autels, dis-je, sur lesquels le Sauveur a ordonné aux frères de ne pas déposer d'autres offrandes que celles qui auraient été présentées dans la paix ? 2. « Laisse ton offrande devant l'autel, dit-il, et retourne d'abord te réconcilier avec ton frère, afin que le prêtre puisse offrir le sacrifice en ton nom [a]. » Qu'est-ce, en effet, qu'un autel, sinon la demeure du corps et du sang du Christ [1] ? Mais, dans votre fureur,

---

rôle du célébrant (*sacerdos*) dans l'action liturgique. Dans la liturgie des premiers siècles, les fidèles se déplaçaient en procession pour apporter eux-mêmes le pain et le vin au moment de l'action eucharistique (cf. Avg., *Enn. in Ps.*, 129, 7 : « De même que le prêtre reçoit de toi ce qu'il offre pour toi, ainsi notre Prêtre a reçu de nous ce qu'il offre pour nous : la chair, dans laquelle il a été fait sacrifice »). ~ Optat montre bien ici le lien traditionnel qui existait entre l'offrande des fidèles et la consécration. Cf. A.-G. Martimort[4], *L'Église en prière*, p. 362-369.

15 Christi ? Haec omnia furor uester aut rasit aut fregit aut
remouit. Hoc igitur inexpiabile nefas, si de aliqua ratione
descendit, uno modo fieri debuit. 3. Sed ut aestimo alio
loco copia lignorum frangi iussit ; aliis uero ut altaria rade-
rent lignorum inopia imperauit ; ut autem alii remouerent
20 ex parte uerecundia persuasit ; ubique tamen nefas est dum
tantae rei manus sacrilegas et impias intulistis. Quid perdi-
torum conductam referam multitudinem et uinum in mercedem sceleris datum ? Quod ut immundo ore sacrilegis
haustibus biberetur, calida de fragmentis altarium facta est.
25 4. Si liuoris iudicio nos uobis sordidi uidebamur, quid uobis
fecerat Deus qui illic inuocari consueuerat ? Quid uos offenderat Christus cuius illic per certa momenta corpus et sanguis habitabat ? Quid uos offendistis etiam uos ipsi, ut illa
altaria frangeretis in quibus ante nos per longa temporum
30 spatia sancte, ut arbitramini, obtulistis ? Dum impie perse-
quimini manus nostras illic, ubi corpus Christi habitabat,
feristis et uestras. 5. Hoc modo Iudaeos estis imitati : illi
iniecerunt Christo manus in cruce, a uobis percussus est in
altari. Si catholicos illic insectari uoluistis, uel uestris illic
35 antiquis oblationibus parceretis. Ibi modo superbus inuentus es, ubi iamdudum humilis offerebas ! Ibi libenter peccas,
ubi pro multorum peccatis orare consueueras ! Hoc

---

15 aut fregit aut rasit G ‖ 16 ratione : natione RBV ‖ 18-19 frangi —
inopia : *om.* RBV ‖ 18 aliis : alii G ‖ 19 autem alii : *om.* RBV ‖ 20 persuasit : iussit RBV ‖ 22 conductam : conuinctam B ‖ 23 quod : quot V ‖ ore :
opere RBV ‖ 24 altarium : -riorum G ‖ 26 inuocari : -are G ‖ 27 certa :
cetera RBV ‖ 28 quid : qui R^{ac}V ‖ offendistis : -ditis R^{ac}BV ‖ 30 persequi-
mini : sequimini V ‖ 34 altari : -are RBV ‖ insectari : -are G ‖ 35 superbus : -biis V ‖ 36 peccas : -cata G

---

1. Ces hommes de main pourraient bien être les circoncellions déjà men-
tionnés par Optat comme une « foule en folie » (III, 4, 4). Augustin évoque
très souvent les « troupes avinées des circoncellions ». Cf. *C. Parm.*, II, III, 6 ;
II, IX, 19 ; III, III, 18 : « ces bandes de festoyeurs ivres » ; *Epist. ad cath.*, XIX,
50 : « des bandes avinées de vagabonds » ; *C. Petil.*, I, XXIV, 26 : « les baccha-
nales de vos ivrognes » ; *C. Petil.*, II, XIV, 33 : « leurs bandes d'ivrognes ».

vous avez rasé, brisé ou déplacé tout cela. Et si vraiment
vous aviez quelque raison de commettre ce crime inexpiable,
vous auriez dû utiliser le même mode d'exécution. 3. Mais,
me semble-t-il, ici l'abondance de bois a imposé que l'autel
fût brisé ; ailleurs, le manque de bois a exigé qu'il fût rasé ;
ailleurs encore, on a préféré le déplacer, en partie par rete-
nue ; partout, cependant, c'est un crime qui a été commis,
puisque vous avez porté vos mains sacrilèges et impies sur
un objet d'une telle importance. A quoi bon rappeler la
foule d'égarés que l'on a soudoyée et le vin que l'on a distribué pour payer le crime [1] ? Pour permettre à des bouches
immondes d'avaler ces gorgées sacrilèges, on a fait chauffer
de l'eau avec les débris des autels. 4. Si la haine vous dictait de nous juger méprisables, que vous avait fait Dieu,
qu'on avait coutume d'invoquer là ? En quoi le Christ vous
avait-il offensés, lui dont le corps et le sang, à des moments
précis, étaient là présents ? En quoi vous étiez-vous offensés vous-mêmes, pour briser des autels où, pendant longtemps, avant nous, vous avez offert le sacrifice dans la sainteté, comme vous le pensez ? En vous attaquant d'une
manière impie aux vases que nos mains ont tenus [2] et qui
contenaient le corps du Christ, vous avez aussi frappé les
vôtres. 5. En cela, vous avez imité les juifs : ils ont porté
atteinte au Christ sur la croix, et vous, vous l'avez frappé
sur l'autel. Si c'est aux catholiques que vous avez voulu vous
attaquer là, vous auriez dû épargner du moins les offrandes
que vous aviez jadis présentées là. A présent, tu te montres
plein d'orgueil là où auparavant tu offrais le sacrifice avec
humilité ! Tu pèches délibérément là où tu avais coutume de
prier pour les péchés de la multitude ! En commettant ces

2. *Manus nostras :* emploi métonymique. Cf. VI, 2, 1 : *manus uestras ;*
VI, 3, 6 : *manus nostras... et uestras.* Cf. Avg., *C. Parm.*, III, iv, 20 ; *Is.* 52,
11 était invoqué par Parménien : « Séparez-vous, vous qui portez les vases
du Seigneur », « Separamini, qui fertis uasa Domini. »

faciendo in numerum sacrilegorum sacerdotum libenter
intrastis, sociati sceleribus profanorum de quibus apud
40 dominum Helias propheta querelam deponit. 6. His enim
locutus est uerbis quibus et uos inter alios ab ipso accusari
meruistis : *Domine*, inquit, *altaria tua confregerunt* [b]. Dum
dicit *tua* indicat quia res est Dei, ubi Deo aliquid a quocumque oblatum est. Sufficeret insaniae uestrae quod mem-
45 bra laniastis ecclesiae quod Dei populos iamdudum in unitate positos uestris seductionibus diuisistis. Inter haec omnia
uel altaribus parceretis. 7. Cur uota et desideria hominum
cum ipsis altaribus confregistis ? Illinc enim ad aures Dei
ascendere populi solebat oratio. Cur concidistis precibus
50 uiam ? Et ne ad Deum supplicatio de more solito ascensum
haberet, impia manu quodammodo scalam subducere labo-
rastis ? Et tamen cum omnium uestrum una sit coniuratio
in hoc titulo simili errore dissimiliter deliquistis. 8. Si suffecerat remouere, non licuit frangere. Si oportuit frangere,
55 rasisse peccatum est. Si enim non licuit sicut inter uos placuit recte uidetur fregisse qui fregit. Iam reus est qui maiorem partem radendo seruauit ! Quae est ista noua et stulta
sapientia nouitatem quaerere in uisceribus uetustatis et
remota quasi quadam corporis cute in latenti corpore cutem
60 quasi alteram quaerere ! 9. Donum quod ad se pertinet et

39 sociati : societati RB + estis G ‖ 40 dominum : deum + ab G ‖ Helias :
Helyas B Elias V Helia G ‖ querelam : -la GV ‖ deponit : -net R[ac]V -
nitur G ‖ his : is G hiis V ‖ 41 accusari : -are R[ac]V ‖ 43 Dei est G ‖ 46
haec : *om.* B ‖ 47 parceretis : -eritis V ‖ 48 illinc : illic R[ac]BV illuc G ‖ enim :
om. RBV ‖ 49 solebat populi G ‖ 51 haberet : -beat G ‖ scalam : -las G -
la V ‖ 53 deliquistis : delinquistis G R[ac]V ‖ suffecerat : -ferat R[ac]V -ficerat
B ‖ 54 si oportuit : *his uerbis incipit* C ‖ 55 licuit : licut G ‖ uos : *om.* RBV
‖ 56 fregisse : fecisse CG ‖ fregit : -gerit RBV ‖ maiorem : + maiorem B ‖
57 seruauit : -uabit R[ac]V -uabunt R[pc]B ‖ 59 cute : -tem C[ac] V ‖ 60 alteram :
ad lateram B ‖ donum : dono C[ac] donec RBV ‖ ad : + de R[ac]

b. III Rois 19, 10

1. Optat fait sans doute allusion ici à l'échelle de Jacob (cf. *Gen.* 28, 10).
Dans la tradition ancienne, les anges de la vision de Jacob, montant et des-

actes, vous vous êtes mis délibérément au nombre des
prêtres sacrilèges, vous faisant les complices des crimes des
profanes, dont le prophète Élie se plaint auprès du
Seigneur. 6. En effet, il a prononcé ces paroles, par lesquelles vous avez mérité d'être accusés par lui, vous aussi,
parmi d'autres : « Seigneur, dit-il, ils ont brisé tes autels [b]. »
Lorsqu'il dit « tes autels », il indique que le lieu où quiconque a offert un sacrifice à Dieu appartient à Dieu. Il
aurait dû suffire à votre folie d'avoir déchiré les membres de
l'Église, d'avoir divisé, par vos actes de séduction, les
peuples de Dieu qui, auparavant, vivaient dans l'unité. Dans
tout cela, vous auriez dû épargner du moins les autels.
7. Pourquoi avez-vous brisé, avec les autels mêmes, les
vœux et les désirs des hommes ? De là, en effet, montait
d'ordinaire jusqu'aux oreilles de Dieu la prière du peuple.
Pourquoi avez-vous coupé la route aux prières ? Et, pour
empêcher la supplication de monter comme de coutume
vers Dieu, pourquoi vous êtes-vous efforcés de lui retirer en
quelque sorte l'échelle [1], d'une main impie ? Et pourtant,
bien que vous soyez tous associés dans une même conspi-
ration, vous avez commis à ce titre une même faute mais par
des moyens différents. 8. S'il suffisait de déplacer les
autels, on n'aurait pas dû les briser ; s'il fallait les briser, c'est
une erreur de les avoir rasés. Si, en effet, il était interdit de
les raser, comme vous en êtes convenus, celui qui les a bri-
sés a eu raison de le faire. Il est donc coupable celui qui, en
rasant l'autel, en a conservé la plus grande partie ! Quelle
est donc cette sagesse nouvelle et folle qui consiste à rechercher le renouveau au cœur de la décrépitude et à enlever en
quelque sorte la peau d'un corps pour chercher comme une
autre peau à l'intérieur de ce corps ! 9. Parce que l'offrande

cendant l'échelle qui touche au ciel, représentent les diacres, qui vont et
viennent du célébrant au peuple, suggérant aux fidèles des intentions de
prière. Cf. A.-G. Martimort[4], *L'Église en prière*, p. 98.

in se totum est, quod unum est, inde cum aliquid fuerit ablatum minui potest, non potest immutari. Rasisti equidem
quod tibi uisum est, sed adhuc ibi est quod odisti. Quid ?
Quodsi sic coniurastis ut quae a nobis in nomine Dei in ipso
65 ministerio tacta sunt immunda uiderentur ? Quis fidelium
nescit in peragendis mysteriis ipsa ligna linteamine cooperiri ? Inter ipsa sacramenta uelamen potuit tangi, non
lignum. 10. Aut si tactu possunt penetrari uelamina, ergo
penetrantur et ligna ; si penetrari possunt ligna, penetratur
70 et terra. Si a uobis lignum raditur, et terra quae subter est
fodiatur. Altam facite scrobem dum pro uestro arbitrio
quaeritis puritatem ! Sed obseruate ne ueniatis ad inferos et
illic inueniatis Core, Dathan et Abiron [c] schismaticos,
magistros scilicet uestros ! 11. Ergo et fregisse uos et
75 rasisse constat altaria. Quid est quod in hac re subinde uester quasi languere uisus est furor ? Videmus enim uos postea mutasse consilium et altaria a uobis iam non frangi nec
radi sed tantummodo remoueri. Si hoc sufficiebat illa quae
prius a uobis facta sunt et uos indicatis quia fieri minime
80 debuerunt.

2. 1. Hoc tamen immane facinus a uobis geminatum est
dum fregistis etiam calices, Christi sanguinis portatores,

61 inde : unde RBV ‖ 62 non potest immutari : mutari non potest RBV
‖ 63 ibi : ubi V ‖ quod : + hoc RB ‖ 64 si : *om.* CG ‖ 65 ministerio : mynis-
terio B ‖ 66 linteamine : -theamine B ‖ cooperiri : coperiri R[ac]V ‖ 67 tangi
potuit CG ‖ 68 penetrari : -are C[ac] ‖ 70 raditur : traditur V ‖ 71 scrobem :
-brem B ‖ 72 quaeritis : -rita B[ac] ‖ 73 inueniatis : -nietis RB ‖ Dathan Chore
CG ‖ Core : Coreb V   Choreb RB ‖ Abiron : Abyron G BV ‖ 75 subinde :
subito RBV ‖ 76 uidemus : -dimus RB ‖ 77 iam : *om.* CG ‖ nec : *om.* RBV
‖ 78 sed radi RBV ‖ tantummodo : + aut RBV ‖ quae : qui B ‖ 79 a uobis :
om. RBV ‖ uos : his RB   hiis V ‖ 80 debuerunt : + a uobis RBV
     2, 1 tamen : tam CG ‖ a uobis : *om.* RBV ‖ 2 portatores : portitores RB

c. Cf. Nombr. 16, 1-33

existe par elle-même, parce qu'elle est tout entière en elle-même, parce qu'elle est une, tout retranchement peut la diminuer, il ne peut la modifier. Certes, tu as rasé ce qu'il t'a paru bon, mais il est encore là l'objet de ta haine ! Qu'est-ce à dire ? Vous avez conspiré pour faire paraître impur tout ce que nous avons touché au nom de Dieu, dans l'exercice de notre ministère. Quel fidèle ignore que, pendant les saints mystères, le bois de l'autel est recouvert d'un linge ? Au cours de la cérémonie, on a pu toucher le voile, non le bois. 10. Et si les voiles sont perméables au toucher, alors le bois est perméable aussi ; si le bois est perméable, la terre l'est aussi. Si vous rasez le bois, il vous faut aussi creuser la terre qui est au-dessous ! Faites un trou profond pour y chercher, comme vous le croyez, la pureté ! Mais prenez garde de ne pas arriver aux Enfers et de ne pas retrouver là les schismatiques Coré, Datân et Abiram ᶜ, c'est-à-dire vos maîtres [1] ! 11. Il est donc établi que vous avez brisé et rasé les autels. Mais pourquoi, dans cette affaire, a-t-on assisté, immédiatement après, comme à un affaiblissement de votre fureur ? Nous constatons en effet que vous avez, par la suite, changé d'avis, et que vous n'avez plus brisé ni rasé les autels mais que vous les avez seulement déplacés. Si cela suffisait, reconnaissez vous-mêmes que les actes que vous avez accomplis auparavant n'auraient pas dû être commis.

Les calices **2.** 1. Pourtant, ce crime monstrueux, vous l'avez multiplié par deux en brisant aussi les calices [2] qui contenaient le sang du Christ, et vous en avez

---

1. Cf. Opt., I, 21, 2.

2. Le mot *calix* désigne dans la Vulgate la coupe à boire, image de la Passion du Christ (cf. *Matth*. 20, 22-23 ; *Mc* 10, 38). Cf. *Matth*. 26, 27-28 : « Puis prenant une coupe (*calicem*), il rendit grâces et la leur donna en disant : Buvez en tous car ceci est mon sang. » Cf. Cypr., *Ep*., LXIII, IX, 2-3 : « Nous voyons que la coupe (*calicem*) que le Seigneur offrit était mêlée, et que ce qu'il appela sang était du vin. »

quorum species reuocastis in massas merces nefariis nundi-
nis procurantes. Ad quam mercem nec emptores eligere
5 uoluistis, sacrilegi, dum inconsiderate uendidistis, auari,
dum uenditis ! Passi estis etiam comburi manus uestras, quibus ante nos eosdem calices tractabatis. 2. Eam rem tamen
passim uendi iussistis ; emerunt forsitan in usus suos sordi-
dae mulieres, emerunt pagani facturi uasa in quibus incen-
10 derent idolis suis. O scelus nefarium, o facinus inauditum
auferre Deo quod idolis praestes, subducere Christo quod
proficiat sacrilegio !

3. 1. Sed uideo hoc uos loco inuidiam nobis falso
conflantes ad Aggaeum prophetam uelle confugere ubi
scriptum est : *Quae tetigerit pollutus, polluta sunt* [d]. Liuore
interueniente facile est iratis iactare conuicium ; sed semper
5 dum intenditur crimen, necessaria est manifesta probatio.
Quis enim nostrum intrauit templa ? Quis uidit sacra sacrilega ? Pollui homines possunt fumis, nidoribus, sacrilegiis,
sacrificiis, sanguine. 2. Sed in hac causa quis ingressus est
templum ? Quis incendit idolis ? Quis immundis nidoribus
10 maculatus est ? Quis sanguinem uel pecudis immundae uel
hominis fundi aspexit ? Quem probatis ad aliquod facinus
commodasse consilium ? In societate alicuius sceleris uel
unum episcopum conuincite, si potestis ! De nescio quo pri-

3 merces : -cedem RBV ‖ 4 procurantes : prouocantes RBV ‖ ad quam :
aquam R[ac]V ‖ mercem : *om.* RBV ‖ 5 sacrilegi : -gium + admisistis CG ‖
5-6 auari dum uenditis : *om.* RBV ‖ 7 eosdem : eodem V ‖ tractabatis : -
tatibus V ‖ 8 iussistis : -isti B ‖ 10 idolis : ydolis B [*sic et postea*] ‖ 11
praestes : -tet C   prestet G
3, 1 uos hoc loco CG ‖ 4 facile : facille G ‖ 5 manifesta : -tanda V ‖ 7
sacrilegiis : -gis R[ac]V -gos R[pc]B ‖ 8 sacrificiis : *om.* RBV ‖ hac : hoc R[ac]V
‖ ingressus : -sis CG ‖ 10 maculatus : -tum V ‖ quis : qui RBV ‖ sanguinem : -ne CG ‖ immundae : inmundi CG R[ac]V ‖ 11 ad : *om.* CG ‖ aliquod :
-quot B ‖ 12 societate : -tem CG ‖ 13 episcopum : epyscopum B ‖ 13-17
de nescio — uestras igitur : *om.* RBV ‖ 13 primate : -to C[ac]

d. Aggée 2, 14

rassemblé les morceaux en tas, fournissant des marchandises pour un marché impie. Vous n'avez même pas voulu choisir des acheteurs pour cette marchandise, sacrilèges, puisque vous avez vendu de façon inconsidérée ces objets, et cupides, puisque vous les vendez ! Vous avez même supporté de brûler les vases que vos mains ont tenus, puisque vous avez manié avant nous les mêmes calices. 2. Pourtant, vous avez ordonné la vente et la dispersion de ces objets ; peut-être des femmes méprisables les ont-elles achetés pour leur propre usage, peut-être des païens les ont-ils achetés pour en faire des vases dans lesquels ils pourront offrir de l'encens à leurs idoles. O crime monstrueux, ô forfait inouï que d'enlever à Dieu ce qu'on va offrir aux idoles, que de retirer au Christ ce qui va servir à un sacrifice païen !

II. Les catholiques ne sont pas des impurs

3. 1. Mais je constate que, excitant sans raison la haine contre nous, vous voulez avoir recours ici au prophète Aggée, chez qui il est écrit : « Ce que l'impur a touché est impur [d]. » Quand la jalousie s'en mêle, il est facile à des gens en colère de lancer des injures ; mais lorsqu'on porte une accusation, il faut toujours la fonder sur une preuve manifeste. Lequel d'entre nous, en effet, a fréquenté les temples ? Qui a assisté à des sacrifices sacrilèges ? Les hommes peuvent être souillés par les fumées, les vapeurs, les cérémonies païennes, les sacrifices, le sang. **2.** Mais dans cette affaire, qui a pénétré dans un temple ? Qui a offert de l'encens aux idoles ? Qui a été taché par des vapeurs immondes ? Qui a regardé répandre le sang d'un homme ou d'une bête immonde ? Qui pouvez-vous convaincre d'avoir été complice de quelque forfait ? Apportez la preuve, si vous le pouvez, qu'un seul évêque même a participé à un crime ! Vous

mate suspicamini qui eodem tempore ambulasse dicebatur.
15 3. Suscipio non est idoneum crimen. Quis eum accusauit ?
Quis eum conuicit ? Vbi uel erubuit uel confusus est ?
Seruate uobis suspiciones uestras. Igitur, sicuti supra diximus, in hac causa quicquid aspere fieri potuit dum illa res
in origine reuocatur ad principes uestros pertinere mons-
20 trauimus. Vnde est quod catholicos quasi pollutos appel-
las ? 4. An quia uoluntatem et iussionem Dei secuti sumus
amando pacem, communicando toto orbi terrarum, sociati
orientalibus, ubi secundum hominem suum natus est
Christus, ubi eius sancta sunt impressa uestigia, ubi ambu-
25 lauerunt adorandi pedes, ubi ab ipso filio Dei factae sunt tot
et tantae uirtutes, ubi eum sunt tot apostoli comitati, ubi est
septiformis ecclesia a qua uos concisos esse non solum non
doletis sed quodammodo gratulamini ? 5. Quia unitatem
Deo placitam amauimus, pollutos uocatis ! Quia Corinthiis,
30 Galatis, Thessalonicensibus adsensum adcommodauimus
communionemque coniunximus, pollutos uocatis ! Quia
furtiuas uobiscum non legimus lectiones, pollutos uocatis !
Aut negate uos alienas lectiones legere, si potestis. Vt quid
audetis epistulas ad Corinthios scriptas legere qui Corinthiis
35 communicare noluistis ? 6. Vt quid ad Galatas, ad

---

17 sicuti : sicut GV ‖ 19 origine : origene C[ac] ‖ reuocatur : uocatur RBV
‖ monstrauimus : -abimus RBV ‖ 22 sociati : -iari CG BV ‖ 25 filio Dei :
om. RBV ‖ tot et : tote V ‖ 26 ubi [1] : + cum CG ‖ tot : toti RBV + sunt
R ‖ 27 concisos : conciosos B ‖ 29 amauimus : habemus RBV ‖ uocatis :
uocas RBV [*sic et postea*] ‖ Corinthiis : -this R[ac]V -tis C[ac] ‖ 30 Galatis : -
this C[pc]RB Gallathis G ‖ Thessalonicensibus : Thesalonicensibus B
Tessalonicensibus C[ac]V ‖ adcommodauimus : -damus B ‖ 31 uocatis : + et
CG ‖ 32 uobiscum furtiuas CG ‖ pollutos uocatis : *om.* CG ‖ 33 uos : +
non CG ‖ 34 Corinthios : -theos V ‖ scriptas : -ta B ‖ Corinthiis : -this
R[ac]V ‖ 35 Galatas : -thas RB Gallatas G

---

1. Le mot *primas* (« primat ») n'est employé qu'une fois par Optat. Il
pourrait s'agir ici de l'évêque de Carthage Mensurius, que les donatistes
accusaient d'avoir livré les Écritures pendant la persécution de 303. Cf.
Avg., *Breu. coll.*, III, XIII, 25 ; Opt. I, 17, 1-2.

soupçonnez je ne sais quel primat [1] qui avait vécu, disait-on, à cette époque. 3. Le soupçon n'est pas un grief suffisant. Qui l'a accusé ? Qui l'a convaincu de crime ? Où a-t-il été couvert de honte ou de confusion ? Gardez pour vous vos soupçons. Car, comme nous l'avons dit plus haut, nous avons montré que, lorsqu'on remonte aux origines de cette affaire, la responsabilité de tous les actes de violence qui ont été commis incombe à vos premiers chefs [2]. D'où vient que tu parles des catholiques comme d'hommes impurs ? 4. Serait-ce parce que nous avons suivi la volonté et le commandement de Dieu, en aimant la paix, en étant en communion avec tout l'univers, unis à l'Orient, où le Christ est né quant à son humanité, où il a laissé les saintes empreintes de ses pas [3], où ses pieds adorables ont foulé le sol, où tant de miracles si grands ont été réalisés par le Fils de Dieu lui-même, où tant d'apôtres l'ont accompagné, où se trouve l'Église septuple [4] de laquelle vous vous êtes séparés non seulement sans douleur mais même avec une certaine satisfaction ? 5. Parce que nous avons aimé l'unité, qui plaît à Dieu, vous nous appelez impurs ! Parce que nous avons été en accord avec les Corinthiens, les Galates, les Thessaloniciens, et parce que nous avons formé avec eux une même communion, vous nous appelez impurs ! Parce que nous ne lisons pas avec vous des textes corrompus, vous nous appelez impurs ! Ou alors, dites que vous ne lisez pas des textes différents, si vous le pouvez ! Et comment osez-vous lire les épîtres adressées aux Corinthiens, alors que vous n'avez pas voulu être en communion avec les Corinthiens ? 6. Pourquoi faites-vous une lecture publi-

2. Cf. Opt., I, 13-28.

3. Cf. J. L. Feiertag, *Les Consultationes Zacchaei et Apollonii. Étude d'histoire et de sotériologie*, Fribourg 1990, p. 131 s. : « L'empreinte des pas du Christ au lieu de l'Ascension ».

4. Cf. Opt., II, 14, 3 ; IV, 3, 3 et l'Introduction, t. 1, p. 109.

Thessalonicenses scripta recitatis in quorum communione
non estis ? Cum haec omnia ita esse constet, intellegite uos
ab ecclesia sancta esse concisos et nos non esse pollutos. Vbi
est ergo quod tibi putas Aggaeum prophetam posse succur-
40 rere ? Igitur altaria et uasa supra memorata et in manibus
uestris iamdudum fuerant et in nostris. Si infamatis manus
nostras, quare illic damnatis et uestras ? 7. Sed dicitis lectum esse : *Quod tetigerit pollutus, pollutum est* [c]. Fac aliquem pollutum esse ut possint ab eo tacta uideri polluta.
45 Esto ! Si solus sit tactus et non interueniat inuocatio nominis Dei, quae et tetigerit pollutus, polluta sunt ; inquinari
possunt si de Deo taceatur. Nam si sit inuocatio nominis
Dei, ipsa inuocatio sanctificat et quod pollutum esse uidebatur. 8. Denique cum ducenta et quinquaginta turibula
50 quae sacrilegorum et peccatorum manibus portabantur, cum
eosdem peccatores absorberet terra, remanserunt de manibus eorum excussa turibula. Et dum dubitaret Aaron sanctus sacerdos quidnam de his faceret, audiuit uocem Dei
dicentis : *Tolle Aaron haec uasa et fac inde laminas et pone*
55 *in angulis arcae testamenti domini, quoniam licet illi pec-*
cauerint qui ea ferebant tamen uasa illa sancta sunt quia
nomen meum illic inuocatum est [f]. Dicit Deus. 9. Et utique
plus est portare quam tangere ! Ergo iam liquido apparet ex
inuocatione nominis Dei posse aliquid sanctificari, etiam si
60 peccator inuocet Deum. Non enim tantam uim potest

36 Thessalonicenses : Tessalonicenses C Thesalonicenses RB te salo-
nicenses V ‖ 37 constet : -tat CG ‖ 38 esse [1] : *om.* CG ‖ 40 altaria : + tua
RBV ‖ et uasa : *om.* RBV ‖ 41 iamdudum — si : *om.* RBV ‖ infamatis : -
tus R[ac]V -tas R[pc]B ‖ 42 damnatis : -astis CG ‖ 43 tetigerit : -git CG ‖ 44
tacta : tactu R[ac]V ‖ 45 esto : o RBV ‖ sit : *om.* RBV ‖ inuocatio : -to V ‖
46 quae : qua V ‖ et : *om.* CG ‖ tetigerit : -eritis R[ac]V ‖ sunt : erunt CG ‖
48 uidebatur : putabatur CG ‖ uidebatur esse B ‖ 49 et : *om.* CG ‖ 52
excussa : excusa BV ‖ turibula : turabula R[ac]V [*sic et postea*] ‖ dum : *om.*
RBV ‖ 53 his : hiis V ‖ 54 laminas : lamminas C ‖ 55 domini : *om.* RBV ‖
peccauerint : -erunt RBV ‖ 56 qui ea : quia B ‖ ferebant : + et B ‖ 57 illic :
illuc RBV ‖ Deus : dominus CG ‖ 58 liquido : aliquid R[ac]V

que des épîtres aux Galates, aux Thessaloniciens, alors que
vous n'appartenez pas à leur communion ? Puisqu'il est établi qu'il en est ainsi, comprenez que vous vous êtes séparés
de l'Église sainte et que nous ne sommes pas impurs. D'où
te vient donc la pensée que le prophète Aggée puisse t'être
de quelque secours ? Les autels et les vases que j'ai men-
tionnés plus haut, vos mains les ont touchés auparavant,
ainsi que les nôtres. Si vous dénigrez ce que nos mains ont
touché, pourquoi, ici, condamnez-vous aussi ce qu'ont touché les vôtres ? 7. Mais vous dites qu'on peut lire : « Ce
que l'impur a touché est impur [e]. » Supposons qu'un homme
soit impur et que ce qu'il touche puisse devenir impur. Soit !
S'il touche seulement et si le nom de Dieu n'est pas invoqué, alors ce que l'impur a touché devient impur ; la
souillure est possible, si on ne prononce pas le nom de Dieu.
Car si on invoque le nom de Dieu, cette invocation, à elle
seule, sanctifie même ce qui était impur. 8. Ainsi en est-il
des deux cent cinquante encensoirs que portaient dans leurs
mains des hommes sacrilèges et pécheurs ; tandis que la terre
engloutissait ces pécheurs, les encensoirs, arrachés de leurs
mains, demeurèrent [1]. Et comme le saint prêtre Aaron se
demandait ce qu'il devait en faire, il entendit la voix de Dieu
qui disait : « Aaron, prends ces vases, fais-en des plaques de
métal et place-les aux angles de l'arche qui contient le
Testament du Seigneur, puisque, malgré le péché de ceux qui
les portaient, ces vases sont saints, parce que mon nom a été
invoqué sur eux [f]. » Ainsi parle Dieu. 9. Et assurément, il
est plus grave de porter que de toucher ! Il apparaît donc
clairement, désormais, qu'un objet peut être sanctifié par
l'invocation du nom de Dieu, même si c'est un pécheur qui
invoque Dieu. Car le toucher ne peut avoir une force aussi

e. Aggée 2, 14   f. Nombr. 16, 37-38

1. Cf. Opt., I, 21, 4-7.

habere tactus, quantam habet diuini nominis inuocatio.
Nam et uos qui uobis de uestra sanctitate praesumitis, dicite
si tactus sanctificat aut inuocatio. Vtique inuocatio, non tactus, aut si de solo tactu praesumitis, tangite tabulam, lapi-
65 dem, uestem ; uideamus an sancta esse possint si de Deo
taceatur !

4. 1. Iam illud quam stultum, quam uanum est, quod ad
uoluntatem et quasi ad dignitatem uestram reuocare uoluistis ut uirgines Dei agere paenitentiam discerent, ut iamdudum professae signa uoluntatis capitibus postea uobis
5 iubentibus immutarent, ut mitellas alias proicerent et alias
accepissent. Primo dicite nobis ubi uobis de mitellis aliquid
mandatum est ! **2.** Virginitas enim uoluntatis res est, non
necessitatis. Denique stabularius ille Paulus apostolus cui
confossus peccatorum uulneribus populus commendatus
10 est, duos denarios quos erogasset acceperat [g], duo scilicet
testamenta. Haec per doctrinam quasi sumptus impendit,
docuit quomodo coniugales christiani debeant uiuere. De
quo cum quaereretur quid de uirginibus praeciperet,
respondit de uirginibus nihil esse mandatum [h].
15 **3.** Confessus est se duo testamenta, hoc est duos denarios
erogasse ; expliciti erant quodammodo sumptus. Sed quia
qui saucium commendauerat promiserat se rediturum

61 quantam : -tum B -ta V ‖ 63 si : *sup.l.* R *om.* V ‖ 65 possint : -sunt
V ‖ si : sed B

4, quam [1] : quod B ‖ 3 uirgines : uirgi B ‖ agere : -erent RBV ‖ discerent : -centes RBV ‖ 4 uobis : uero RBV ‖ 5 alias [1] : aureas RBV ‖ et : *om.*
RBV ‖ 6 dicite nobis : *om.* RBV ‖ aliquid de mitella RBV ‖ 8 non necessitatis : *om.* B ‖ 9 confossus : -fessus C[ac] ‖ peccatorum : -oribus + in B ‖
10 est : *om.* RBV ‖ erogasset : -gasse B ‖ 13 quo : + ipse CG ‖ 13-14 praeciperet — uirginibus : *om.* RBV ‖ 15 se : sed RBV ‖ 16 quia : *om.* CG ‖ 17
qui : + sanctum V

g. Cf. Lc 10, 35   h. I Cor. 7, 25

grande que l'invocation du nom divin. Et vous qui présumez de votre sainteté, dites-nous si c'est le toucher qui sanctifie ou l'invocation. Assurément, c'est l'invocation, non le toucher, ou alors, si vous présumez que c'est seulement le toucher, touchez une planche, une pierre, un vêtement ; voyons si ces objets peuvent être sanctifiés quand on ne prononce pas le nom de Dieu !

III. Les vierges consacrées

4. 1. Qu'il est donc sot, qu'il est vain d'avoir voulu faire dépendre de votre volonté et pour ainsi dire de votre dignité ce qui suit : les vierges de Dieu ont appris à faire pénitence ; depuis longtemps consacrées, elles ont dû, par la suite, sur votre ordre, changer sur leur tête le signe de leur engagement ; elles ont dû se débarrasser de leur voile pour en recevoir un autre [1]. Dites-nous d'abord où vous avez reçu quelque commandement concernant le voile ! **2.** La virginité, en effet, est le résultat d'un engagement, non d'une obligation. Ainsi, cet aubergiste, l'Apôtre Paul, à qui le peuple, accablé par les plaies de ses péchés, a été confié, avait reçu deux deniers à dépenser [g], c'est-à-dire deux instructions à transmettre. Il a dispensé un enseignement, comme on dépense une somme, et il a expliqué comment devaient vivre les époux chrétiens. Comme on lui demandait ce qu'il ordonnait au sujet des vierges, il répondit qu'au sujet des vierges il n'avait reçu aucune recommandation [h]. **3.** Il déclara qu'il avait donné deux ordres, c'est-à-dire dépensé deux deniers ; il avait, en quelque sorte, épuisé toute la somme. Mais celui qui lui avait confié le blessé avait promis

---

1. Ce chapitre constitue un témoignage précieux sur le rituel de la consécration des vierges au IVᵉ siècle. Une lettre du pape Sirice indique que, durant la cérémonie, l'évêque remettait à la vierge un voile semblable à celui des mariées (*PL* 13, 1182).

quicquid in curam amplius erogasset [i], post impensos duos
denarios non praecepta sed consilium erogat Paulus ad uir-
20 ginitatem. Nec impedimento est uolentibus nec nolentes
impellit aut cogit : *Qui dederit uirginem suam bene facit et
qui non dederit melius facit* [j]. 4. Haec sunt uerba consilii
nec ulla sunt praecepta coniuncta uel de qua lana mitella fieret uel de qua purpura pingeretur. Non enim hoc panno
25 potest uirginitas adiuuari, non inde compescuntur aestus
animi quos interdum aetas accendit, non inde subleuatur
mens, quae nonnumquam desideriorum ponderibus premitur. Nam si ita esset, non una sed plurimae uirginis capiti
imponerentur ut quotienscumque animum carnis desideria
30 pungerent, contra impugnationem mentis mitellarum nume-
rus dimicaret ! 5. Res inuenta est ad signum capitis, non
ad remedium castitatis ! Denique talis pannus et errare et
rodi et perire potest, et tamen uirginitas, si illaesa sit, sine
mitella tuta esse potest. Spiritale nubendi hoc genus est. In
35 nuptias sponsi iam uenerant uoluntate et professione sua, et
ut saecularibus nuptiis se renuntiasse monstrarent spiritali
sponso, soluerant crinem. Iam caelestes celebrauerant nuptias. 6. Quid est quod eas iterum crines soluere coegistis ?
Quid, inquam, quod ab ipsis per uos exacta est secunda pro-
40 fessio ? Quis est alter spiritalis sponsus cui iterum nube-
rent ? Quando mortuus est cui nupserant ut iterum nubant ?

---

18 curam : -ra CG ‖ 19 erogat : -get V -gabat CG ‖ uirginitatem : uirgines CG ‖ 20 uolentibus : uoluntatis RBV ‖ nec [2] : *om.* V ‖ 21 dederit : +
inquit CG ‖ uirginem : uirginitatem RBV + suam V ‖ 23 mitella : mittella
RBV ‖ 24 uel : aut RBV ‖ qua : *om.* G ‖ panno hoc RBV ‖ 25 compescuntur : concupescuntur CG ‖ 26 aetas : aestas R estas G BV ‖ 28 uirginis : uirginali CG ‖ capiti : -tum V ‖ 29 desideria carnis CG ‖ 30 mitellarum : mittellarum V [*sic et postea*] ‖ 32 et [1] : *om.* z ‖ errare : deterrare V
ueterari z ‖ 33 tamen : non R[ac] *om.* B ‖ 35 uenerant : -erat RBV + iam
B ‖ sua : tua R[ac]V ‖ 36 monstrarent : -aret R -are B + et iunctam [-tas z]
RB z ‖ 37 nuptias celebrauerant CG ‖ 40 est : *om.* G ‖ 41 est : *om.* B

---

i. Cf. Lc 10, 35   j. I Cor. 7, 38

de payer ce qu'il aurait dépensé en plus pour le soigner [i] ;
c'est pourquoi, une fois les deux deniers dépensés, ce ne sont
plus des ordres mais un avis que Paul donne au sujet de la
virginité. Il ne s'oppose pas à ceux qui la désirent, il ne
pousse ni ne contraint ceux qui la refusent : « Celui qui
donne sa fille fait bien, celui qui ne la donne pas fait
mieux [j]. » 4. Tels sont les mots par lesquels il donne son
avis, et il n'y a joint aucun ordre indiquant de quelle laine
le voile devait être tissé, ou de quelle pourpre il devait être
teint ! Car la virginité ne saurait trouver un appui dans ce
morceau d'étoffe, ce n'est pas lui qui réprime les passions
brûlantes que la jeunesse allume parfois, ce n'est pas lui qui
soulage l'esprit accablé quelquefois sous le poids des désirs.
Car s'il en était ainsi, ce n'est pas un voile mais une multitude de voiles que l'on poserait sur la tête d'une vierge !
Ainsi, chaque fois que les désirs de la chair tourmenteraient
son âme, le nombre des voiles combattrait contre les tourments de son esprit ! 5. On a trouvé dans ce voile un signe
extérieur pour la tête, non un moyen de préserver la chasteté ! Enfin, un tel morceau d'étoffe peut être égaré, déchiré,
détruit, et pourtant, la virginité, si elle est intacte, peut être
protégée sans ce voile. Il s'agit d'une sorte de mariage spirituel [1]. Aux noces de l'Époux elles étaient déjà venues, de
leur plein gré et selon leurs propres vœux, et pour montrer
à l'Époux spirituel qu'elles avaient renoncé aux noces char-
nelles, elles avaient dénoué leur chevelure. Elles avaient déjà
célébré les noces célestes. 6. Pourquoi les avez-vous forcées à dénouer de nouveau leur chevelure ? Pourquoi, dis-
je, avez-vous exigé d'autres vœux ? Quel est cet autre époux
spirituel qu'elles devaient à nouveau épouser ? Quand est-il
mort, celui qu'elles avaient épousé, pour qu'elles puissent en

---

1. Sur la vierge chrétienne « épouse du Christ (*sponsa Christi*) » dans les
premiers siècles, cf. A.-G. MARTIMORT₄, *L'Église en prière*, p. 611-612.

Nudastis denuo capita iam uelata de quibus professionis
detraxistis indicia quae contra raptores aut petitores uidentur inuenta. 7. In mitella indicium est uoluntatis, non cas-
45 titatis auxilium, ut rem iam Deo deuotam nec qui sponsa-
bat perseueret petere aut ne raptor audeat uiolare. Signum
est ergo, non sacramentum. Inuenistis igitur huius modi uirgines quae iam spiritaliter nupserant, quasi secundas coegistis ad nuptias et ut crines iterum soluerent imperastis. Hoc
50 nec mulieres patiuntur quae carnaliter nubunt. 8. Ex quibus si alicui maritum post matrimonii orbitatem mutare
contigerit, non repetitur temporalis illa festiuitas, non in
altum tollitur, non populi frequentia procuratur. Detraxistis
igitur non capitis ornamenta sed, ut supra diximus, melioris
55 uoluntatis indicia. Iam consecratos Deo sparsistis immundis
cineribus crines. Iussistis etiam salsa aqua perfundi. Et
utinam uel id quod tulistis uelociter reponeretis !
9. Produxistis moras ut retractae in pristino habitu aliquae
diutius remanerent, retractis signis quibus se iamdudum
60 contra petitores et raptores muniuerant. Qui cum uiderent
praescriptionem sibi iamdudum oppositam a uobis esse
sublatam, de sponsis raptores effecti sunt ! Nec uisus est sibi

---

42 nudastis : -datis CG ǁ 44 mitella : -lam RB mittelam V ǁ est : om.
CG ǁ 45 auxilium : + est CG ǁ ut rem : utrum RV om. B ǁ Deo : dum
R^{ac}V ǁ nec : an R^{ac}V ǁ qui : quis RBV ǁ 46 perseueret : om. CG ǁ petere :
repeteret CG ǁ uiolare auderet CG ǁ 47 non — igitur : om. G ǁ igitur :
ergo C ǁ 48 quasi codd. : quas z ǁ 49 ad : in CG ǁ et : om. RBV ǁ 51 maritum : + maritum maritis B ǁ post matrimonii orbitatem : om. RBV ǁ orbitatem : -te CG ǁ 54 melioris : bonae RBV ǁ 55 consecratos : -atas R^{pc}B -
atis V ǁ sparsistis : asparsistis R^{ac}V aspersistis R^{pc}B ǁ 55-56 immundis —
iussistis : om. RBV ǁ 56 aqua : + aqua V ǁ 57 id : om. CG ǁ reponeretis :
reuocare [reuore B] + uelletis RBV ǁ 58 produxistis : interposuistis RBV ǁ
retractae : retro actae CG ǁ 60 et raptores : raptoresque CG ǁ muniuerant :
murauerant CG R^{ac}V

---

1. Optat est cité dans l'art. « Matrimonium », DAREMBERG et SAGLIO,
Dictionnaire des Antiquités grecques et romaines, t. 3, 2, p. 1654 : les céré-

épouser un autre ? Vous avez de nouveau dépouillé leur tête déjà voilée, vous leur avez arraché la marque de leurs vœux, qu'on avait trouvée pour décourager les ravisseurs et les prétendants. 7. Le voile est la marque de l'engagement, non l'auxiliaire de la chasteté, et grâce à lui, le fiancé ne persiste pas dans sa demande, et le ravisseur n'ose pas violer un être déjà consacré à Dieu. C'est donc un signe, non un sacrement. Ainsi, vous avez trouvé des vierges de ce genre, qui s'étaient déjà mariées dans l'Esprit, vous les avez en quelque sorte forcées à de secondes noces et vous leur avez ordonné de dénouer une seconde fois leur chevelure. Cela, même les femmes qui se marient dans la chair ne le subissent pas. 8. S'il arrive à l'une d'entre elles de prendre un autre mari, après la perte de son premier époux, on ne répète pas cette très grande fête temporelle, on ne soulève pas la mariée, on ne fait pas venir la foule [1]. Vous n'avez donc pas arraché les ornements de la tête, mais, comme je l'ai dit plus haut, les marques du plus grand engagement. Vous avez saupoudré de cendres immondes des chevelures déjà consacrées à Dieu. Vous avez même ordonné de les arroser d'eau salée [2]. Et si seulement vous aviez rapidement replacé ce que vous avez enlevé ! 9. Mais vous avez tardé, si bien que certaines vierges, réduites à leur tenue primitive, restèrent trop longtemps ainsi, dépouillées du signe extérieur qui les avait auparavant protégées contre les prétendants et les ravisseurs. Et lorsqu'ils virent que vous aviez levé l'interdiction qu'on leur avait auparavant opposée, les fiancés se firent ravisseurs ! Et aucun d'entre eux n'eut le sentiment d'avoir commis un

---

monies de mariage étaient très simples pour la veuve qui contractait un second mariage, et ce mariage paraît avoir été assez mal vu par l'opinion publique jusque dans la période la plus récente. Le fait de soulever la mariée pouvait être interprété de deux façons : comme symbole du rapt ou pour éviter le mauvais présage d'une chute (cf. p. 1656).

2. Cf. Opt., VI, 6, 1.

unusquisque peccasse dum talem rapuit qualem uiderat
quando ut uxorem acciperet postulabat.

5. 1. In hoc genere quanta damna fecistis Deo, quanta
lucra diabolo procurastis ! Conflastis impie calices, crudeliter confregistis et inconsulte rasistis altaria. Puellas miseras
non sine opprobrio ut secundam mitellam acciperent coegis-
5 tis cum de prima in lectione recitari non possit ! Et illud
praetermittere nequeo quod nec Deo est placitum nec a uestris cultoribus excusari nec ab aliquo homine defendi
potest. **2.** Per iudicia saecularia et leges publicas diuinae
legis instrumenta executione officiorum a plurimis extor-
10 quenda esse duxistis, uolentes soli habere quod pax in commune possederat. Non uereor christianus dicere quod uobis
postulantibus gentilis executio non potuit ignorare : uelamina et instrumenta dominica extorsistis quae iamdudum
fuerant in commune possessa ; extorsistis cum codicibus
15 pallas. **3.** Iudicio superbiae uestrae utraque arbitrati estis
esse polluta. Nisi fallor, haec omnia purificare properastis.
Lauistis procul dubio pallas ; indicate quid de codicibus
feceritis ! In omnibus iudicium prouidentiae uestrae debet
esse aequale : aut utrumque lauate aut utrumque dimittite !
20 **4.** Quodsi aliter facias, corrupisti diligentiam tuam ! Pallam

63 rapuit : rapit CG ‖ 64 acciperet : -ere R^{ac}V
5, 1 quanta ^{1} : tanta RBV ‖ fecistis : fecisse RBV ‖ 2 diabolo : dyabolo
BV ‖ calices : + ac CG ‖ 3 confregistis : fregistis RBV ‖ et : om. CG ‖ 4
opprobio : obprobrium R^{ac} opprobrium V ‖ secundam : -das CG -dum
R^{ac} -do R^{pc}B ‖ mitellam : -las CG ‖ 5 in : om. RBV ‖ 9 executione : exse-
cutione RV exsequtione C ‖ extorquenda : eripienda RBV ‖ 10 duxistis :
dixistis RBV ‖ 12 executio : exsecutio C excusatio RBV ‖ 13 instrumenta :
strumenta RBV ‖ extorsistis : extorxistis B ‖ 13-14 quae — extorsistis : om.
CG ‖ 14 commune : communione RBV ‖ extorsistis : extorcistis B + id
CG ‖ 16 omnia : om. RBV ‖ 17 procul : sine CG ‖ 19 lauate : laua RBV ‖
dimittite : dimitte RBV ‖ 20 facias : -cis CG ‖ corrupisti : concupisti RBV

péché en enlevant une femme qu'il avait vue telle qu'elle
était lorsqu'il la demandait en mariage !

IV. Purification et séduction des fidèles

**Purification
des objets du culte**

5. 1. Dans ce genre d'affaire, combien de préjudices n'avez-vous pas
causés à Dieu, combien d'avantages
n'avez-vous pas procurés au diable ! Vous avez fait fondre
des calices d'une manière impie, vous avez sauvagement
brisé et inconsidérément rasé des autels. Ce n'est pas sans
honte pour elles que vous avez forcé de pauvres jeunes filles
à recevoir un second voile, alors qu'on ne peut citer aucun
passage concernant le premier ! Et je ne puis passer sous
silence une action qui déplaît à Dieu et qui ne peut être
excusée par vos fidèles ni défendue par aucun homme.
2. Vous avez estimé que, par des jugements profanes et par
des lois publiques, les livres de la Loi divine devaient être
pris de force à un très grand nombre d'hommes, les décisions étant exécutées par des officiers de justice ; vous vouliez, en effet, détenir seuls ce qui était possession commune
en temps de paix. Je ne crains pas de dire, en tant que chrétien, ce que l'administration païenne n'a pu ignorer quand
vous l'avez sollicitée : vous vous êtes emparés des voiles et
des livres du Seigneur qui auparavant, avaient été possédés
en commun ; vous vous êtes emparés des linges ainsi que des
Écritures. **3.** Dans votre orgueil, vous avez jugé, vous avez
pensé que les uns et les autres étaient souillés. Si je ne me
trompe, vous vous êtes empressés de purifier tous ces objets.
Vous avez sans nul doute lavé les linges ; dites-nous ce que
vous avez fait des Écritures ! Dans les décisions que vous
prenez, votre sentence doit être la même pour tous les
objets : ou vous lavez les uns et les autres ou vous les lais-
sez ! **4.** En agissant différemment, tu as manqué de

lauas, codicem non lauas ! Si in una parte bonum et in altera
malum est. Non potes negare offendere te in una, si in altera
promereris ! Et si gaudes quod in una uidearis religiosus,
debes et plangere quia teneris in altera parte sacrilegus !

    6. 1. Iam illud quale est quod in multis locis etiam
parietes lauare uoluistis et inclusa spatia aqua salsa spargi
praecepistis ? O aqua quae dulcis a Deo creata es, super
quam ante ipsius natalem mundi sanctus spiritus fereba-
5 tur [k] ! O aqua quae ut purum faceres orbem lauisti terram [l] !
O aqua quae sub Moyse ut naturalem amaritudinem per-
deres indulcata ligno tot populorum pectora suauissimis
haustibus satiasti [m] ! 2. Restabat tibi post promotionem
non leuiter degradari. Praesentia Moysi in te amaritudo
10 moritur et ab schismaticis hodie cum catholicorum turba
dulcedo tua uexatur. Pares patimur bellum, pares expecta-
mus uindicem Deum. Dic, frater Parmeniane, quid uobis
fecerat locus, quid ipsi parietes, ut a uobis ista paterentur !
An quia illic rogatus est Deus ? An quia illic laudatus est
15 Christus ? An quia illic inuocatus est spiritus sanctus ?
3. An quia uobis absentibus illic prophetae et sancta euangelia recitata sunt ? An quia illic fratrum iamdudum litigan-
tium concordauerant mentes ? An quia unitas Deo placita in

    21 codicem non lauas : *om.* RBV ‖ altera : -ram B ‖ 22 offendere : -eris
RB ‖ te : *om.* RBV ‖ una : unam G ‖ altera : -ram C   alter B ‖ 23 promereris : praemereris C[ac]   praemeris C[pc]G ‖ uidearis : uideris + esse CG ‖ religiosus : relegiosus V

    6, 3 dulcis quae CG ‖ es : est *codd.* ‖ super : supra CG ‖ 4 quam : + et
CG ‖ ipsius natalem : ipsos natales CG z ‖ spiritus sanctus B ‖ 5 terram :
-rarum CG RB   + rabidam gentem CG ‖ 6 Moyse : -sen RBV ‖ 7 pectora : peccator V ‖ 8 haustibus : austibus V ‖ 10 ab *codd.* : a z ‖ 12 uindicem : iudicem CG B ‖ dic : dicite RBV ‖ 13 a uobis : *om.* RBV ‖ 17 iamdudum fratrum CG ‖ 18 concordauerant : -erunt B

    k. Cf. Gen. 1, 2   l. Cf. Gen. 6, 17-7, 24   m. Cf. Ex. 15, 23-25

rigueur ! Tu laves le linge et tu ne laves pas le livre ! Si le bien se trouve d'un côté, le mal se trouve de l'autre. Tu ne peux nier que d'un côté tu commets une faute si de l'autre tu te conduis bien ! Et si tu te réjouis de te montrer religieux d'une part, tu dois aussi te lamenter d'être tenu, d'autre part, pour sacrilège !

Purification des églises 6. 1. Et puis, pourquoi avez-vous voulu, en maints endroits, laver jusqu'aux murs, et pourquoi avez-vous donné l'ordre d'asperger les sols d'eau salée [1] ? O toi, eau que Dieu a créée douce, sur qui planait l'Esprit-Saint avant même la naissance du monde [k] ! O toi, eau qui, pour purifier le monde, as lavé la terre [l] ! O toi, eau qui, au temps de Moïse, perdis ton amertume naturelle, adoucie par le bois, et qui apaisas, par de si douces gorgées, la soif de tout un peuple [m] ! 2. Il te restait, après avoir été élevée si haut, à supporter une grave dégradation. En présence de Moïse, l'amertume est morte en toi, et aujourd'hui, en même temps qu'à la foule des catholiques, c'est à ta douceur que les schismatiques portent atteinte. Ensemble, nous subissons l'assaut, ensemble nous attendons la vengeance de Dieu. Dis-nous, frère Parménien, ce que vous avaient fait ce lieu, ces murs mêmes, pour subir un tel traitement de votre part ! Est-ce parce que, en cet endroit, on a prié Dieu ? Est-ce parce que, en cet endroit, on a loué le Christ ? Est-ce parce que, en cet endroit, on a invoqué le Saint-Esprit ? 3. Est-ce parce que, en votre absence, en cet endroit, on a lu les prophètes et les saints évangiles ? Est-ce parce que, en cet endroit, des frères, auparavant en désaccord, s'étaient réconciliés ? Est-ce parce que

---

1. Optat donne ici un renseignement précieux sur l'usage du sel mélangé à l'eau dans les rites de purification au IVe siècle. Cet usage pourrait trouver son origine dans le geste d'Élisée, qui assainit l'eau des sources près de Jéricho en y jetant du sel (*IV Rois* 2, 20-22). Dans le N.T., le sel est aussi l'image de la pureté morale (cf. *Matth.* 5, 13 ; *Mc* 9, 50 ; *Lc* 14, 34).

qua habitaret inuenerat domum ? Indicate quid illic lauare
20 potuistis ! Si catholicorum uestigia et in uico et in platea cal-
cauimus ! Quare non omnia emendatis ? 4. Nam et fouen-
dorum corporum causa eadem nos et uos lauacra pariter
abluerunt et ante uos frequenter nostrorum loti sunt multi.
Si post nos purificanda putatis omnia, lauate et aquam si
25 potestis ! Aut si uestigia, ut supra diximus, nostra uobis
uidentur esse polluta, sufficeret terra. Vt quid et parietes
lauare uoluistis in quibus humana non possunt poni uestigia ? 5. Parietes non calcare sed tantum uidere potuimus !
Si et quod tangit aspectus lauandum esse censetis, cur cetera
30 dimisistis illota ? Videmus tectum, uidemus et caelum, haec
a uobis lauari non possunt ! Illa lauando promeriti estis
Deum, ista non lauando inexpiabile uidemini incurrisse peccatum ! 6. Cum igitur alibi quasi diligentes uideri uultis,
alibi neglegentes estis inuenti, si tamen diligentia dicenda est
35 stultitia et, ut uero nomine appellem, uanitas uestra ! Nisi
forte quia hoc faciendo in pauorem misistis populos impe-
ritos ut quia lota est columna lauarentur et corpora ! 7. Si
in his rebus consilium latet, miseros subtiliter decepitis. Si
talis res sine consilio gesta est, manifesta est uestra hebe-
40 tudo ! Haec uos stulte fecisse et a uobis seducti cognoscunt
nec uos ipsi negare poteritis.

7. 1. Quid referam etiam illam impietatem de uestra
coniuratione uenientem quia ad hoc basilicas inuadere

20 platea : -teis CG ‖ 22 lauacra : + nunc CG ‖ 23 abluerunt : habemus
CG ‖ 24 si : *om*. RBV ‖ 25 diximus : dixi RBV ‖ 26 ut : *om*. RBV ‖ 29 censetis : -seritis B ‖ 30 uidemus ¹ᵉᵗ² : -dimus RBV ‖ tectum : tecum B ‖ 31
possunt : + si CG ‖ illa : illam Cᵃᶜ ‖ estis promeriti CG ‖ 32 Deum : dominum RBV ‖ ista : illa CG ‖ incurrisse : currisse V ‖ 33-34 uideri — neglegentes : *om*. RBV ‖ 34 estis : essetis RBV ‖ dicenda est : dici potest CG ‖
35 appellem : -letur RBV ‖ 36 pauorem : -ore CG RB ‖ 37 lauarentur : laue-
rentur Bᵖᶜ ‖ 38 his : hiis V ‖ miseros : misericors B ‖ 39 hebetudo : hebi-
tudo RBV   ebitudo CG

7, 1 etiam : et CG ‖ 2 quia : qui CG

l'unité qui plaît à Dieu avait trouvé une demeure où habiter ? Expliquez-nous ce que vous avez pu laver en cet endroit ! Si c'est la trace des pas des catholiques, alors, nous avons aussi marché dans le village et sur la place ! Pourquoi n'effacez-vous pas toutes nos traces ? 4. Mais, pour fortifier nos corps, un même bain nous a lavés, vous et nous, et avant vous, souvent, bien des nôtres ont été lavés. Si vous pensez que tout doit être purifié après nous, lavez aussi l'eau, si vous le pouvez ! Ou alors, si les traces de nos pas, comme nous l'avons dit plus haut, vous paraissent impures, il suffisait de laver le sol ; pourquoi avez-vous voulu laver aussi les murs, où nul humain ne peut imprimer ses pas ? 5. Nous n'avons pas pu marcher sur les murs mais seulement les voir ! Et si vous pensez qu'il faut laver aussi ce que touche le regard, pourquoi n'avez-vous pas lavé tout le reste ? Nous voyons le toit, nous voyons aussi le ciel, mais vous ne pouvez les laver ! En lavant cela, vous avez gagné la faveur de Dieu ; en ne lavant pas ceci, vous avez commis une faute inexpiable ! 6. Ici, donc, vous voulez paraître pleins de zèle, mais là vous vous êtes montrés négligents, si toutefois on peut appeler zèle votre sottise et, pour l'appeler par son nom, votre vanité ! A moins, peut-être, que par ces actes vous n'ayez jeté l'effroi dans l'esprit des fidèles ignorants afin de les pousser, sous prétexte qu'une colonne a été lavée, à laver également leur corps ! 7. Si ces agissements cachent quelque dessein, alors, vous avez utilisé la ruse pour tromper des malheureux. Si de tels actes ont été accomplis sans dessein particulier, alors, votre bêtise est évidente ! Même ceux que vous avez séduits connaissent la stupidité de votre conduite et vous-mêmes ne pourrez la nier.

Les cimetières 7. 1. A quoi bon rappeler aussi l'impiété dont vous avez fait preuve quand vous avez conspiré pour envahir les basiliques, afin d'obtenir

uoluistis ut uobis solis cimiteria uindicetis non permittentes
sepeliri corpora catholica ? Vt terreatis uiuos, male tractatis
5 et mortuos negantes funeribus locum. 2. Si inter uiuentes
certamen fuerat, odia uestra uel mors aliena compescat ! Iam
tacet cum quo paulo ante litigabas. Quid insultas funeri ?
Quid impedis sepulturae ? Quid cum mortuis litigas ?
Perdidisti malitiae fructum : et si corpora non uis in unum
10 quiescere, animas tamen in uno apud Deum positas non
poteris separare.

8. 1. Omnia denique quae a uobis geruntur ex toto narrari non possunt, sed tamen concedantur uobis qui erroris
huius magisterium possidetis. Iam et de uestris silere quis
posset de illis scilicet quos aut factione aut subtilitate ut ues-
5 tros faceretis seducere potuistis. Non solum masculi sed
etiam feminae : ex ouibus subito facti sunt uulpes, ex fidelibus perfidi, ex patientibus rabidi, ex pacificis litigantes, ex
simplicibus seductores, ex uerecundis impudentes, feroces
ex mitibus, ex innocentibus malitiae artifices. 2. Post quod
10 ad uos delapsi sunt aut delapsae, dolent alios ibi esse ubi nati
sunt ; bene stantes in lapsus suos inuitant. Si scirent se gloriam consecutos felicitate sua tacite fruerentur. Nunc autem
perditos transitus suos consolari cupientes, ceteros ut simi-

---

3 cimiteria : cymeteria *codd.* ‖ 4 terreatis : terreretis RBV ‖ tractatis : -
tastis RB   -taret Vᵃᶜ ‖ 7 litigabas : -gebas Rᵃᶜ ‖ 8 litigas : -gabas Rᵃᶜ ‖ 10
tamen : *om.* RBV
   8, 2 concedantur : -datur RBV ‖ 4 posset : -sit CG   + et V ‖ 5 faceretis : -eritis V ‖ potuistis : + et CG ‖ 6 facti : -tae C   -te G ‖ 8 impudentes :
imprudentes V ‖ 9 ex mitibus feroces CG ‖ quod : quot B ‖ 12 fruerentur : fruentur B

---

1. Le thème pastoral est particulièrement cher au christianisme primi-
tif. L'A.T. présente une doctrine du pasteur qui doit venir à la fin des temps
rassembler les brebis dispersées d'Israël (cf. *Ps.* 22, 1-4). Dans le N.T., le
Christ est le bon pasteur qui donne sa vie pour ses brebis (*Jn* 10, 10-11).

pour vous seuls les cimetières et empêcher qu'on y enseve-
lît les catholiques ? Pour effrayer les vivants, vous maltrai-
tez même les morts, en leur refusant une place pour leur
dépouille. 2. Si vous aviez combattu contre des vivants,
que votre haine cesse du moins avec la mort de l'autre ! Il
se tait, à présent, celui avec qui tu te querellais peu auparavant. Pourquoi outrages-tu son cadavre ? Pourquoi
empêches-tu ses funérailles ? Pourquoi te querelles-tu avec
des morts ? Tu as perdu le fruit de ta malice : même si tu ne
veux pas que les corps reposent ensemble, tu ne pourras pas,
pourtant, séparer les âmes, qui demeurent ensemble auprès
de Dieu.

**Les donatistes
sont comme
des oiseleurs**

8. 1. Il n'est pas possible, enfin, de faire
le récit complet de tous vos actes, cependant on peut les admettre de votre part,
car vous détenez le magistère de cette
erreur. Mais qui pourrait faire le silence sur les vôtres, c'est-
à-dire sur ceux que vous avez pu séduire, par l'intrigue ou
par la ruse, pour les faire vôtres. Ce ne sont pas seulement
des hommes mais aussi des femmes : de brebis ils sont soudain devenus renards [1], de fidèles, infidèles ; de patients,
enragés ; de pacifiques, querelleurs ; de naïfs, perfides ; de
réservés, effrontés ; de doux, féroces ; d'innocents, artisans
de malheur. 2. Après être tombés dans votre erreur, ces
hommes ou ces femmes déplorent que d'autres soient restés
là où ils sont nés ; ils invitent ceux qui sont bien debout à
les suivre dans leur chute. S'ils étaient sûrs d'avoir obtenu
la gloire éternelle, ils jouiraient en silence de leur bonheur.
Mais en réalité, ils désirent que tous les autres hommes, en
se perdant, leur fassent oublier leur trahison. C'est pourquoi
ils les invitent à tomber dans la même erreur et ils accusent

~ L'épithète de *renard* est appliquée à Hérode par Jésus (cf. *Lc* 13, 32 :
« Allez dire à ce renard »).

liter labantur, inuitant et residentes in sinu matris ecclesiae
15 quasi pigros et tardos accusant. 3. His enim uerbis loqui
non erubescunt : Gai Sei uel Gaia Seia, quamdiu te tenes ?
hoc est dicere : iam meum sequi debes errorem, iam debes
deserere ueritatem. Imitare lapsus meos, imitare transitus
turpes. Quamdiu fidelis uocaris ? Iam fidem desere, iam
20 paenitentiam disce ! Vos estis aucupes, et illi aut illae sunt
aues. 4. Sed quia non est unum aucupum genus, alii sunt
qui arte simplici altis fundatas radicibus in faciem nemoris
diffusas arbores petunt, ubi aues simplici uolatu naturalibus
ramis insidunt ; non illic numerantur fraudes, non artificiosa
25 consilia, ars una est et sola capiendi peritia. 5. Illi uos
aucupi similes dico qui post discessum noctis ante lucis
aduentum non aliorum more naturales uadit ad arbores, sed
ipse arborem portans futurum nemus stringit in fascem aridam arborem nullis radicibus fultam multiplici fraude com-
30 ponit cui adulterinos inserit ramos ; et quae suas iamdudum
succisa perdiderat alienas accipit frondes. 6. Alias aues
clausas portat in cauea, euisceratas alias ad imaginem uiuen-
tium, olim extinctas fallacibus ramis quasi uiuentes imponit.
Aliae latent in caueis, aliae quasi uiuentes uidentur in ramis.
35 Iungitur una geminata fraude calliditas, et ut decipi uiuarum
uolantium simplicitas possit, quas mortuas esse constat,
uidentur tendere colla cum uocibus, et quae latent in carcere

14 labantur : -bentur RBV ‖ sinu : -num CG ‖ ecclesiae : + ut R^{ac}V ‖ 15
his : hiis V ‖ enim : etiam CG ‖ 16 erubescunt : -scent R^{ac}V ‖ Gai Sei : Gasy
B ‖ Gaia Seia : Gaia Sei V   Gasya B ‖ 17-18 iam — ueritatem : om. RBV
‖ 18 ueritatem : + quam diu te tenes hoc est dicere CG z ‖ imitare $^{1 et 2}$: -
ari RBV ‖ transitus : transititus B ‖ 19 fidelis uocaris : fideli suo caris G ‖
uocaris : -ceris RBV ‖ 21 aucupum : -pium R^{ac}V   -pii CG ‖ 22-23 altis —
simplici : om. RBV ‖ 25 capiendi : + illius CG ‖ peritia : om. RBV ‖ illi :
om. CG ‖ 27 naturales : -lis CG V ‖ arbores : -orem CG ‖ 29 nullis : -lus
V ‖ 31 succisa : -sas CG ‖ accipit : -cepit RBV ‖ 32 portat : -tant RBV ‖
cauea : -eis CG ‖ euisceratas : et uisceratas RBV ‖ imaginem : ymaginem B
[sic et postea] ‖ 35 uiuarum : auium CG ‖ 36 quas : quasi G ‖ 37 et : ut
R^{pc}B

ceux qui restent dans le sein de notre mère l'Église d'iner-
tie et de lenteur. 3. En effet, ils ne rougissent pas de parler en ces termes : « Gaius Seius ou Gaia Seia [1], depuis combien de temps tardes-tu ? » c'est-à-dire : « A présent, tu dois
suivre mon erreur, à présent tu dois abandonner la vérité.
Imite ma chute, imite ma trahison honteuse. Depuis combien de temps t'appelles-tu fidèle ? A présent, abandonne ta
foi, à présent apprends à faire pénitence » ! Vous êtes les
oiseleurs et ces hommes ou ces femmes sont les oiseaux.
4. Mais il n'existe pas qu'une sorte d'oiseleur ; il en est qui,
utilisant une technique toute simple, se dirigent vers des
arbres qui, profondément enracinés dans le sol, forment un
bosquet ; là, des oiseaux volent innocemment et se posent
sur des branches naturelles ; là, point de ruses, point d'artifices, seulement la technique et l'adresse pour les attraper.
5. Je dis que vous êtes semblables à l'oiseleur qui, après le
départ de la nuit, avant l'arrivée du jour, ne s'avance pas vers
des arbres naturels, à la façon des autres, mais qui, appor-
tant lui-même un arbre, fait un fagot de branches qui servi-
ront à former un bosquet ; il arrange avec une ruse infinie
l'arbre sec, dépourvu de racines, et il y insère les fausses
branches ; ainsi l'arbre qui, coupé depuis longtemps, avait
perdu sa frondaison, en reçoit une autre. 6. Il apporte des
oiseaux enfermés dans une cage et d'autres auxquels on a
enlevé les viscères et qui ont l'air vivants, et il place ces
oiseaux morts depuis longtemps sur les fausses branches,
comme s'ils étaient vivants. Les uns sont cachés dans les
cages et on peut voir les autres sur les branches, comme s'ils
étaient vivants. Une seule et même perfidie s'exerce par un
double stratagème : pour tromper l'innocence des oiseaux
vivants qui volent, ceux qui, en réalité, sont morts ont l'air
de tendre le cou pour chanter, et ceux qui sont cachés dans
leur prison chantent comme par la gorge des autres.

---

1. Cf. Opt., III, 11, 6.

suo, quasi de gutture cantant alieno. 7. Inter alterius imaginem et alterius uocem dolus unus operatur ; captiuae libe-
40 ras capiunt et mortuae uiuentes occidunt ! Tales sunt quos
aut rebaptizatione aut paenitentia sauciastis. Ne soli aut
solae perisse uideantur, alios uel alias secum perire magno
studio et labore contendunt.

38 cantant : -tent RBV ‖ 41 sauciastis : sociastis RBV ‖ 43 contendunt :
+ amen V

7. Entre la représentation de l'un et la voix de l'autre, c'est le même piège qui opère : ceux qui sont prisonniers prennent ceux qui sont libres, et les morts tuent les vivants ! Tels sont ceux que, par le second baptême ou par la pénitence, vous avez frappés. Pour ne pas périr seuls, ou seules, ils s'efforcent, avec un grand zèle et en se donnant beaucoup de peine, de faire périr avec eux d'autres hommes et d'autres femmes.

EXPLICIT LIB VI C   Explicit Liber Sextus G   EXPLICIT LIBER SEXTUS R   Explicit liber sextus B   Explicit liber Sextus pro quo benedictus sit deus Amen V

LIBER SEPTIMVS

1. 1. Post traditores ostensos et sanctam ecclesiam demonstratam, post repulsas quas ingerebatis calumnias et post peccata uestra quae a Deo increpari meruerunt, ordine suo et ratio sacramenti et praesumptiones uestrae et errores
5 ostensi sunt. Iam responsorum dictorumque nostrorum finis esse debuerat. Sed quoniam post inuidiae siluam securibus ueritatis abscisam uideo adhuc uestras uel uestrorum prouocationes pullulare quas uos audio dicere ad unam communionem non oportuisse quaeri cum filios traditorum
10 uos esse constiterit, ad ea pauca respondeam. **2.** Re uera sufficiebat sibi ecclesia catholica habens innumerabiles populos in prouinciis uniuersis, sufficiebat et in Africa licet in paucis. Sed Deo uestra separatio non placebat, quoniam diuulsa fuerant unius corporis membra et contra uolunta-

---

A CG RB zg

Titulus : INCIPIT LIBER VII C   Incipit Liber Septimus Sancti Optati
G   INCIPIT LIBER SEPTIMUS R   Incipit liber septimus B
1, 1 ostensos : hostensos C^{pc} ‖ 2 demonstratam : -ta A ‖ ingerebatis :
ingeratis G ‖ 4 ratio : ratione R   oratione B   traditione CG   iteratio z ‖
errores : terrores CG z ‖ 7 uel : ad g ‖ 8 quas uos audio : posse quibus
potestis RB g ‖ 9 communionem : + uenire RB ‖ quaeri : *om.* RB

---

1. Ceci correspond très exactement au contenu des six premiers livres
et au plan qui avait été annoncé à peu près dans les mêmes termes dans le
livre I (cf. OPT., I, 7).

2. Nous avons le preuve que le livre VII constitue une réponse aux
objections que le traité d'Optat avait soulevées parmi les donatistes, et que

LIVRE VII

I. Appel à l'unité

1. Les traditeurs méritent le pardon

L'unité est nécessaire

1. 1. Après avoir montré quels étaient les traditeurs et quelle était l'Église sainte, après avoir réfuté les accusations calomnieuses que vous portiez, et après avoir révélé les péchés qui vous ont valu les reproches de Dieu, nous avons montré, successivement, la doctrine des sacrements, vos actes effrontés et vos erreurs [1]. Notre réponse, notre propos, aurait dû s'arrêter là. Mais puisque, après avoir coupé cette forêt de haine avec les haches de la vérité, je vois encore se multiplier vos provocations ou celles des vôtres, et puisque vous dites, comme je l'apprends, qu'on n'aurait jamais dû chercher à vous ramener à l'unité de notre communion, puisqu'il a été établi que vous êtes des traditeurs, je dois répondre brièvement à cela [2]. 2. En vérité, il suffisait à l'Église catholique de posséder des peuples innombrables dans toutes les provinces, il lui suffisait de posséder aussi des fidèles en Afrique, bien qu'en peu d'endroits. Mais votre schisme ne plaisait pas à Dieu, puisque les membres d'un même corps avaient été séparés et que, contre la volonté de Dieu, vous

l'appel à la réconciliation et à l'unité n'avait pas été entendu. Cf. l'Introduction, t. 1, p. 32 et 36-40.

15 tem Dei fratres a fratribus errabatis. Quamuis domesticum
iudicium in parentibus uestris operatum sit ut ultro recede-
rent qui pro admissa traditione abici debuerant, nullum
iudicium celebratum est sed sententiae est operatus effectus.   3. Pellendi fuerant post traditionem de qua sibi in
20 concilio Numidiae confessi sunt. Sed ne inuidia esset, excu-
sata est iudicandi seueritas dum maiores uestri ultro inuenerunt de reatu consilium ut cooperto crimine suo quasi
superbi discederent, quibus et dolere et erubescere debebatur.

25   4. Illi namque si illo tempore bono pacis unitatem facere
debuerant **etiam et ipsi ab ecclesia non fuerant repellendi
in quibus necessitas excusauerat uoluntatem. Non enim
aliqui illorum sponte tradiderant aut hoc peccatum cum
ceteris delictis poterit coaequari. Quicquid enim Deus
30 fieri noluit ore suo prohibuit quo modo dixit:** *Non
occides, non moechaberis* [a] **et cetera.   5. Potuit etiam hoc
prohibere quod a parentibus uestris admissum est. Sed
quoniam aliud est quod facit animus, aliud est quod operatur euentus, quicquid de uoluntate potest ab homine
35 fieri, hoc meruit prohiberi, quicquid necessitas peccat,
non potest magnis uiribus accusari! Denique uoluntas
habet poenam, necessitas ueniam.   6. Homicida, scelus**

---

16 sit : est A ‖ 17 admissa : -so A ‖ traditione : -nis A RB + culpa RB
‖ abici : abiici g ‖ debuerant : -erunt A ‖ 18 est² : *om.* B ‖ 20 concilio :
consilio B ‖ ne : + in C^(pc)G ‖ inuidia : -diae g ‖ esset : essent CGg ‖ 21 est :
et RB ‖ iudicandi : iudicandicandi G ‖ 22 reatu : re actum RB ‖ consilium :
concilium RB ‖ 23 dolere : -eret RB ‖ 25 illo : illorum A ‖ unitatem facere
debuerant : uñitas fieret RB ‖ 26-163 etiam et — unitas fieret : *om. codd.* ‖
28 tradiderant : trandiderant g

---

a. Ex. 20, 13-14 ; Deut. 5, 17-18

---

1. Il s'agit du concile de Cirta ; cf. l'Introduction, t. 1, p. 59-60 ; Opt.,
I, 13-14.

2. Ici commence le premier passage du *Tilianus* dont l'authenticité a été
contestée. Cf. l'Introduction, t. 1, p. 40-56 et 140-141.

étiez des frères égarés loin de leurs frères. Bien qu'un jugement privé ait produit chez vos pères le départ spontané
d'hommes qui auraient dû être exclus pour avoir livré les
Écritures, aucun jugement n'a été prononcé, mais l'effet de
la sentence a été obtenu.   3. Ces hommes auraient dû être
chassés après avoir livré les Écritures, crime dont ils se sont
mutuellement confessés au concile de Numidie [1]. Mais, pour
échapper à la haine, vos ancêtres se sont abstenus de porter
un jugement sévère et ils ont pris d'eux-mêmes la décision,
au sujet de leur culpabilité, de cacher leur crime et de se retirer comme des hommes pleins d'orgueil, alors qu'ils
auraient dû s'affliger et rougir de honte.

Les traditeurs ont agi sous la contrainte   4. Mais s'il est vrai que, à cette époque, ces hommes auraient dû maintenir l'unité pour le bien de la paix, on [2] n'aurait pas dû, non plus, chasser de l'Église ceux que la contrainte avait empêchés d'agir selon leur volonté. En effet, certains de ces hommes n'avaient pas livré spontanément et, d'autre part, on pourra comparer ce péché à toutes les autres fautes. En effet, les actes que Dieu n'a pas voulu voir commettre, il les a interdits de sa propre bouche [3] quand il a dit : « Tu ne tueras pas, tu ne commettras pas d'adultère [a] », etc.   5. Il aurait pu inter-dire aussi l'acte que vos pères ont commis. Mais autre est l'intention, autre le résultat obtenu ! C'est pourquoi un acte volontaire, quel qu'il soit, a pu être interdit à l'homme, mais une faute commise sous la contrainte, quelle qu'elle soit, ne peut être le motif de lourdes répri-mandes ! Ainsi, pour une faute volontaire, on mérite un châtiment ; pour un acte commis sous la contrainte, on obtient le pardon.   6. Personne ne contraint l'assassin à

---

3. Cf. l'Introduction, t. 1, p. 47 ; OPT., I, 21, 3.

dum nemo cogit, potest et facere, potest et non facere.
Adulterium moechus, dum de foris nemo compellit potest
40 admittere, potest et non admittere, et cetera huiusmodi
in quibus liberum habetur arbitrium. Ideo prohibita dum
geruntur, iudicio destinantur, non interdicta dum aliqua
necessitate fiunt, forte facile dignetur ignoscere qui noluit
prohibere ?

45   7. Denique delictum hoc quod quasi capitale potuit
obici parentibus uestris, si illo in tempore nudarentur aut
in iudicium uocarentur, possent sibi exemplo non uno
succurrere ubi primis temporibus aut tabulae legis frac-
tae aut libri traditi esse leguntur uel incisi et incensi, et
50 nemo damnatus est. Si, ut supra dixi, parentes uestri illo
tempore nudarentur, si accusari potuissent, sine dubio
dicerent se nihil amplius fecisse a Moyse legislatore.
8. Quamuis non sibi similent sed inter se repugnent
necessitas et uoluntas, cum eodem nomine legis parentum
55 uestrorum et Moysi una fuerit causa, possent dicere
parentes uestri illud se de necessitate fecisse quod Moyses
prior fecerit de uoluntate. 9. Qui cum populo indigna-
retur non considerauit quia Deus digito suo scripserat [b]
– et plus est quod scriptum est in caelo quam quod in
60 terra et non est unum quod fecit Dei digitus et quod
scripsit calamus humana manu compositus ! Moyses ferebat quod per nubem acceperat [c], et parentes uestri tradi-

---

45 hoc delictum g ‖ 46 obici : obijci g

---

b. Cf. Ex. 31, 18 ; Deut. 9, 10   c. Cf. Ex. 24, 15-18 ; Deut. 9, 15

---

1. Cf. OPT., I, 20, 3.

agir ; il peut donc exécuter ou ne pas exécuter son crime. Aucune force extérieure ne pousse l'homme à l'adultère ; il peut donc commettre ou ne pas commettre la fornication, et il en est ainsi toutes les fois que l'homme possède la liberté de décision. C'est pourquoi, lorsque des actes interdits sont commis, ils sont soumis à un jugement, mais lorsqu'on accomplit sous la contrainte [1] des actes qui n'ont pas été défendus, peut-être pourrait-on obtenir facilement le pardon de celui qui n'a pas voulu les interdire ?

Exemples tirés de l'Ancien Testament

7. Ainsi, par exemple, si, en ce temps-là, on avait dévoilé le péché qu'on a pu reprocher à vos pères comme un péché mortel, et si on les avait appelés à comparaître, ils auraient pu invoquer pour leur défense plus d'un exemple de textes où on peut lire que, dans les premiers temps, les tables de la Loi ont été brisées ou que les Livres saints ont été livrés, ou déchirés ou brûlés, mais que personne n'a été condamné. Si, comme je l'ai dit plus haut, on avait, en ce temps-là, dévoilé les fautes de vos pères, si on avait pu porter une accusation contre eux, sans doute auraient-ils dit qu'ils n'avaient rien fait de plus que Moïse, le législateur. 8. Bien que l'acte commis sous la contrainte et l'acte volontaire ne soient pas semblables mais s'opposent, puisque le fait qu'il s'agissait de la même loi avait rendu identiques la cause de vos pères et celle de Moïse, vos pères auraient pu dire qu'ils avaient fait sous la contrainte ce que Moïse avait fait volontairement, le premier. 9. En effet, tandis qu'il s'indignait contre le peuple, il ne prit pas garde que Dieu avait écrit les tables de son propre doigt [b] — et ce qui a été écrit dans le ciel vaut davantage que ce qui l'a été sur la terre, et ce que le doigt de Dieu a tracé n'est pas semblable à ce qu'a écrit un roseau taillé par la main de l'homme ! Moïse portait ce qu'il avait reçu dans la nuée [c], et vos pères ont livré ce

derunt quod data mercede confecerant. 10. Recte se
parentes uestri defenderent docentes capitale crimen non
65 esse, si id fecisset unusquisque eorum magno metu per-
territus, quod Moyses fecisset iratus. Et non legimus
dominum indignatum esse Moysi nec uindicasse confrac-
tas tabulas quas manu sua perscripserat ; nec peccator
appellatus est nec punitus d. 11. Sic lex a Deo profecta
70 est ut aqua de fonte dilabitur aut poma quae de arbore
salua radice carpuntur. Non perit quod erogatum est si
in origine sua saluum est. Denique Moyses post tabulas
sparsas legis et comminutas non damnari meruit et Sina
postea montem reuocatus ascendit et loqui cum Deo ite-
75 rum meruit et secundum legem innouatam accepit quam
prodiit titulus libri qui Graeco uocabulo deuteronomos
scribitur e. 12. Ecce non perit in lege quod saluum fuerat in origine. Sed ne cui uideatur Moyses habuisse meritum ut de colloquio quandam apud Deum fiduciam et
80 ideo Deum non iratum esse. Et hoc si ita esset semper
amicitia meritum suum et fructum exigere debebat.
Quare in eum postea uindicatum est quod offendit ?
Nonne ut ostenderetur leue fuisse illud quod iratus admi-
serat ? 13. Lex in Deo sana fuit et postquam ab homine
85 cum tabulis lapideis fracta est. Deuotio quae ab homine
debebatur ubi exhibita non est, Moyses illam poenam
meruit ut medio itinere moreretur ne terram promissio-
nis intraret f ! Vnde constat non magnum peccatum
posse computari quod in praesenti exemplo potuit

69 profecta : perfecta g ‖ 73 sparsas : -sam g ‖ legis : -gem g ‖ comminutas : -tam g ‖ meruit : -uisset g ‖ et 2 : om. g ‖ Sina : Syna g ‖ 83 nonne :
non g ‖ 85 fracta : facta g ‖ 86 illam poenam : illa poena g ‖ 89 praesenti :
praeceptis g ‖ potuit : patuit g

d. Cf. Ex. 32, 19-33, 17 ; Deut. 9, 17-21   e. Cf. Ex. 34, 1-28 ; Deut. 10,
1-5   f. Cf. Nombr. 20, 12 ; Deut. 1, 37 ; 4, 21 ; 34, 4-6

qu'ils avaient effectué contre un salaire. 10. Vos pères auraient eu raison de montrer pour leur défense qu'il n'y avait pas péché mortel puisque chacun d'entre eux avait commis sous l'effet d'une grande crainte et de la terreur un acte que Moïse avait commis sous l'effet de la colère. Et nous ne lisons pas que le Seigneur se soit indigné contre Moïse, ni qu'il se soit vengé de la destruction des tables qu'il avait rédigées de sa propre main ; il n'a pas été appelé pécheur, et il n'a pas été puni [d]. 11. La Loi est venue de Dieu comme l'eau s'échappe de la source, ou comme des fruits, que l'on cueille sur un arbre aux racines saines. Le bien prodigué ne périt pas si, à sa source, il reste intact. Ainsi, pour avoir jeté et mis en pièces les tables de la Loi, Moïse n'a mérité aucune condamnation. Rappelé par la suite, il a gravi le mont Sinaï, il a obtenu de nouveau la faveur de s'entretenir avec Dieu et il a reçu pour la seconde fois la Loi renouvelée, ce que révèle le titre du livre qui porte le nom grec de Deutéronome [e]. 12. Ainsi, en ce qui concerne la Loi, ce qui était resté intact à sa source ne périt pas. Mais que l'on n'aille pas croire que Moïse a obtenu ce privilège parce qu'il avait en quelque sorte gagné la confiance de Dieu par ses entretiens avec lui, et que c'est pour cette raison que Dieu ne s'est pas mis en colère. Car s'il en était ainsi, l'amitié aurait dû toujours obtenir sa récompense et porter ses fruits. Pourquoi, alors, par la suite, a-t-il été puni pour l'offense qu'il a faite ? N'est-ce pas pour montrer que la faute qu'il avait commise sous l'effet de la colère était légère ? 13. La Loi est restée intacte en Dieu même après qu'un homme l'eut brisée avec les tables de pierre. Mais lorsque la dévotion que l'homme devait manifester fit défaut, Moïse reçut le châtiment que voici : il mourut au milieu du voyage, il n'entra pas dans la terre promise [f] ! Il est donc évident qu'on ne peut considérer comme un péché grave une faute qui a pu être commise avec impunité dans

90 impune committi. 14. Haec si a parentibus uestris dicerentur, quis eis communionem negare potuisset ? Quid ?
Si et illa consequentia exempla proponerent, in quibus
legitur innouata lex cum haberetur in arca et populus
Israhel in proelio uinceretur ? Lex quae in arca consilio
95 populorum in hostes adlata est, quae ab ipsis presbyteris
et ceteris filiis Israhel defendi non potuit, et inimicis est
tradita, dum minus est reportata ! 15. Tradita lege qui
adferendam dixerant fugerunt timidi et non leguntur
postea in uindicta aliquid passi ᵍ. Si a parentibus uestris
100 haec ratio redderetur, quis eos a communione sua repellere potuisset ? Quid ? Si nec illa exempla tacuissent principes uestri, quibus legitur Baruch librum legis quem ex
ore Hieremiae prophetae exceperat tradidisse scribae
Iudin et a principibus regis iussum esse ut et ipse Baruch
105 qui exceperat et Hieremias per quem Deus locutus erat
fugerent et laterent. 16. Hieremias dictabat, Baruch tradidit, fugerant ambo. Ad Ioachim regem liber adlatus est
qui rex cum ante se pro qualitate temporis frigidi arulam
habuisset ardentem et librum a Iudin scriba recitatum
110 non libenter audiuisset, subinde concisum minutatim
ignibus imponebat. Et non iratus est Deus uel Hieremiae
qui fugerat uel Baruch qui cum eo fugiens tradiderat.
17. Quibus si Deus iratus esset, ad prophetam aliquem
alterum loqueretur ʰ. Non ad alterum sed ad ipsum
115 Hieremiam locutus est, sic enim legitur : *Et factus est
sermo domini ad Hieremiam postquam combussit rex capi-
tulum libri et sermones quos scripsit Baruch ex ore
Hieremiae. Dixit Deus ad Hieremiam : Accipe tibi chartam*

---

108 arulam : aridam g ‖ 105 arserat : arcerat g

g. Cf. I Sam. 4, 3-11 h. Cf. Jér. 36, 14-26

l'exemple présent.   14. Et si vos pères avaient dit cela, qui
aurait pu leur refuser la communion ? Qu'aurait-on fait
s'ils avaient produit aussi les passages suivants, dans lesquels il est question de la Loi renouvelée, lorsqu'elle se
trouvait dans l'arche et que le peuple d'Israël était vaincu
au combat ? La Loi, qui fut apportée dans l'arche contre
les ennemis, par la volonté de la foule, et que les prêtres
et tous les autres fils d'Israël ne purent défendre, loin
d'être emportée, fut même livrée aux ennemis !
15. Quand on eut livré la Loi, ceux qui avaient dit qu'il
fallait l'apporter s'enfuirent, pleins de crainte, et on ne lit
pas qu'ils aient subi, par la suite, un châtiment ᵍ. Si vos
pères avaient invoqué cet argument, qui aurait pu les
exclure de sa communion ? Qu'aurait-on fait si vos premiers chefs n'avaient pas aussi passé sous silence ces passages dans lesquels on lit que Baruch livra au scribe
Yehudi le livre de la Loi, qu'il avait recueilli de la bouche
du prophète Jérémie, et que les dignitaires du roi ordon-
nèrent à Baruch lui-même, qui avait recueilli les paroles,
et à Jérémie, par qui Dieu avait parlé, de fuir et de se
cacher ?   16. Jérémie dictait, Baruch a livré, tous deux
avaient fui. Le livre fut apporté au roi Joachim. Or,
comme il faisait froid, le feu d'un brasero brûlait devant
le roi, et comme le livre dont le scribe Yehudi lui faisait
lecture lui déplaisait, dès qu'il avait entendu un passage,
il le déchirait et le jetait au feu, morceau après morceau.
Et Dieu ne s'est pas mis en colère contre Jérémie, qui avait
fui, ni contre Baruch qui, fuyant avec lui, avait livré.
17. Si Dieu s'était mis en colère contre eux, il aurait parlé
à un autre prophète ʰ. Or, ce n'est pas à un autre mais à
Jérémie lui-même qu'il a parlé, comme on peut le lire :
« Et la parole du Seigneur fut adressée à Jérémie, après
que le roi eut brûlé le texte du livre et les paroles que
Baruch avait écrites sous la dictée de Jérémie. Dieu dit à
Jérémie : Prends un autre volume et écris toutes les

alteram et scribe omnes sermones tuos qui tunc erant scripti
120 *in libro quem combussit Ioachim rex Iudae* [i]. 18. Ecce nec
Deus iratus est nec qui arserat perit, nec Baruch punitus
est, nec Hieremias a Deo contemptus est. Vnde apparet
quod in hac re grauis numquam fuerit culpa quam numquam potuit sequi uindicta. Si haec parentes uestri adle-
125 garent, quis illos a communione reuocare potuisset ?
19. Denique cum uideret Deus et a Moyse legis tabulas
fractas et arcam hostibus derelictam et post traditionem
Baruch librum legis et incisum esse et combustum, indicauit prouidentiam suam et promisit se legem iam non in
130 tabulis scribere nec in libris, sed in ipso interiori homine,
hoc est in mente et in corde uniuscuiusque credentis, quomodo scripserat in corde Noe, Abrahae, Isaac et Iacob et
ceterorum patriarcharum. 20. Quos constat legitime
sine lege uixisse, quam rem probat et beatus apostolus
135 Paulus dicens : *Scripta non atramento sed spiritu Dei uiui,*
non in tabulis lapideis sed in tabulis cordis carnalibus [j]. Post
legem a Moyse fractam et a filiis Israhel hostibus derelictam et offerente Baruch ad Ioachim regem et concisam et
incensam ante tempora christiana ubi postea melius
140 scripturus erat legem indicauit Deus per prophetam
dicens : 21. *Quoniam hoc est testamentum meum quod*
disponam domui Israhel et domui Iudae, et post dies illos,
dicit dominus, dans leges meas in corda eorum et in menti-
bus eorum scribam eas [k]. Promisit hoc iamdudum et
145 proxime reddidit temporibus christianis. 22. Ergo iam

---

131 credentis : redentis g ‖ 137 Israhel : Israel g ‖ 143 corda : -de z

---

i. Jér. 36, 27-28   j. II Cor. 3, 3   k. Jér. 31, 33

---

1. Sur les exemples tirés de l'A.T., cf. l'Introduction, t. 1, p. 46-47.
2. Cf. Aug., *Sermo* 192, 2 : « Vt quod egit uterus Mariae in carne
Christi, agat *cor* uestrum in *lege* Christi. » ~ Sur l'emploi métaphorique du
mot « cœur » chez les Pères de l'Église, cf. H. Rahner, *Symbole der*
Kirche, p. 13-87.

paroles qui figuraient déjà dans le livre que Joachim, roi de Juda, a brûlé ^i. » 18. Voici que Dieu ne s'est pas mis en colère. Celui qui avait brûlé le livre ne périt pas, Baruch n'a pas été puni, Jérémie n'a pas été méprisé de Dieu. Il apparaît donc clairement que, dans cette affaire, la faute commise n'a jamais été grave, puisque aucun châtiment ne l'a jamais suivie. Si vos pères avaient allégué ces textes, qui aurait pu les rejeter de la communion [1] ?

La loi inscrite dans le cœur des hommes 19. Ainsi, alors que Dieu voyait les tables de la Loi brisées par Moïse, l'arche abandonnée aux ennemis, le livre de la Loi livré par Baruch, puis déchiré et brûlé, il manifesta sa providence et il promit de ne plus écrire sa Loi sur des tables ni dans des livres, mais à l'intérieur même de l'homme, c'est-à-dire dans l'âme et dans le cœur [2] de chaque croyant, comme il l'avait écrite dans le cœur de Noé, Abraham, Isaac et Jacob, et tous les autres patriarches. 20. Or, il est évident que ces hommes ont vécu conformément à la Loi sans connaître la Loi, ce qu'atteste le bienheureux apôtre Paul lorsqu'il dit : « Écrite non avec de l'encre mais par l'Esprit du Dieu vivant, non sur des tables de pierre mais sur les tables de chair de vos cœurs ^j. » Après que Moïse eut brisé la Loi, après que les fils d'Israël l'eurent abandonnée aux ennemis, et que Baruch l'eut présentée au roi Joachim, qui la déchira et la brûla, avant l'époque chrétienne, pendant laquelle, par la suite, il devait l'inscrire mieux, Dieu révéla sa Loi en disant par la bouche du prophète : 21. « Puisque ceci est l'alliance que je conclurai avec la maison d'Israël et avec la maison de Juda, et après ces jours-là, dit le Seigneur, je mettrai ma Loi dans le cœur de ces hommes et je l'écrirai dans leur âme ^k. » Il a fait cette promesse auparavant et il l'a tenue tout récemment, à l'époque chrétienne. 22. Les volumes, les parchemins,

secundo loco est charta, secundo loco membranae, si a
Deo lex ibi scripta est unde tradi non possit ! Vt parentes
uestri qui iam in trinitate crediderant ! Quamuis libros
tradiderint, nec corda nec mentes tradiderint suas, in qui-
150 bus Deus legem suam scripsit, sicuti se scripturum esse
promiserat. 23. Vbi est ergo, frater Parmeniane, quod
dixisti penitus exustam a traditoribus legem ? Ecce nec
penitus exusta nec ex toto sublata dum et in cordibus credentium manet et librorum milia ubique recitantur !
155 Vnde apparet te parentes tuos, quamuis per ignorantiam,
frustra accusare uoluisse. Igitur si parentes uestri ad tempora unitatis occurrerent tot exemplis rationabiliter red-
ditis et ipsi a communione repelli non possent.

24. Quanto uos quos constat non traditores esse sed
160 filios traditorum, cum patrum et filiorum et personae dis-
cernantur et nomina ; inter quas personas si non sit com-
munis culpa non potest una esse sententia. Quamquam
et si illorum unitas fieret et si ad ecclesiam catholicam
sponte uenissent, non sicut uos quos non sine uoluntate Dei
165 adductos esse constat ut rediretis unde erraueratis, quamuis
adhuc erretis, si ad catholicam, ut dixi, sponte uenissent,
quia traditores fuerant, de talibus recipiendis dubitarent forsitan nostri maiores. 25. Sed nobis laetandum est quod
tales usque ad nostra tempora minime durauerunt. Ergo

159 traditores non z ‖ 163 et si : *om*. CGg ‖ 164 uenissent : -irent CGg
‖ 165 adductos : adiutos CGg ‖ 167 fuerant : -erunt CGg ‖ forsitan : forsan RB

1. Sur l'importance de la foi trinitaire, cf. l'Introduction, t. 1, p. 96-98.

2. L'argument peut paraître étrange, car les donatistes n'ont jamais été
exclus de l'Église. Optat affirme qu'ils en sont sortis lorsqu'ils ont choisi
de se séparer de ceux qu'ils considéraient comme des traditeurs (cf. OPT.,
I, 19). En réalité, tout ce passage tend à montrer que les traditeurs, quels
qu'ils soient, auraient dû recevoir le pardon pour une faute qu'ils avaient
commise sous la contrainte. Cf. l'Introduction, t. 1, p. 50-52. Sur les rai-
sons pour lesquelles Optat n'a pas développé cet argument dans les premiers livres, cf. l'Introduction, t. 1, p. 53-55.

sont donc d'une importance secondaire, si la Loi a été
écrite là où on ne peut pas la livrer ! Ainsi en est-il de vos
pères qui, assurément, avaient cru en la Trinité [1] ! Certes,
ils ont livré les livres mais ils n'ont livré ni leur cœur ni
leur âme, où Dieu a écrit sa Loi, comme il avait promis
de le faire. 23. Comment se fait-il alors, frère Parménien,
que tu aies affirmé que la Loi avait été entièrement brûlée par les traditeurs ? Voici qu'elle n'a été ni entièrement
brûlée ni totalement détruite, puisqu'elle demeure dans le
cœur des croyants et que partout des milliers de livres
sont lus ! Il apparaît donc clairement que c'est en vain
que tu as voulu accuser tes pères, bien que tu l'aies fait
par ignorance. Car si vos pères, au temps de l'unité,
avaient répliqué en invoquant avec raison des exemples si
nombreux, on n'aurait pas pu les exclure de la communion [2].

**Les fils ne sont pas
responsables des fautes
de leurs pères**

24. A plus forte raison en
aurait-il été ainsi pour vous,
qui n'êtes pas des traditeurs,
cela est établi, mais les fils des
traditeurs, puisque les pères et les fils se distinguent par
leur personne comme par leur nom ; or, si ces personnes
n'ont pas partagé la même faute, elles ne peuvent pas être
frappées de la même sentence. Et cependant, même si
l'unité avec ces hommes avait été réalisée, et s'ils étaient
venus vers l'Église catholique de leur propre mouvement,
contrairement à vous qui, cela est manifeste, avez été ame-
nés, non sans l'assentiment de Dieu, à regagner le lieu loin
duquel vous vous étiez égarés, et qui pourtant êtes encore
égarés, si, comme je l'ai dit, ils étaient venus à l'Église catholique de leur propre mouvement, peut-être nos ancêtres
auraient-ils hésité à accueillir de tels hommes, qui avaient
été traditeurs. 25. Mais nous devons nous réjouir parce
que de tels hommes n'ont pas vécu jusqu'à notre époque.

170 hodie negotium nouum est, dum uobiscum res non cum illis
agenda est. Quamuis ab ipsis ad uos uideatur hereditaria
macula esse transmissa, tamen in hoc titulo non potestis rei
esse cum patribus uestris secundum iudicium Dei qui locutus est per Ezechielem prophetam dicens : *Anima patris mea*
175 *est et anima filii mea est ; anima quae peccat sola punietur* [1].
26. Quae res iam et antiquis saeculis in ipsis natalibus
mundi probata est dum non pertinuit ad Seth, filium Adae,
patris admissum [m]. Sed ne quis dicat alio loco scriptum esse
dicente domino mala patrum usque in quartam progeniem
180 redditurum [n]. Illius sunt procul dubio ambae uoces sed non
ad unum populum sonat utraque ! Prima est per Moysen ad
certum genus hominum, secunda per Ezechielem ad alterum
genus hominum.   27. Cum sciret Deus Iudaeos apud
Pontium Pilatum professuros, ut dicerent : *Sanguis huius*
185 *super nos et super filios nostros* [o], de praescientia Deus uidit
pro magnitudine culpae parum fuisse quod dicturi erant, et
ut competentibus poenis lueretur offensio ipsis Iudaeis comminatus est dicens se mala patrum usque in quartam progeniem redditurum.   28. Ergo haec uox ad solos Iudaeos spe-
190 cialiter pertinet. Ceterum illa ad christianos, qua dignatus
est promittere non uindicare in filios si quid peccetur a
patribus, nec in patribus si quid a filiis forsitan delinquatur.

170 negotium : *om.* RB ‖ 171 agenda : -do RB ‖ 174 Ezechielem : -lum
A CG ‖ 175 filii : -li A ‖ 176 in : *om.* CG ‖ 177 probata : comprobata g ‖
dum : nam g ‖ Adae : de RB ‖ 178 quis : qui A RB ‖ 179 domino : deo A
‖ quartam : -ta A ‖ 180 redditurum : additurum g ‖ 181 sonat : -nant A[pc]
RB ‖ utraque : una quae RB ‖ per : ad RB ‖ 182 Ezechielem : -lum A CG
‖ 183 hominum : + sed CGg ‖ cum : dum RB ‖ 184 Pilatum : Pylatum B
‖ 185 super [1 et 2] : *om.* RB ‖ praescientia : praesentia A[ac] presentia B ‖ uidit :
-derat RB ‖ 186 pro : *om.* RB ‖ magnitudine : -nem RB ‖ 188 se : *om.* RB
‖ 190 illa : illam A ‖ qua : + deus g ‖ 191 peccetur : -catur CG ‖ 192 patribus : -tres A ‖ forsitan : forsan RB

l. Éz. 18, 4   m. Cf. Gen. 4, 25-5, 8   n. Cf. Ex. 20, 5 ; 34, 7   o. Matth. 27, 25

1. Optat aurait pu soutenir cette thèse dans les premiers livres de son

Ainsi, aujourd'hui, la situation est nouvelle car c'est avec vous, non avec eux, que l'affaire doit être réglée. Bien que vous paraissiez avoir reçu d'eux une tache héréditaire, vous ne pouvez pas, à ce titre, être coupables avec vos pères [1], conformément au jugement de Dieu, qui a dit par la bouche du prophète Ézéchiel : « L'âme du père est à moi, et l'âme du fils est à moi ; seule l'âme qui pèche sera punie [l]. »
26. Cela a déjà été prouvé, dans les temps anciens, à l'origine même du monde, puisque la faute du père, Adam, n'est pas retombée sur son fils, Seth [m]. Mais que personne ne vienne dire qu'on trouve ailleurs ces paroles du Seigneur, qui dit qu'il châtiera les fautes des pères jusqu'à la quatrième génération [n]. Sans aucun doute, ces deux paroles sont du Seigneur, mais elles ne retentissent pas toutes deux pour le même peuple ! La première s'adresse, par l'intermédiaire de Moïse, à une certaine race d'hommes ; la deuxième, par l'intermédiaire d'Ézéchiel, à une autre race d'hommes.
27. Dieu savait que les juifs déclareraient à Ponce Pilate : « Que son sang soit sur nous et sur nos fils [o]. » Dans sa prescience [2], Dieu a vu qu'ils réclameraient un châtiment insuffisant par rapport à la grandeur de la faute, et, afin que l'offense fût expiée par une peine appropriée, il menaça les juifs, en disant qu'il châtierait les fautes des pères jusqu'à la quatrième génération. 28. Cette parole concerne donc uniquement les juifs. Mais l'autre s'adresse aux chrétiens. Par elle, il lui a plu de promettre de ne pas punir les fils pour les fautes de leurs pères, ni les pères pour les péchés dont leurs fils pourraient se rendre coupables.

---

traité, pour répondre aux accusations portées par les donatistes, qui prétendaient que le crime de *traditio* avait contaminé tous les catholiques par transmission héréditaire (cf. AVG., *Ad donatistas post coll.*, I, 1 : « Il ne sied pas qu'une même assemblée réunisse les fils des martyrs et les descendants des traditeurs »). Mais il s'est efforcé, dans le livre I, de prouver l'innocence des catholiques et la culpabilité des schismatiques. Il n'avait donc pas besoin de recourir à cet argument. Cf. l'Introduction, t. 1, p. 36-37.

2. Sur l'emploi du mot *praescientia*, cf. *supra* p. 122, n. 1.

29. Cum et temporibus Moysi sine cuiusquam poena
lex iterata sit [p] et arca testamenti ab hostibus ultro sit
195 reddita [q] et ab Hieremia Deo praecipiente charta sit altera
scripta [r], quare putatur apud maiores uestros solos capitale fuisse peccatum in quo per tot exempla nemo damnatus est ? Nam si lex ideo data est ut homines docoren-
tur non ut ipsa lex quasi pro Deo coleretur, post factum
200 patrum uestrorum nullum damnum passa est turba credentium. 30. Vnusquisque eorum sub metu codices suos
perdidit, nam lex quae necessaria fuerat ualet apud doc-
tores populorum et cultores Dei. Bibliothecae refertae
sunt libris ; nihil deest ecclesiae, per loca singula diuinum
205 sonat ubique praeconium. 31. Non silent ora lectorum,
manus omnium codicibus plenae sunt ; nihil deest populis doceri cupientibus, quamuis lex non magis pro doctrina quam pro futuro iudicio scripta esse uideatur ut
sciat peccator quid pati possit si minus iuste uixerit.
210 Denique scriptum est et legitur : *Quod iustis lex data non
sit quia unusquisque iustus ipse sibi lex est* [s]. 32. Et alio
loco idem beatus apostolus Paulus dicit quia *lex non facit
iustos sed ipsa amat iustitiam* [t]. Semper in omnibus rebus
efficientibus effecta quaerentur. Vacat lex quae efficit si
215 per compendium paratum est quod efficitur. Denique
Abrahae non dictum est : Crede, sed ultro credidit in quo
sine lege legis effectus impletus est. 33. Non legitur :

193-293 cum et temporibus — non uoluntas : *om. codd.*

---

p. Cf. Ex. 34, 28   q. Cf. I Sam. 6, 2-15   r. Cf. Jér. 36, 28   s. I Tim. 1,
9 ; Rom. 2, 14   t. Rom. 2, 13 ; cf. Rom. 3, 20 ; 7, 7 ; Gal. 2, 16

---

1. Ici commence le deuxième passage du *Tilianus* dont l'authenticité a
été contestée. Cf. l'Introduction, t. 1, p. 40-56 et 140-141. Les exemples qui
suivent sont ceux qui ont été développés dans le premier passage (cf. VII,
1, 8-18).
2. Cf. Opt., VII, 1, 23 : « La Loi demeure dans le cœur des croyants et
partout des milliers de livres sont lus. »

La Loi est restée intacte

29. Puisque [1], au temps de Moïse, la Loi a été renouvelée sans que personne fût châtié [p], puisque les ennemis ont rendu d'eux-mêmes l'arche de l'alliance [q], et puisque Jérémie a écrit un second livre sur l'ordre de Dieu [r], pourquoi penser que seuls vos ancêtres ont commis un péché mortel, alors que dans des exemples si nombreux personne n'a été condamné pour cette faute ? Car, s'il est vrai que la Loi fut instituée pour instruire les hommes et non pour que la Loi devînt objet de culte pour ainsi dire à la place de Dieu, l'action de vos pères n'a eu aucune conséquence fâcheuse pour la foule des croyants. 30. Chacun d'entre eux a détruit ses manuscrits sous l'effet de la crainte, mais la Loi, qui est indispensable, garde toute sa force chez les docteurs du peuple et les adorateurs de Dieu. Les bibliothèques sont remplies de livres ; rien ne manque à l'Église ; partout, en tout lieu, est proclamée la parole de Dieu. 31. La bouche des lecteurs ne se tait pas ; les Écritures sont entre les mains de tous [2] ; rien ne manque aux peuples qui désirent s'instruire, bien que la Loi paraisse avoir été écrite moins pour fonder une doctrine que pour annoncer le jugement dernier [3], afin que le pécheur sache quelles souffrances l'attendent s'il n'a pas vécu selon la justice. Ainsi, il est écrit et on peut lire : « La Loi n'a pas été instituée pour les justes, parce que chaque homme juste se tient lieu de loi à lui-même [s]. » 32. Et ailleurs, le même bienheureux apôtre Paul dit : « La Loi ne fait pas les justes, mais elle aime la justice [t]. » Ce sont toujours les effets que l'on recherche dans tout ce qui est agissant. La Loi, qui est agissante, est inutile si l'effet est obtenu par un moyen plus rapide. Ainsi, il n'a pas été dit à Abraham : « Crois », mais il a cru de lui-même ; et en lui l'effet de la Loi a été produit sans la Loi. 33. On ne lit

---

3. Sur l'importance de la perspective eschatologique chez Optat, cf. l'Introduction, t. 1, p. 100 et 121.

Audiuit Abraham legem et credidit, sed legitur : *Credidit*
Abraham Deo et reputatum est illi ad iustitiam [u]. Et primis
220 temporibus Noe patriarcha nihil egit unde iustus fieret et
iustus electus est qui fabricata arca feliciter in diluuio
nauigaret [v]. Longum est ire per singulos qui sine lege
inuenti sunt iusti. 34. Haec si a uestris parentibus suo
tempore dicerentur, quis eos a communione sua repelle-
225 ret ? Qui si dicerent non debere silentio praeteriri quod
apostolus de extralegalibus ait : *Gentes quae legem nes-*
ciunt, ea quae legis sunt faciunt ; habent enim legem scrip-
tam in cordibus suis [w]. Nam et multi probantur in lege
peccasse et multi bene sine lege uixisse. 35. Lex et homo
230 duae res sunt, sed pares esse non possunt. Non enim
homo factus est propter legem, sed lex data est propter
homines. Nusquam uideo damnum illatum Deo, dum et
origo legis apud eum manet. Et postquam scriptura uestris parentibus tradita esse dicitur, nihil deest, omnia
235 membra legis sana sunt, salua sunt, recitantur, nihil
minus est de lege et docere et doceri cupientibus. 36. An
illud erat magis necessarium ut occideretur homo, ne
scriptura aliqua traderetur ? Quid ? Quod nec homines
occisi sunt et omnes scripturae non desunt ! Non est
240 unum lex et Deus ! Si pro Deo moriendum fuerat, qui et
resuscitare mortuos et reddere praemium potest ! Liber
non traditus de duobus his nec alterum potest !
37. Impendit igitur necessitas uires suas. Non minus

220 egit : legit g ‖ 225 qui : quid z ‖ praeteriri : -ereri g ‖ 226 quae : *om.*
g ‖ 236 doceri : -ere g ‖ 243 impendit *scripsi* : inpedit g z

u. Gen. 15, 6   v. Cf. Gen. 6, 9-8, 14   w. Rom. 2, 14

1. Les donatistes, qui ne cessaient de faire l'apologie du martyre, ne pouvaient pas accepter cette conception de l'attitude à tenir devant les persécu-
teurs. Le schisme était né, précisément, de cette différence de conception. On
accusait l'évêque de Carthage, Mensurius, d'avoir livré les Écritures pendant

pas : « Abraham a entendu la Loi et il a cru », mais on lit :
« Abraham crut en Dieu, et cela lui fut compté comme
justice ᵘ. » Dans les premiers temps, le patriarche Noé ne
fit rien qui le rendît juste, et pourtant c'est en tant que
juste qu'il fut choisi pour construire l'arche et pour naviguer avec succès pendant le déluge ᵛ. Il serait trop long
d'examiner le cas de tous ceux qui se trouvèrent être
justes sans la Loi. 34. Si vos pères avaient dit cela, à leur
époque, qui aurait pu les exclure de sa communion ? Et
s'ils avaient dit qu'on ne devait pas passer sous silence les
paroles que l'Apôtre a prononcées au sujet de ceux qui
sont en dehors de la Loi : « Les païens, qui ignorent la Loi,
accomplissent ce que prescrit la Loi ; car ils ont la Loi inscrite dans leur cœur ᵂ » ? On sait, en effet, que bien des
hommes ont péché dans la Loi et que beaucoup ont eu
une vie droite sans la Loi. 35. La Loi et l'homme sont
deux réalités qui ne peuvent être égales. Car ce n'est pas
l'homme qui a été fait pour la Loi, mais c'est la Loi qui a
été instituée pour les hommes. Je ne vois nulle part que
Dieu ait été lésé, puisque la source même de la Loi
demeure en lui. Vos pères ont livré les Écritures, dit-on.
Mais, après cet acte, rien ne manque, toutes les parties de
la Loi sont intactes, sont sauves, sont lues, rien de la Loi
ne fait défaut à ceux qui désirent instruire et être instruits. 36. Fallait-il plutôt qu'un homme fût tué pour
empêcher qu'un livre ne fût livré ! Que dire de ceci : personne n'a été tué, et aucun livre de l'Écriture ne manque !
La Loi et Dieu, ce n'est pas pareil ! Si encore il avait fallu
mourir pour Dieu, qui peut à la fois ressusciter les morts
et accorder une récompense ! Mais le fait de ne pas livrer
un livre ne peut même pas apporter le second de ces bienfaits ! 37. Ainsi, la contrainte impose sa force ᶦ. Nous ne

la persécution de Dioclétien. Celui-ci, pour se justifier, explique qu'il a mis
les livres saints en lieu sûr et qu'il a laissé saisir des écrits hérétiques (cf. AVG.,
Breu. coll., III, XIII, 25). A l'opposé, les confesseurs de la foi emprisonnés à

uidemus neglegentiam frequenter operari quam necessi-
245 tas operata est. Nam si membranae aut libri quibus scriptura legitima continetur in totum debent illaesa seruari
quasi non damnantur aliqui neglegentes, non est longe
tradere a male ponere aut male ferre. 38. Alter in domo
librum posuit quae domus incendio concremata est.
250 Damnetur qui neglegenter posuit, si damnandus est qui
postulatum librum territus dedit ! Damnentur etiam illi
qui neglectas membranas aut libros ita posuerunt ut eos
domesticae bestiolae, hoc est mures, ita corroserint ut legi
non possint ! 39. Damnetur et ille qui ita in domo
255 posuit ut nimietate pluuiarum sic tecta aliqua stillicidia
deliquarent ut omnia humore oblitterata legi non possint ! Damnentur et illi qui ferentes libros legis temerarii
se rapacibus undis fluminum crediderunt et se liberari
cupientes scripturas in undis e suis manibus dimiserunt.
260 40. Ergo si scriptura una est, et hanc qui seruare non
potuit reus est, alter undis tradidit, alter rosoribus bestiis
dereliquit, alius stillicidio corrumpenda neglexit, alter
metu mortis territus homo homini dedit. Si unum est
quod ab omnibus admittitur, quare eligitur qui damne-
265 tur cum leuior culpa sit traditoris quam neglegentis ?
41. Qui ante mures posuit aut sub stillicidio reliquit
uoluntate neglegens fuit, et qui in fluuio perdidit de teme-
ritate peccauit. Qui metu mortis aliquid tradidit, homo

---

246 debent : -bet g ‖ 254 damnetur : -natur g ‖ 257 temerarii : -rari g

Carthage proclament solennellement : « Quiconque aura été en communion
avec les traditeurs n'aura point part avec nous au Royaume céleste » (Passio
Saturnini, 21, éd. Cavalieri, p. 68). Cf. l'Introduction, t. 1, p. 51.

voyons pas moins souvent commettre par négligence ce qui a été commis sous la contrainte. En effet, s'il est vrai que les parchemins ou les livres qui contiennent les textes de la Loi doivent être conservés entièrement intacts, étant donné que ceux qui se montrent négligents ne sont pas condamnés, on peut dire que le fait de livrer les Écritures n'est pas très différent du fait de mal les ranger ou de mal les porter. 38. Celui-ci a déposé son livre chez lui ; or, sa maison a été entièrement détruite par un incendie : que l'on condamne celui qui s'est montré négligent, s'il faut condamner celui qui, terrorisé, a donné le livre qu'on avait demandé ! Que l'on condamne aussi ceux qui ont déposé leurs parchemins ou leurs livres avec une telle négligence que les petites bêtes du logis, les souris, les ont rongés et qu'ils sont devenus illisibles ! 39. Que l'on condamne aussi celui qui a déposé ses livres chez lui de telle sorte que, à cause de la violence des pluies, des gouttes d'eau ont filtré à travers le toit et que toutes les lettres, effacées par la pluie, sont devenues illisibles ! Que l'on condamne aussi ceux qui, portant les livres de la Loi, se sont hasardés, téméraires, dans les flots avides d'un fleuve et qui, voulant se libérer, ont laissé tomber de leurs mains les Écritures dans les flots. 40. S'il est vrai que l'Écriture est unique et que celui qui n'a pas pu la préserver est coupable, on peut voir que celui-ci l'a livrée aux flots ; que celui-là l'a abandonnée aux rongeurs ; qu'un autre a laissé, par négligence, l'eau de pluie la détériorer ; que cet autre, effrayé par la menace de la mort, l'a donnée à un autre homme. Si tous ont commis la même faute, pourquoi en choisit-on un pour le condamner alors que la faute du traditeur est plus légère que la faute de celui qui se montre négligent ? 41. Celui qui a exposé son livre aux souris, ou qui l'a laissé sous une gouttière, s'est montré volontairement négligent, et celui qui l'a perdu dans le fleuve a péché par témérité. Celui qui a livré un objet

homini dedit. Integrum erat apud dantem, integrum
270 apud accipientem. Si qui accipit flammis tradidit, peccatum magis accendentis est non tradentis. Haec si a maioribus uestris dicerentur, quando illos repellere a nostra
communione possemus ? 42. Si etiam Antiochi regis
tempora commemorare uoluissent, quibus omnes Iudaei
275 coacti sunt, ut libros in incendium darent, et ita uniuersa
scriptura data est, ut apex unus in aliquo libro minime
remansisset ˣ ! De Iudaeis illo tempore nemo damnatus
est nec a Deo uel ab aliquo angelo in quemquam Iudaeum
est ulla dicta sententia quia peccatum fuerat imperantis
280 et minantis, non populi cum tremore et dolore tradentis.
43. Qui Antiochus ne aliquid primitiuo populo nocuisse
uideretur, statim prouidit Deus ut per unum hominem
Esdram ʸ qui lector eodem tempore dicebatur, tota lex
sicut antea fuerat ad acipem dictaretur ! Sic tyrannus
285 Antiochus fructum malignitatis suae habere non potuit
dum praeter septem fratres et unum seniorem carnem
suillam manducare detrectantes nullum Iudaeum occidit
et lex perire non potuit ᶻ. 44. Sic et parentes uestri tempore suo nec ipsi occisi sunt et libri legis dominicae toti
290 ubique recitantur. Si parentes uestri, ut supra dixi, haec

---

270 qui : quis g ‖ 283 Esdram : Hesdam g

---

x. Cf. I Macc. 1, 56   y. Cf. Esd. 7, 6 ; Néh. 8, 1-18 ; II Macc. 8, 23   z.
Cf. II Macc. 6, 18-31 ; 7, 1-40

---

1. Sur la naïveté de toute cette argumentation, cf. l'Introduction, t. 1,
p. 45-46.

2. La référence d'Optat à Esdras semble reposer sur une confusion entre
l'Esdras du livre d'Esdras et Néhémie (*Esd.* 7 et *Néh.* 8) et le lecteur du
Livre saint dans le deuxième livre des Maccabées (*II Macc.* 8, 23). ~ D'autre
part, de nombreux textes patristiques évoquent le rôle joué par Esdras dans
la restauration des Écritures, détruites lors de la prise de Jérusalem par
Nabuchodonosor (cf. par exemple TERT., *De cultu fem.*, I, 3, 2, *SC* 173,
p. 59-60 et comm.). On a pu rapprocher ces textes du récit apocryphe *IV
Esd.* 14 ; cf. cependant la conclusion de J. D. KAESTLI (*Le Canon de*

par crainte de la mort est un homme qui l'a donné à un autre homme. L'objet était intact entre les mains de celui qui l'a donné, il est resté intact entre les mains de celui qui l'a reçu. Si celui qui l'a reçu l'a livré aux flammes, le péché a plutôt pour auteur celui qui a mis le feu, non celui qui a livré. Si vos ancêtres avaient dit cela, comment aurions-nous pu les exclure de notre communion [1] ?

Dernier exemple : le roi Antiochus
42. Et s'ils avaient voulu rappeler aussi l'époque du roi Antiochus, lorsque tous les juifs furent contraints de jeter leurs livres au feu et que l'Écriture tout entière fut livrée, si bien qu'il ne resta pas une seule lettre d'un livre [x] ! A cette époque, personne, parmi les juifs, n'a été condamné. Ni Dieu ni aucun ange n'a prononcé des sentences contre un juif, parce que le péché avait eu pour auteur celui qui avait donné des ordres et proféré des menaces, non le peuple, qui avait livré dans la terreur et dans la douleur. 43. Et afin qu'Antiochus ne parût pas avoir nui au peuple des premiers temps, Dieu a aussitôt veillé à ce que, par l'intermédiaire d'un seul homme, Esdras [y], qu'on appelait lecteur à cette époque, la Loi tout entière fût mise par écrit, telle qu'elle était auparavant, jusqu'à la moindre lettre [2] ! Ainsi, le tyran Antiochus ne put tirer profit de sa méchanceté, puisque, excepté les sept frères et le vénérable vieillard qui avaient refusé de manger de la viande de porc, il ne tua aucun juif, et la Loi ne put être détruite [z]. 44. De même vos pères, à leur époque, n'ont pas été tués, et les livres de la Loi du Seigneur sont lus tout entiers, partout. Si vos pères, comme je l'ai dit plus haut, avaient dit cela, qui ne

l'Ancien Testament. Sa formation et son histoire, Genève 1984, p. 72-83) : « IV Esd. 14 ne constitue pas la source où se sont alimentées les affirmations patristiques sur la restauration des Écritures par Esdras. »

**dicerent, quis illos in suam communionem non intrepide
accepisset, ubi, ut dictum est, peccauerat necessitas, non
uoluntas ?** 45. Temporibus unitatis principes uestri qui
probantur ista fecisse, iam e uiuis excesserant uobis quasi
295 hereditariam maculam relinquentes. Quam prius Deus a
uobis prouidentia sua sic diluit, dum inter patres et filios,
sicut supra diximus, separauit. Igitur quia tradere paccatum
est, uideant parentes uestri quid in iudicio Dei respondeant.
Vestrum tamen qui ab aliis temporibus estis peccatum esse
300 non potest.

2. 1. Inde est quod uos iamdudum in communionem
nostram uoluimus recipere, quia uos illo tempore non pec-
castis sed principes uestri. **Nam peccator talis quales fuerunt uestri maiores, si ad ecclesiam ueniat et necessitatis
5 suae rationem ostendat, primo recipiendus est, deinde
sustinendus pio sinu matris ecclesiae.** 2. Nec quasi ex
toto sanctus debet quis de altero iudicare quia scriptum est
in euangelio Christo dicente : *Nolite iudicare ne iudicetur de
uobis* [a], maxime cum nemo ex toto sanctus poterit inueniri.
10 Nam si sunt qui possint non habere peccata, mentiuntur in
oratione dominica si sine causa indulgentiam postulant
dicentes Deo patri : 3. *Dimitte nobis peccata sicut et nos
dimittimus debitoribus nostris* [b], cum Iohannes apostolus et

293 uoluntas : + adde A R + addentem B ‖ temporibus : prioribus B ‖
unitatis : -tatem RᵖᶜB   + nam A RB ‖ 294 e uiuis : euieui R   euiui B ‖ excesserant : -erunt CGg ‖ quasi : *om.* CGg ‖ 296 diluit dum : deluit dum CG
diluendum Rᵃᶜ   diluendam RᵖᶜB ‖ 297 diximus : dictum est A RB ‖ separauit : -rabit Rᵃᶜ   -rabunt RᵖᶜB ‖ 298 parentes : patres B ‖ 299 uestrum
tamen : uerumptamen B ‖ qui : quia RB

2, 1 quod : + ad B ‖ 2 nostram : *om.* G ‖ uoluimus : -lumus B ‖ 3-6
nam peccator — ecclesiae : *om. codd.* ‖ 7 sanctus : actu RB ‖ 8 dicente
Christo B ‖ dicente : -tem A ‖ 10 peccata : -tum g ‖ 13 Iohannes : Ioannes
g ‖ apostolus : *om.* A RB

a. Matth. 7, 1 ; Lc 6, 37   b. Matth. 6, 12 ; Lc 11, 4

1. Cf. Opt., VII, 1, 25.

les aurait accueillis sans crainte dans sa communion, puisque, comme je l'ai dit, ils avaient péché sous la contrainte et non volontairement ? 45. Au temps de l'unité, vos premiers chefs qui, comme cela est prouvé, ont commis ces actes, s'étaient déjà séparés des vivants, vous laissant, en quelque sorte, une tache héréditaire [1]. Mais Dieu, dans sa providence, vous en a lavés puisqu'il a établi une distinction entre les pères et les fils, comme nous l'avons dit plus haut. Ainsi, puisque livrer les Écritures est un péché, que vos pères réfléchissent à ce qu'ils pourraient répondre au moment du jugement de Dieu. Quant à vous, qui êtes d'un autre temps, ce péché ne peut être le vôtre.

2. Le bon grain et l'ivraie

2. 1. C'est pour cette raison que, depuis longtemps, nous avons formulé le désir de vous accueillir dans notre communion, puisque ce n'est pas vous qui avez péché en ce temps-là, mais vos premiers chefs. **D'autre part, si un tel pécheur, semblable à ce que furent vos ancêtres, vient à l'Église et s'il montre comment il a été contraint, il faut d'abord l'accueillir [2], ensuite le garder dans le sein bienveillant de notre mère l'Église.** 2. Et personne ne doit juger autrui comme s'il possédait lui-même la sainteté parfaite, car il est écrit dans l'Évangile cette parole du Christ : « Ne jugez pas, afin de ne pas être jugés [a] », étant donné surtout que l'on ne pourra trouver la sainteté parfaite chez aucun homme. D'autre part, s'il en est qui peuvent ne pas avoir péché, ils mentent lorsqu'ils prononcent la prière du Seigneur, s'ils demandent sans raison le pardon en disant à Dieu le Père : 3. « Remets-nous nos péchés, comme nous les remettons aussi à nos débiteurs [b] », alors que l'apôtre

---

2. Sur les conditions dans lesquelles ces pécheurs pouvaient être accueillis dans la communion de l'Église, cf. l'Introduction, t. 1, p. 52-53.

omnium conscientias prodat et suam resignet his uerbis : *Si*
15 *dixerimus*, inquit, *quoniam peccatum non habemus, nos ipsos*
decipimus et ueritas in nobis non est [c]. Cuius dicti rationem
in quarto libro manifestius explanauimus. 4. Sed fac et aliquos esse tota sanctitate perfectos ; non licet ut sint sine fratribus qui ne repellantur euangelia praecepta reclamant, qui-
20 bus describitur ager, qui est totus orbis, in quo est ecclesia
et seminator Christus, qui praecepta dat salutaria. E contra-
rio homo est malus, id est diabolus, qui non in luce sed per
tenebras seminat importuna peccata. 5. Et in uno agro nas-
cuntur diuersa semina, sicut in ecclesia non est similis turba
25 animarum. Ager suscipit semina bona uel mala, est diuersi-
tas seminum, sed creator unus omnium est animarum, unus
dominus agri. Vbi nata sunt zizania, duo sunt auctores
seminum, sed ager unum dominum habet, ipsum Deum
dominum [d]. Illius est terra, illius sunt bona semina, illius est
30 et pluuia. 6. Ideo uos adductos recipere in unitate consen-
simus quia nobis non licet uel separare uel repellere, quamuis peccatores in uno agro nobiscum natos una pluuia, hoc
est uno baptismate nutritos, quomodo non licuit apostolis
de tritico zizania separare quia separatio sine exterminio
35 fieri non potest, ne dum euellitur quod opus non est concul-
cetur quod opus est [e]. Pariter iussit Christus in agro suo per
totum orbem terrarum in quo est una ecclesia, et sua semina

---

14 resignet : designet CGg ‖ 15 inquit : inquid R[ac] ‖ quoniam : quia RB
‖ 17 manifestius : -tus B ‖ explanauimus : -nabimus R[ac] ‖ et : *om.* A ‖ 19
qui ne : quin B ‖ reclamant : declamantes + scriptura muniuntur CGg ‖ 21
salutaria : saluatoria B ‖ e : *om.* A ‖ 22 est [2] : *om.* A RB ‖ diabolus : dyabolus B ‖ 24 est : + sui A ‖ similis : + sibi g ‖ 25 suscipit : -cipicit B ‖
semina : + semina RB   + uel A ‖ 26 animarum est RB ‖ 27 dominus : domi
A   domini CGg ‖ agri : ager CGg ‖ 29 dominum Deum B ‖ sunt illius CG
‖ 30 et : *om.* A CGg ‖ adductos : + uos B ‖ 32 natos : + quia in g ‖ una :
+ una B ‖ 33 uno : in g ‖ baptismate : baptisma tae A   baptismatis R[ac] ‖ 34
zizania : -niam RB ‖ 37 semina sua g

---

c. I Jn 1, 8   d. Cf. Matth. 13, 24-30   e. Cf. Matth. 13, 29

Jean dévoile la conscience de chacun et découvre la sienne par ces mots : « Si nous disons, dit-il, que nous n'avons pas de péché, nous nous abusons, et la vérité n'est pas en nous [c]. » Nous avons expliqué plus clairement dans le quatrième livre la signification de cette parole [1]. 4. Mais supposons que certains possèdent la sainteté parfaite ; il ne leur est pas permis de ne pas avoir de frères, car les préceptes de l'Évangile leur interdisent formellement de les chasser. Le champ qui y est décrit représente l'univers, dans lequel se trouve l'Église, et le semeur est le Christ, qui donne les préceptes qui apportent le salut. A l'opposé, on trouve un homme mauvais, qui représente le diable, et qui, quand le jour s'est enfui, sème dans les ténèbres les péchés nuisibles. 5. Et dans ce même champ poussent des semences différentes, de même que dans l'Église la foule des âmes n'est pas uniforme. Le champ reçoit des semences bonnes ou mauvaises ; il existe des semences différentes, mais le créateur de toutes les âmes est unique, unique le maître du champ. Là où l'ivraie a poussé, deux hommes ont répandu des semences, mais le champ n'a qu'un maître, le Seigneur Dieu lui-même [d]. C'est à lui qu'appartient la terre, à lui les bonnes semences, à lui la pluie même. 6. Nous avons décidé de vous accueillir dans l'unité, après vous y avoir ramenés, parce qu'il ne nous est permis ni d'écarter ni d'exclure ceux qui, bien que pécheurs, sont nés avec nous, dans le même champ, nourris par la même pluie, c'est-à-dire par le même baptême, de même qu'il n'a pas été permis aux apôtres de séparer l'ivraie du froment, parce qu'on ne peut les séparer sans dommage et que l'on risquerait, en arrachant ce qui est inutile, de piétiner ce qui est utile [e]. De la même façon, le Christ a ordonné de laisser croître dans son champ, à travers tout l'univers, où se trouve l'unique Église, ses

1. En réalité, cette citation est longuement commentée dans le livre II (cf. OPT., II, 20, 1-9).

crescere et aliena. 7. Post crementa communia uenturus est
iudicii dies, qui messis est animarum ᶠ. Sedebit iudex filius
40 Dei qui agnoscit quid est suum et quid alienum. Illius erit
eligere quid condat in horreo et quid tradat incendio, quos
ad interminata tormenta destinet et quibus promissa prae-
mia repraesentet. Agnoscamus nos omnes homines esse.
Nemo sibi usurpet diuini iudicii potestatem. Nam si sibi
45 totum uindicet quiuis episcopus, dicatur quid in iudicio
acturus est Christus ! 8. Satis sit homini, si de peccato suo
reus non sit quam ut de alieno iudex esse desideret !
Professio denique nostra est **non solum uos non repellere
sed etiam parentes uestros si eorum temporibus contin-
50 geret et unitas fieret** bono pacis non repellere. Nefas est
enim ut episcopi faciamus quod apostoli non fecerunt qui
permissi non sunt uel semina separare uel de tritico zizania
euellere.

3. 1. Quodsi de recipiendis uobis catholica dubitaret,
nonne uos debuistis unitatis adsequi formam ? Sed exempla
in euangelio lecta proponere noluistis, ut est lectio de persona beatissimi Petri ex qua forma unitatis retinendae uel
5 faciendae descripta recitatur. Equidem malum est contra
interdictum aliquid facere. Sed peius est unitatem non
habere cum possis. 2. Quam unitatem ipsum Christum

40 erit : est A ‖ 45 dicatur : dicat RB ‖ 46 sit : est RB ‖ si de pec : *his uerbis finitur fragmentum in* A ‖ 47 quam : quanto RB ‖ de alieno : *om.* RB ‖
48-50 non solum — unitas fieret : *om. codd.* ‖ 50 bono : bonum CᵖᶜGg ‖
pacis : + uos RB ‖ 52 zizania : -niam RB ‖ 53 euellere : pellere RB

f. Cf. Matth. 13, 30

1. Cf. l'Introduction, t. 1, p. 49-50 et 120-121.
2. Cf. Avg., *Psalm. c. Don.*, 176-188 ; *C. Parm.*, I, vii, 12 ; I, xiv, 21 ; II,
xi, 25 ; III, i, 2 ; III, ii, 11 ; III, ii, 13 ; III, iii, 17 ; *Epist. ad cath.*, XIV, 35.
3. Sur l'attente du jugement dernier chez les Pères de l'Église, cf. H. DE
LUBAC, *Catholicisme. Les aspects sociaux du dogme* (*Unam sanctam,* 3),
Paris 1938, p. 85.

semences et celles qui lui sont étrangères [1]. 7. Quand elles
auront poussé ensemble, le jour du jugement, qui est la
moisson des âmes, arrivera [f]. Le Fils de Dieu siégera comme
juge, lui qui sait ce qui lui appartient et ce qui lui est étranger. Il lui appartiendra de choisir ce qu'il doit enfermer dans
son grenier et ce qu'il doit livrer aux flammes, ceux qu'il
doit envoyer dans des tourments sans fin et ceux envers
qui il doit s'acquitter des récompenses promises [2].
Reconnaissons que nous sommes tous des hommes.
Personne ne peut s'arroger le pouvoir du jugement divin. Et
si n'importe quel évêque revendique tout pour lui-même,
qu'on nous dise ce que fera le Christ, au moment du jugement [3] ! 8. Qu'il suffise à l'homme de ne pas être
condamné pour ses péchés plutôt que de vouloir être le juge
d'autrui ! C'est pourquoi nous déclarons **non seulement
que nous ne vous rejetons pas, mais aussi que,** pour le bien
de la paix, **nous n'aurions pas rejeté vos pères s'il était
arrivé à leur époque qu'on réalisât l'unité.** En effet, il
serait sacrilège que nous, évêques, nous fassions ce que les
apôtres n'ont pas fait, eux qui n'ont été autorisés ni à séparer les semences ni à arracher l'ivraie du froment.

3. L'unité avant tout : le reniement de Pierre

3. 1. Et même si l'Église avait hésité à vous accueillir,
n'auriez-vous pas dû adhérer au principe de l'unité ? Mais
vous n'avez pas voulu considérer les exemples tirés de l'É-
vangile, comme ce passage concernant la personne du bienheureux Pierre, où l'on trouve une évocation du principe
de l'unité qui doit être maintenue ou réalisée [4]. Assurément,
il est mal d'accomplir un acte malgré son interdiction. Mais
il est pire de ne pas vivre dans l'unité, quand on le peut.
2. Nous voyons que le Christ lui-même a placé cette unité

---

4. Sur Pierre, symbole de l'unité, cf. l'Introduction, t. 1, p. 110-117.

uidemus praeposuisse uindictae suae, qui magis omnes dis-
cipulos suos uoluit in uno esse, quam quod offensus fuerat
10 uindicare. Dum nollet se negari, promisit se apud patrem
negaturum esse, qui se negaret **apud homines** [g] – **et tamen
non se promisit puniturum scripturam aliquam qui tra-
didisset. Grauius est enim negare eum qui locutus sit
quam tradidisse uerba quae locutus sit !** 3. Et cum haec
15 ita scripta sint, tamen bono unitatis beatus Petrus cui satis
erat si post quod negauit solam ueniam consequeretur et
praeferri apostolis omnibus meruit et claues regni caelorum
communicandas ceteris solus accepit [h]. Bono unitatis sepe-
lienda esse peccata hinc intellegi datur quod beatissimus
20 Paulus apostolus dicat caritatem posse obstruere multitudinem peccatorum : 4. *Onera,* inquit, *uestra inuicem sustinete* [i], et alio loco ait : *Caritas magnanimis est, caritas beni-
gna est, caritas non zelatur, caritas non inflatur, non quaerit
quae sua sunt* [j]. Et bene dixit. Haec enim omnia uiderat
25 in apostolis ceteris qui bono unitatis per caritatem noluerunt a communione Petri recedere, eius scilicet qui negauerat Christum. Quodsi maior esset amor innocentiae quam
utilitas pacis et unitatis, dicerent se non debere communicare Petro qui negauerat magistrum et Dei filium domi-
30 num. 5. Possent non communicare, ut supra dictum est,
beatissimo Petro. Possent contra illum recitare uerba Christi
qui promiserat negaturum se esse apud patrem eum qui se

3, 9 uoluit *post* magis *transp.* RB ‖ offensus : -sos R[ac]   offens deus B ‖
10 nollet : nolet G ‖ negari : -are CGg ‖ 11-14 apud homines-locutus sit :
om. codd. ‖ 14 et : sed RB ‖ 15 ita : *om.* G ‖ sint : sunt CGg ‖ 16 negauit :
-gabit R[ac] ‖ consequeretur : mereretur RB ‖ 20 apostolus Paulus RB ‖ caritatem : charitatem g [*sic et postea*] ‖ 21 inquit : inquid R[ac] ‖ onera uestra
inquit g ‖ sustinete : -tinentes RB ‖ 22 et : ecce CGg ‖ caritas : + inquit RB
g ‖ magnanimis : -nima RB ‖ 28 communicare : + ut supra dictum est beatissimo g ‖ 29-30 Petro — communicare : *om.* G ‖ 32 eum : suum RB

g. Cf. Matth. 10, 33 ; Lc 12, 9   h. Cf. Matth. 16, 19   i. Gal. 6, 2
j. I Cor. 13, 4-5

avant l'accomplissement de sa vengeance, car il a préféré
l'union de tous ses disciples à la vengeance de l'offense
reçue. Comme il ne voulait pas être renié, il a promis qu'il
renierait devant son Père celui qui le renierait **devant les
hommes** ^g — **et cependant il n'a pas promis qu'il punirait
celui qui aurait livré des livres saints : il est plus grave en
effet de renier celui qui a parlé que d'avoir livré les
paroles qu'il a prononcées !** 3. On peut lire ces menaces,
et pourtant, pour le bien de la paix, le bienheureux Pierre,
à qui il aurait suffi, après son reniement, d'obtenir seulement le pardon, eut le privilège d'être préféré à tous les
apôtres et il reçut, seul, les clefs du royaume des cieux, qu'il
devait communiquer à tous les autres ^{h 1}. Pour le bien de la
paix, les péchés doivent être ensevelis ; on comprend cela
d'après les paroles du très bienheureux apôtre Paul, qui dit
que la charité peut couvrir une multitude de péchés :
4. « Portez les fardeaux les uns des autres ⁱ », dit-il, et
ailleurs il déclare : « La charité est indulgente, la charité est
bienveillante, la charité n'est pas envieuse, la charité ne se
gonfle pas d'orgueil, elle ne cherche pas son intérêt ^j. » Et
il a bien parlé. Il avait, en effet, constaté tout cela chez les
autres apôtres qui, pour le bien de la paix, par charité, n'ont
pas voulu s'écarter de la communion avec Pierre, bien qu'il
eût renié le Christ ². Et si leur amour de l'innocence avait
été plus grand que l'intérêt de la paix et de l'unité, ils
auraient dit qu'ils ne devaient pas rester en communion
avec Pierre, qui avait renié le Fils de Dieu, leur maître et
seigneur. 5. Ils auraient pu ne pas rester en communion
avec le très bienheureux Pierre, comme il a été dit plus haut,
ils auraient pu citer contre lui les paroles du Christ, qui
avait promis de renier devant son Père celui qui l'aurait

1. Sur l'interprétation de ce passage, cf. l'Introduction, t. 1, p. 116.
2. Sur le reniement de Pierre, cf. l'Introduction, t. 1, p. 50.

coram hominibus negasset. Ad quam formam debet dili-
genter adtendi. De qua dum pauca commemoro, ipsius
35 sancti Petri beatitudo ueniam tribuat, si illud commemorare
uideor quod factum constat et legitur. 6. Dubito dicere
peccasse tantam sanctitatem, sed ipse hoc factum probat qui
et doluit amare et fleuit ubertim, qui nec doleret nec fleret
si nulla interuenisset offensio. Potuit utique caput aposto-
40 lorum ita se gubernare ut nihil incurreret quod doleret. Sed
ideo in uno titulo eius multa uidentur errata, ut posset
ostendi bono unitatis omnia debere Deo seruari. Et nescio
an in altero hoc genus peccati tanti ponderis esse possit,
quanto in beato Petro fuisse manifestum est. 7. Quisquis
45 enim forte in aliqua persecutione negauit filium Dei, in comparatione beati Petri uidebitur leuius deliquisse si negauit
quem non uidit, si negauit quem non agnouit, si negauit cui
nihil promisit, si semel negauit ! Nam in beato Petro hoc
genus peccati dilatatum est, primo quod cum interrogaret
50 Christus omnes quem se homines dicerent, unus dixit
Heliam, alter dixit prophetam. 8. Tunc Christus dixisse
legitur : *Vos quem me dicitis esse ?* Et ait illi Petrus : *Tu es
filius Dei uiui* [k]. Pro qua agnitione laudari ab eo meruit quod
instinctu Dei patris hoc dixerit [l]. Ecce ceteris non agnos-
55 centibus filium Dei solus Petrus agnouit. Deinde sub die
passionis cum diceret Christus : *Ecce teneor et fugietis
omnes* [m], tacentibus ceteris solus se promisit non recessu-
rum. 9. De praescientia filius Dei ait : *Petre, antequam gal-*

---

33 negasset : denegaret CGg ‖ 34 dum : cum RB ‖ commemoro : cum-
memoro R[ac]B ‖ 36 constat : -tet B ‖ 39 offensio : + et RB ‖ 41 posset : -
sit CGg ‖ 42 seruari : obseruari B ‖ 44 quanto : -tum RB ‖ 46 uidebitur :
uidetur RB g ‖ leuius : leuiter RB ‖ 46-47 quem — negauit [l] : *om.* RB ‖
51 Heliam : Helian RB ‖ 52 legitur : + tu petre RB ‖ dicitis : dicis RB ‖
illi : ille + tu RB ‖ 53-54 quod instinctu — dixerit : *om. codd.* ‖ 54 ecce :
et CGg ‖ 55 die : *om.* B ‖ 56 fugietis : -gitis R -giti B ‖ 58 praescientia :
presentia B

k. Matth. 16, 14-16   l. Cf. Matth. 16, 17   m. Jn 16, 32 ; Matth. 26, 31

renié devant les hommes. Il faut prêter une grande attention à cet exemple. Que le bienheureux saint Pierre lui-
même me pardonne si, en rappelant brièvement ce passage,
je rappelle un acte qu'il a commis incontestablement,
comme on peut le lire.   6. J'hésite à dire qu'un si grand
saint ait pu pécher, et pourtant il prouve lui-même qu'il l'a
fait, puisqu'il s'est affligé et qu'il a pleuré abondamment,
alors qu'il ne se serait pas affligé et qu'il n'aurait pas pleuré
s'il n'y avait eu aucune offense. Le chef des apôtres aurait
certainement pu se conduire de telle sorte que rien n'arri-
vât dont il dût s'affliger. Mais sous un seul chef d'accusation, il a commis de nombreuses fautes, afin de montrer que
toutes, pour le bien de l'unité, doivent être réservées à Dieu.
Et je ne sais si ce genre de péché peut être, chez un autre
homme, aussi grave que celui que le bienheureux Pierre a
commis de façon manifeste.   7. Car quiconque, d'aventure,
a renié le Fils de Dieu lors de quelque persécution, paraît
avoir failli bien légèrement, en comparaison du bienheureux
Pierre, s'il a renié celui qu'il n'a pas vu, s'il a renié celui
qu'il n'a pas reconnu, s'il a renié celui à qui il n'a rien promis, s'il n'a renié qu'une fois ! Or, chez le bienheureux
Pierre, ce genre de péché a été amplifié : tout d'abord,
comme le Christ demandait à tous qui il était au dire des
hommes, l'un dit : « Élie », l'autre dit : « un prophète ».
8. Alors le Christ dit, comme nous pouvons le lire : « Vous,
qui dites-vous que je suis ? », et Pierre lui répondit : « Tu
es le Fils du Dieu vivant [k]. » Pour l'avoir reconnu, il a
mérité que le Christ le loue d'avoir reçu de Dieu le Père
l'inspiration de ces paroles [l]. Alors que tous les autres ne le
reconnaissaient pas, voici que Pierre, seul, a reconnu le Fils
de Dieu. Ensuite, la veille de la Passion, comme le Christ
disait : « Voici que je serai arrêté et que vous fuirez tous [m] »,
tous les autres se turent ; il fut le seul à promettre qu'il ne
l'abandonnerait pas.   9. Le Fils de Dieu, qui connaissait
l'avenir, dit : « Pierre, avant que le coq ne chante, tu me

lus cantet, ter me negabis [n]. Additum est aliud ad pondus
60 peccati, promissum scilicet quod non erat impleturus.
Postea quam in domum Caiphae ductus est Christus, ad
mensuram delicti complendam de tanto numero nullus alius
interrogatur praeter beatum Petrum. Interrogatus primo
negat, interrogatus iterum negat, tertio dixit se Christum
65 omnino non nosse. 10. Et cantauit gallus, non ut tempora
cantu suo distingueret, sed ut pecasse se beatus Petrus
agnosceret. Denique doluit amare et fleuit ubertim [o]. Ecce
ut supra dictum est ceteris non agnoscentibus solus agnouit,
ceteris non promittentibus solus promisit, ceteris nec semel
70 negantibus ter solus negauit ! Et tamen bono unitatis de
numero apostolorum separari non meruit. 11. Vnde intellegitur omnia ordinata esse prouidentia saluatoris ut ipse
acciperet claues. Interclusa est malitiae uia ne apostoli animo
licentiam iudicandi conciperent et seuere contemnerent eum
75 qui negauerat Christum. Stant tot innocentes et peccator
accipit claues, ut unitatis negotium formaretur !
12. Prouisum est ut peccator aperiret innocentibus ne innocentes cluderent contra peccatores et quae necessaria est unitas esse non posset. Haec si commemoraretis communicare
80 cupientes, quando uos catholica pio sinu suscipere dubitaret ecclesia, cum constet uos non traditores esse sed filios
traditorum ?

---

61 Caiphae : Caifae C Caife G Caiphe R Cayphe + sacerdotis B ‖
62 de tanto : detento B ‖ 64 dixit : dicit G ‖ Christum se CG ‖ 68 agnoscentibus : + filium RB ‖ 73 interclusa : inclusa RB ‖ 75 tot : toti CGg ‖ 78
cluderent : clauderent g z ‖ peccatores : -orem RB ‖ 79 commemoraretis :
-moretis RB ‖ 81 ecclesia : *om.* RB

---

n. Matth. 26, 34 o. Cf. Matth. 26, 69-75

renieras trois fois [n]. » Il ajouta à la gravité du péché en faisant une promesse qu'il n'allait pas tenir. Peu après que le Christ eut été conduit chez Caïphe, afin que fût remplie la mesure de sa faute, personne d'autre, parmi tant d'hommes, n'est interrogé que le bienheureux Pierre. Interrogé une première fois, il renie ; interrogé de nouveau, il renie ; la troisième fois, il dit qu'il ne connaissait absolument pas le Christ. 10. Et le coq chanta, non pour indiquer l'heure par son chant, mais pour que le bienheureux Pierre reconnût qu'il avait péché. Il s'affligea donc amèrement et il pleura abondamment [o]. Comme nous l'avons dit plus haut, alors que tous les autres ne l'ont pas reconnu, voici que lui seul l'a reconnu ; alors que tous les autres n'ont fait aucune promesse, voici que lui seul a promis ; alors que tous les autres n'ont pas renié une seule fois, voici que lui seul a renié trois fois ! Et cependant, pour le bien de l'unité, cela ne lui a pas valu d'être séparé du nombre des apôtres. 11. Ainsi, nous comprenons que tout a été ordonné par la providence du Sauveur afin que celui-ci reçût les clefs. Le chemin de la malignité fut coupé pour empêcher les apôtres de concevoir dans leur esprit la possibilité de juger et de traiter avec mépris et dureté celui qui avait renié le Christ. Tant d'innocents sont debout, et c'est un pécheur qui reçoit les clefs, afin que fût institué le symbole de l'unité ! 12. On a veillé à ce que le pécheur ouvrît aux innocents, afin que les innocents ne ferment pas leur porte aux pécheurs et que l'unité, qui est indispensable, ne puisse pas ne pas exister. Si vous aviez rappelé cela, tout en désirant vivre dans la communion, comment l'Église catholique aurait-elle pu hésiter à vous accueillir en son sein bienveillant, puisqu'il est établi que vous n'êtes pas des traditeurs, mais les fils des traditeurs ?

4. 1. Nam aliqui ex uobis uolentes nos populis suis
contemnendos ostendere etiam illud miscent tractatibus suis
quod a Salomone propheta dictum est : *Muscae moriturae
exterminant olei suauitatem* ᴾ, et muscas morituras nos
5 appellant et oleum nominant illum scilicet liquorem qui ex
nomine Christi conditur quod chrisma postquam conditum
est nominatur. Antequam fiat adhuc oleum est natura simplex, fit suaue dum de nomine Christi conditur. **2.** Ergo
tres res sunt quas Salomon propheta nominauit : oleum,
10 suauitatem et muscas morituras exterminantes suauitatem.
Istae tres res loca sua habent in ordine : primo loco est
oleum, secundo suauitas de confectione, tertio muscae
morientes exterminantes suauitatem. Quisquis est talis trac-
tator ex uobis probet quomodo nos muscas morituras
15 appellat. Si apud uos putatis esse confectionem quae det oleo
suauitatem apud uos est oleum et suauitas. **3.** Numquid
nos exterminamus oleum uestrum ut merito nos muscas
morituras appelletis ? Quod uestrum est, apud uos est. Et si
a uobis ad nos aliquis transitum fecerit, sic a nobis seruatur
20 quomodo a uobis dimittitur. Quomodo dicitis quia nos
sumus muscae moriturae suauitatem olei corrumpentes,
cum post uos nihil tale facimus ? Aut si a nobis dicitis suaui-

---

4, 1 suis : *om.* RB ‖ 2 illud miscent : aliud opponunt RB ‖ 3 propheta :
-tae C -te G ‖ 4 suauitatem olei RB ‖ et : quasi CGg ‖ 6 chrisma : crisma
G B ‖ postquam : post quod RB ‖ 7 adhuc : *om.* RB ‖ simplex : + est CG
‖ 8 fit : + et CGg   fiet RB ‖ suaue : + est CGg ‖ 9 quas : quod RB ‖ 10
suauitatem : -itas RB ‖ 11 res : *om.* CGg ‖ 12 muscae : *om.* B ‖ 13 quisquis :
quis RB ‖ 15 uos : nos B ‖ 16 est apud uos CGg ‖ 19 aliquis : -quid RB

---

p. Eccl. 10, 1

---

1. Cf. *C. Parm.*, II, X, 20-22. Augustin répond en même temps aux citations de Parménien : le *Psaume* 49 (cf. OPT., IV, 3-6), les citernes lézardées
(OPT., IV, 9), l'huile du pécheur (OPT., IV, 7), les mouches qui gâtent
l'huile (OPT., VII, 4). Ceci confirme qu'il faut considérer ce passage du livre
VII comme un complément du livre IV.

2. Sur l'emploi du mot *chrisma*, cf. *supra* p. 46, n. 1.

II. Dernières réfutations

1. Les mouches mourantes

4. 1. D'autre part, certains d'entre vous, désireux de montrer à leur peuple qu'il faut nous mépriser, insèrent aussi dans leurs traités cette parole du prophète Salomon : « Des mouches mourantes gâtent la suavité de l'huile P [1]. » Ils nous appellent des mouches mourantes et ils nomment huile ce liquide qui est consacré par le nom du Christ, puisque, quand on l'a consacré, on le nomme chrême [2]. Avant qu'elle ne devienne chrême, l'huile est encore une substance naturelle, elle devient suave lorsqu'elle est consacrée par le nom du Christ. 2. Il existe donc trois éléments, que le prophète Salomon a nommés : l'huile, la suavité, et les mouches mourantes qui gâtent la suavité. Ces trois éléments sont classés selon cet ordre : en premier lieu, on trouve l'huile, en second lieu la suavité, qui vient de la consécration, en troisième lieu les mouches mourantes, qui gâtent la suavité. Quiconque parmi vous interprète une telle citation doit démontrer comment il peut nous appeler des mouches mourantes. Si vous prétendez que c'est chez vous que s'accomplit la consécration qui donne à l'huile sa suavité, alors chez vous se trouvent l'huile et la suavité. 3. Est-ce que par hasard nous gâtons votre huile, pour mériter que vous nous appeliez des mouches mourantes ? Ce qui vous appartient se trouve chez vous. Et si quelqu'un, venant de chez vous, vient à nous, nous le gardons tel que vous nous l'avez envoyé [3]. Comment pouvez-vous dire que nous sommes des mouches mourantes qui corrompent la suavité de l'huile, alors que nous ne faisons rien de tel après vous. Si vous dites que nous pouvons corrompre la suavité de

---

3. Optat fait allusion ici au fait que les catholiques ne réitèrent pas le baptême, puisqu'ils considèrent comme valide le baptême des schismatiques. Cf. l'Introduction, t. 1, p. 94.

tatem olei corrumpi posse, aut possumus aliquid et damus
oleo suauitatem !   4. Aut si, ut uultis, nihil possumus,
25 remansit oleum tale esse quale et natum est. Quomodo dicitis quia nos sumus muscae moriturae corrumpentes suauitatem olei ? Igitur oleum antequam a nobis conficiatur tale
est quale et natum est. Confectum suauitatem ex nomine
Christi accipere potest. Quomodo possumus uno facto et
30 conficere et corrumpere ? Restat ut si oleum de se suaue sit,
uacet quod agitur ab hominibus.   5. Si ab homine in
nomine Christi conficitur, non potest idem operarius duas
res repugnantes et contrarias simul facere. Vobis absentibus
si conficimus non corrumpimus. Si corrumpimus quis ante
35 nos confecerat quod corrumperemus ? Quare ne uacet dic-
tio prophetae, si ita est, intellegite quia uos estis muscae
moriturae. Vos enim exterminastis non quod natum est sed
quod confectum est.   6. Suauitas enim legitur non natura
posse corrumpi. Oleum enim simplex est et nomen suum
40 unum et proprium habet. Confectum iam chrisma uocatur
in quo est suauitas quae cutem conscientiae mollit exclusa
duritia peccatorum quae animum innouat lenem, quae
sedem spiritui sancto parat, ut inuitatus illic asperitate fugata
libenter inhabitare dignetur. Haec est suauitas olei quam
45 possunt muscae moriturae corrumpere.   7. Si nos exterminaremus a uobis confectum oleum, merito nos muscas mori-

---

23 aut : + si RB ‖ 24 si : + non CGg   + nos z ‖ 26 moriturae : *om.* RB
‖ 28 et : *om.* CGg ‖ 29 accipere *post* suauitatem *transp.* RB ‖ facto :
momento RB ‖ 31 hominibus : + et B ‖ 32 conficitur : -ciatur CGg ‖ 34
conficimus : -fecimus RB ‖ corrumpimus [1] : -rupimus RB ‖ si corrumpimus [2] : si corrumpis R *om.* B ‖ 37 exterminastis : -natis B ‖ natum : donatum B[ac] ‖ 40 iam : *om.* RB ‖ chrisma : crisma G B ‖ 41 est : erit RB ‖ 44
inhabitare : habitare RB ‖ 45 exterminaremus : -nabimus R[ac] ‖ 46 nos : *om.*
B

---

1. Cf. Opt., V, 7 (« Le ministre n'est que l'ouvrier de Dieu »).

2. Cf. Tert., *Bapt.*, VII, 1 « A la sortie du bain, nous recevons une onction d'huile bénite (*benedicta unctione*) ». Cette onction confère aux baptisés les qualités d'oints, de chrétiens. Cypr. (*Ep.*, LXX, II, 2) précise qu'il

l'huile, c'est donc que nous avons quelque pouvoir et que nous donnons à l'huile sa suavité ! 4. Mais si, comme vous le prétendez, nous n'avons aucun pouvoir, alors l'huile reste telle qu'elle est naturellement. Comment pouvez-vous dire que nous sommes des mouches mourantes qui corrompent la suavité de l'huile ? Ainsi, avant que nous ne la consacrions, l'huile est telle qu'elle est naturellement. Une fois consacrée, elle peut recevoir sa suavité du nom du Christ. Comment pouvons-nous, par un même acte, à la fois consacrer et corrompre ? Il reste que si l'huile était suave par elle-même, toute intervention humaine serait inutile. 5. Si c'est l'homme qui la consacre au nom du Christ, le même ouvrier [1] ne peut accomplir en même temps deux actes qui s'opposent et qui sont contraires. Si, en votre absence, nous consacrons, nous ne corrompons pas. S'il est vrai que nous corrompons, qui avant nous aurait consacré ce que nous corromprions ? Mais la parole du prophète ne saurait être vaine. S'il en est ainsi, comprenez que c'est vous qui êtes les mouches mourantes. En effet, vous n'avez pas gâté ce qui est naturel, mais ce qui a été consacré. 6. On lit en effet que la suavité ne peut être corrompue dans ce qui est naturel. Car l'huile est naturelle et elle possède son propre nom, unique et particulier. Une fois consacrée, elle s'appelle chrême, et en elle se trouve la suavité, qui adoucit l'enveloppe de la conscience, après avoir enlevé la dureté des péchés, qui rend l'âme douce, qui prépare une demeure pour l'Esprit-Saint afin que, répondant à l'invitation qu'on lui a faite après en avoir supprimé la rudesse, il accepte volontiers d'y séjourner [2]. Telle est la suavité de l'huile, que les mouches mourantes peuvent corrompre. 7. Si nous gâtions l'huile que vous avez consacrée, vous pourriez à juste titre

---

s'agit d'une « huile consacrée à l'autel (*oleum in altari sanctificatum*) ». Sur le symbolisme de l'huile dans la liturgie baptismale, cf. J. DANIÉLOU, *Bible et Liturgie*, p. 57-60.

turas appellare possetis ! Sed dum quod a uobis unctum est
tale seruamus quale suscipimus, muscae moriturae esse non
possumus. Sed dum uos inuidiae tempestatibus impulsi
50 quasi in oleum caditis, uos exterminatis in rebaptizatione
suauitatem olei illius quod in nomine Christi confectum est,
unde condirentur mores, unde accenderetur lumen mentis
ad salutarem et ueram intellegentiam. 8. Vos exterminatis
rem ubi oleum fuit et suauitas, nos quomodo potuimus cor-
55 rumpere suauitatem quae ante nos a nullo confecta est ?
Seduxistis homines, rebaptizastis, iterum unxistis. Pro
dolor ! Non sine morte uestra exterminastis quod fuerat de
nomine Christi confectum, more muscarum quae pereuntes
exterminant, quia mors est peccatum quod non habet indul-
60 gentiam. 9. Scriptum est quia *qui peccauerint in spiritum
sanctum non remittetur ei neque in hoc saeculo neque in
futuro* q. Ergo cum et falso nos muscas appelletis et omnia
quae a nobis fiunt dissoluere properetis, et nos contemnendos aut despiciendos esse dicatis, uobis solis sanctitatem
65 uindicantes, innocentiam proponitis uestram ut promittatis
uos aliena posse donare peccata. 10. Vides igitur non de
nobis ut disputatis sed de uobis dixisse beatissimum Paulum
apostolum : *Erunt*, inquit, *homines se ipsos amantes, cupidi,
gloriantes sibi, superbi, blasphemi, parentibus non oboe-
70 dientes, ingrati, scelesti, pacem non custodientes, sine adfectu,
detractores, immites, sine benignitate* r, et cetera.

47 a : de B ‖ 50 exterminatis : -nastis CGg ‖ 52 accenderetur : incende-
retur CGg ‖ 53 salutarem : -ares + partes RB ‖ exterminatis : -nastis CGg
‖ 57 exterminastis : -nantes RB ‖ 58 pereuntes : perientis R   perientes B ‖
59 exterminant : *om*. RB ‖ 60 quia scriptum est RB ‖ 61 ei : illi RB ‖ 61-
62 neque in hoc — futuro : nec hic nec in futuro saeculo GGg ‖ 63 properetis : -eratis RB ‖ 65 uestram : -trum CG ‖ 66 igitur : *om*. RB ‖ 67 disputatis : -tasti RB ‖ 68 apostolum Paulum RB ‖ 69 oboedientes : -ntibus
CG ‖ 70 adfectu : adfectione RB

nous appeler des mouches mourantes ! Mais puisque nous gardons intact, tel que nous le recevons, ce que vous avez oint, nous ne pouvons pas être des mouches mourantes. Puisque, poussés par les emportements de la haine, vous vous attaquez en quelque sorte à l'huile, c'est vous qui gâtez, en rebaptisant, la suavité de cette huile qui a été consacrée au nom du Christ, afin que, grâce à elle, les mœurs soient adoucies, et que la lumière de l'Esprit brille, pour la connaissance de la vérité, qui procure le salut. 8. Vous, vous gâtez un mélange d'huile et de suavité, mais nous, comment aurions-nous pu corrompre la suavité puisque, avant nous, personne n'a opéré de consécration ? Vous avez séduit des hommes, vous les avez rebaptisés, vous les avez oints une seconde fois. Ah ! Quelle douleur ! C'est pour votre propre ruine que vous avez gâté ce qui avait été consacré au nom du Christ, à la manière des mouches qui, en mourant, apporte la corruption ! Or, la mort, c'est le péché qui n'obtient pas le pardon. 9. Il est écrit : « Si quelqu'un pèche contre le Saint-Esprit, cela ne lui sera remis ni en ce monde, ni dans l'autre q. » Ainsi, vous nous appelez à tort des mouches et vous hâtez de défaire tout ce que nous faisons. Vous dites qu'il faut nous mépriser et nous dédaigner, revendiquant la sainteté pour vous seuls. Vous étalez votre innocence en promettant que vous pouvez pardonner les péchés d'autrui. 10. Tu vois bien que ce n'est pas à notre sujet, comme vous le soutenez, mais à votre sujet que le bienheureux apôtre Paul a dit : « Il y aura des hommes égoïstes, cupides, vantards, orgueilleux, diffamateurs, rebelles à leurs parents, ingrats, sacrilèges, hostiles à la paix, sans cœur, détracteurs, cruels, sans bienveillance, etc. r »

q. Matth. 12, 32   r. II Tim. 3, 2-3

5. 1. Nam illud quale est quod pro arbitrio tuo Moysi uobis imponere uoluisti personam contra quem Iannem et Mambrem ˢ obstitisse commemorat apostolus Paulus ᵗ. Si ita est quae apud uos ueritas inueniri potest cui catholica uide-
5   tur obsistere ? Aut quod apud nos esse mendacium poteris approbare ? In una communione esse cum toto orbe terrarum numquid poteris approbare mendacium ?
2. Symbolum uerum et unicum retinere et defendere num-quid poteris approbare mendacium ? Cathedram Petri et
10   claues regni caelorum a Christo concessas, ubi est nostra societas, numquid poteris approbare mendacium ? In ipsa lectione quae commemorasti inter ipsas personas, considera ordinem rerum, qui fuerit prior adtende. Vtique Iannes et Mambres secundo loco sunt qui contra Moysen et ueritatem
15   tem falsis artibus militare uoluerunt. **3.** Et antecesserat Moyses cuius uirtutes impugnare frustra conati sunt ᵘ. Vt Moyses prior est sic et catholica prior est. Vt Iannes et Mambres repugnantes obstiterunt sic et uos rebelles contra ueram catholicam militatis. Quid est ergo quod nomina et
20   nobis et uobis mutare uoluistis nisi ut te sociis tuis compa-rares aequalem ? **4.** Sunt enim aliqui ex uobis qui obliti aut ignari praeteritorum temporum in nos dicant quae perti-neant ad eos qui iamdudum de catholica lapsi Maiorinum ordinauerunt. Illi scilicet auctores schismatis et traditionis.

5, 1 pro : *om.* B ‖ 2 Iannem : Iamnem CGgz [*sic et postea*] ‖ 5 esse : *om.* RB ‖ 9 poteris : -eritis G ‖ 9 mendacium : -cem RB ‖ 11 poteris : -eri-tis G ‖ 12 considera : -eras RB ‖ 13 rerum : reum B + et z ‖ 14 ueritatem : Aaron RB ‖ 17 et : *om.* g ‖ 19 ueram : ueritatem RB ‖ 20 et uobis et nobis R ‖ comparares : conpares RB ‖ 22-23 in nos dicant — ad *scripsi cum* z : *om. codd.* ‖ 23 iamdudum qui *codd.* g

---

s. Cf. Ex. 7, 11   t. Cf. II Tim. 3, 8   u. Cf. Ex. 7, 11

1. Sur ce chapitre, cf. l'Introduction, t. 1, p. 35.
2. Cf. OPT., II, 1, 1-13 et l'Introduction, t. 1, p. 102-107.
3. Cf. OPT., II, 2 - 4 et l'Introduction, t. 1, p. 108-117.

2. Jannès et Mambrès

5. 1. Et maintenant [1], pourquoi as-tu voulu, arbitrairement, vous attribuer le rôle de Moïse contre qui se sont dressés Jannès et Mambrès [s], comme le rappelle l'apôtre Paul [t]. S'il en est ainsi, quelle est la vérité que l'on peut trouver chez vous, contre laquelle l'Église catholique paraît se dresser ? Quel mensonge pourras-tu dévoiler chez nous ? Notre communion avec tout l'univers [2], pourras-tu prouver que c'est un mensonge ? 2. Le fait que nous gardons et que nous défendons le symbole vrai et unique, pourras-tu prouver que c'est un mensonge ? Le fait que la chaire de Pierre ainsi que les clefs du royaume ont été accordées par le Christ à ceux avec qui nous sommes en communion, pourras-tu prouver que c'est un mensonge [3] ? Dans le passage que tu as rappelé, observe dans quel ordre chaque personnage est intervenu, regarde qui a été le premier. Assurément, Jannès et Mambrès occupent le second rang, eux qui ont voulu combattre, par des artifices, contre Moïse et contre la vérité. 3. Et Moïse les avait précédés, lui dont ils se sont efforcés en vain d'attaquer les prodiges [u]. De même que Moïse est le premier, de même l'Église catholique est la première. De même que Jannès et Mambrès ont été des révoltés et des opposants, de même vous êtes des rebelles et vous combattez contre la véritable Église catholique. Et pourquoi as-tu voulu intervertir les noms qui doivent nous être attribués, à vous et à nous, si ce n'est pour te montrer l'égal de tes collègues ? 4. Il en est en effet, parmi vous qui, oublieux ou ignorants du temps passé, portent contre nous des accusations qui concernent ceux qui, après avoir renié l'Église catholique, ont ordonné Majorinus [4], il y a longtemps déjà. Ces hommes, assurément, sont les auteurs du schisme et de la *traditio* [5]. Tant

4. Cf. OPT., I, 19, 4.
5. Cf. OPT., I, 15, 1-2.

25 Cum adhuc retinerent pacem, antequam exterminarent Deo
placitam unitatem, fuerunt lumen mundi et sal terrae merito
appellabantur ᵛ. 5. Dum docerent pacem adhuc pacifici
uocabantur. Antequam inflati essent, beati erant de pauper-
tate spiritus, pars erant condimenti. Beati erant dum mites,
30 pars fuerant condimenti. Beati erant dum iusti, pars erant
condimenti. Beati dum pacifici, totum fuerant condimen-
tum ʷ ! Posteaquam erroris diuitias dederunt spiritui et pul-
monibus suis et facientes schisma, immites inuenti sunt et
minus misericordes. 6. Dum impie membra ecclesiae diui-
35 serunt et iniustitiam secuti regnum Dei pro fastidio habuerunt et diuidendo ecclesiam noluerunt esse pacifici, ipsi facti
sunt sal ˣ infatuatum ex quo nihil condiretur quod Deo de
suauitate placuisset. Et cum hoc malum pertineat ad principes uestros, a quibusdam sociis tuis aliter disputatur ut
40 dicant insipientes fuisse eos qui agnouerunt uel sero ueritatem et ab schismate recedentes agnita matre catholica secuti
sunt pacem. 7. Hos putant aliqui uestrum errasse, hos exis-
timant quasi infatuatos a sapientia recessisse. Vnde apparet
uos omnes eodem modo errare in nominibus transferendis,
45 dum et tu Iannem et Mambrem ʸ pacificis catholicis comparasti et uos schismaticos Moysi quod a ueritate alienum est.
Et aliqui socii tui insipientes de sapientibus iudicare uoluerunt ut dicant fatuos factos esse pacificos et parentes suos
de dissensione infatuatos esse intellegere noluerunt.

25 antequam : antiquam RB ‖ 26 fuerunt : cum erant RB ‖ 28 essent :
erant RB ‖ 29 erant ¹ : erat RB ‖ 30 fuerant : -erat RB ‖ erant ¹ : om. CGg
‖ erant ² : erat RB ‖ 31 fuerant : -erat RB ‖ 32 spiritui : -tus B ‖ 33 suis :
om. RB ‖ et ¹ : om. CGg ‖ facientes : -te B ‖ immites : inmanes R inmane
B ‖ 39 disputatur : deputatur B ‖ 41 schismate : scisma RB ‖ 42 hos ² : eos
RᵃᶜB ‖ 43 recessisse : rescississe RB ‖ 45 pacificis : + et RB ‖ 46 est : om.
RB ‖ 47 uoluerunt : -erant RB ‖ 48-49 pacificos — infatuatos esse : om. G
‖ 48 et : ut RB ‖ 49 noluerunt : + nam et illud quale est — quod uidebatur auditum codd. in libr. III, 12 transposita

v. Cf. Matth. 5, 13-14   w. Cf. Matth. 5, 3-7   x. Cf. Matth. 5, 13   y. Cf.
Ex. 7, 11

qu'ils préservaient la paix, avant de ruiner l'unité qui plaît
à Dieu, ils étaient la lumière du monde et ils étaient appelés à juste titre le sel de la terre ᵛ. 5. Tant qu'ils ensei-
gnaient la paix, ils étaient appelés pacifiques. Avant d'être
enflés d'orgueil, ils étaient bienheureux parce qu'ils étaient
pauvres en esprit : ils étaient une partie de la saveur. Ils
étaient bienheureux parce que doux : ils étaient une partie
de la saveur. Ils étaient bienheureux parce que justes : ils
étaient une partie de la saveur. Ils étaient bienheureux parce
que pacifiques : ils étaient toute la saveur ʷ ! Après qu'ils
eurent paré leur esprit et leur cœur des richesses de l'erreur, en provoquant le schisme, ils sont devenus cruels et
sans pitié. 6. Puisqu'ils ont divisé de façon impie les
membres de l'Église, puisque, en recherchant l'injustice, ils
ont tenu le royaume de Dieu pour méprisable, puisque, en
divisant l'Église ils ont refusé d'être pacifiques, ils sont
devenus un sel ˣ qui a perdu sa saveur, qui n'assaisonne rien
qui pût avoir un goût agréable à Dieu. Et alors que ce péché
concerne vos premiers chefs, certains de tes collègues rai-
sonnent autrement : ils disent que ceux qui ont reconnu,
même tard la vérité, et qui, abandonnant le schisme, après
avoir reconnu comme mère l'Église catholique, ont recherché la paix, ne possèdent pas la sagesse. 7. Certains d'entre
vous pensent que ces hommes se sont fourvoyés, ils esti-
ment que ces hommes ont en quelque sorte perdu leur
saveur et se sont écartés de la sagesse. Il apparaît donc clairement que vous êtes tous dans l'erreur quand vous inter-
vertissez les noms, comme tu l'as fait toi-même, lorsque tu
as comparé Jannès et Mambrès ʸ aux catholiques pacifiques
et vous-mêmes, les schismatiques, à Moïse, ce qui est
contraire à la vérité. Et certains de tes collègues ont voulu
juger déraisonnables des hommes sages, en affirmant que
les pacifiques étaient devenus insensés, et ils n'ont pas
voulu comprendre que leurs pères avaient perdu leur saveur
à cause de leur dissension.

6. 1. Iam ad illum locum inuidia uestra dilabitur ut dicatis Macarium post illa facta communioni non debuisse misceri sed magis a catholicis episcopis abstineri. Primo com-
munionis unum est nomen, sed diuersi sunt modi : aliud est
5 communicare episcopum cum episcopo et aliud communicare laicum cum episcopo. Tunc erat graue si Macarius quod
fecisse dicitur sua uoluntate fecisset.   2. Quod si faciunt
factum iudiciis publicis et romanis legibus uindicatur. Ille
est enim homicida qui nulla necessitate cogente, nulla ius-
10 sione, nulla potestate, sed furore adactus de uoluntate sua
fecerit quod prohibent leges. Ceterum Macarius quod
fecisse dicitur uobis prouocantibus fecit nec episcopus fuit
nec in officio episcopali uersatus est nec manum alicui
imposuit nec sacrificium obtulit.   3. Vnde cum eum constet
15 alienum fuisse ab episcoporum actibus, nullus episcopus ab
eo qui cum episcopis non obtulit uidetur esse pollutus.
Restat ut dicatis eum cum populo communicasse. Et locu-
tum eum esse aliquid in populo constat, sed insinuandae alicuius rei causa non tamen tractandi quod est episcoporum.
20 Ille enim nude locutus est, si quid loqui potuit.   4. Contra
episcopalis tractatus probatur ab omnibus sanctitate uesti-
tus, salutatione scilicet geminata. Non enim aliquid incipit
episcopus ad populum dicere nisi primo in nomine Dei
populum salutauerit. Similes sunt exitus initiis. Omnis trac-
25 tatus in ecclesia a nomine Dei incipitur et eiusdem Dei

6, 2 Macarium : -charium *codd.* g ‖ misceri : misseri G ‖ 4 modi : actus
CGg ‖ 5 et : *om.* RB ‖ 6 laicum : laycum B ‖ cum : *om.* RB ‖ Macarius : -
charius Gg   Marius RB ‖ 7 fecisse : -isset RB ‖ dicitur : *om.* RB ‖ 8 iudiciis : -cis G RB ‖ 10 adactus : *om.* RB ‖ uoluntate : potestate RB ‖ 11
Macarius : -charius G RB g ‖ quod : quodquod R^{ac}   quidquid R^{pc}B ‖ 15
alienum fuisse : *om.* RB ‖ 18 esse eum RB ‖ insinuandae : -andi CG   -endi
g ‖ 20 nude : unde B ‖ 22 scilicet : *om.* B ‖ 24 initiis : finitis R *om.* B ‖ 25
a Dei nomine R   ad ei nomine B

3. Macaire

6. 1. La haine qui vous anime se porte maintenant sur ce fait : vous dites que Macaire [1], après avoir commis les actes que l'on sait, n'aurait pas dû être admis dans notre communion, mais que les évêques catholiques auraient dû plutôt le tenir à l'écart. Je dirais tout d'abord que le même mot de communion recouvre des réalités différentes : autre est la communion d'un évêque avec un évêque, autre la communion d'un laïc avec un évêque. La faute eût été grave alors, si Macaire avait commis de sa propre volonté les actes dont on parle. **2.** Toute faute commise est punie par des jugements publics et par les lois romaines. Il est criminel, en effet, celui qui a accompli de sa propre volonté un acte interdit par les lois, alors qu'il n'était poussé par aucune contrainte, par aucun ordre, aucune puissance, mais par l'égarement de l'esprit. Mais en réalité, Macaire a commis les actes dont on l'accuse à cause de vos provocations. Il n'était pas évêque, il n'a pas exercé la fonction épiscopale, il n'a imposé les mains à personne et il n'a pas offert le sacrifice. **3.** Et puisqu'il est clair qu'il n'a pas participé aux actes des évêques, on constate qu'aucun évêque n'a été souillé par un homme qui n'a pas offert le sacrifice avec des évêques. Il reste que vous dites qu'il a été en communion avec le peuple. Il est évident qu'il s'est adressé au peuple, mais c'était pour faire une déclaration, non pour prêcher, ce qui appartient aux évêques. En effet, cet homme, s'il a pu parler, a parlé directement. **4.** Au contraire, nous reconnaissons tous le sermon d'un évêque au caractère saint qu'il revêt, c'est-à-dire à la double salutation qu'il contient. En effet, un évêque ne commence pas à s'adresser au peuple sans l'avoir tout d'abord salué au nom de Dieu. La fin du sermon est semblable au début. Tout sermon, dans l'Église, commence par le nom de Dieu et se termine, de la même manière, par le

---

1. Sur Macaire, cf. *supra* p. 8, n. 1.

nomine terminatur. Quis uestrum audet dicere episcoporum
more Macarium populum salutare ?   5. Igitur cum nec
salutauerit antequam aliquid loqueretur nec salutare ausus
sit postquam locutus est, nec manum imposuerit nec sacri-
30 ficio Deo ritu episcopali obtulerit, quid est quod dicitis pollui potuisse episcopale collegium cum ab omni episcoporum
officio Macarium uideatis alienum ? Vestigio ueritatis hoc
loco calcata iterum uestra caput leuare uidetur inuidia.
Dicitis enim nec inter laicos eum communicare debuisse.
35 6. Equidem constat eum ut Paulus apostolus probat minis-
trum fuisse uoluntatis Dei. Et quid mirum si et iudices
pagani ministri uoluntatis Dei aestimari meruerunt apostolo
dicente : *Non sine causa iudex gladium portat* [z] ? Est enim
minister uoluntatis Dei. Nam et Macarius in suo iudex fuisse
40 uidebatur. Quodsi non erat iudex in eo quod fecit secundum leges romanas a iudicibus in eum debuit uindicari.
7. Aut si dicitis nec sic eum communicare debuisse, nos
tamen non uidemus quia debuit abstineri qui id tale fecit
quod factum est a Moyse quem post uiginti tria milia homi-
45 num occisa Deus non contemnendo abstinuit sed ut secum
loqueretur iterum inuitauit [a].   8. Nos non uidemus absti-
nendum fuisse eum qui fecit quod Finees quem paulo ante
memoraui qui ab ipso Deo pro homicidio laudari meruit [b].
Non uidetur magis nobis abstinendus fuisse is a quo id fac-
50 tum est quod ab Helia propheta qui tot falsos prophetas
occidit [c]. Nam et illos falsos uates fuisse iam supra probauimus.

---

26 nomine Dei B ‖ 27 Macarium : -charium *codd.* g ‖ salutare populum
B ‖ 29 est : sit CGg ‖ 30-31 quid — potuisse : non polluisse RB ‖ 32 ues-
tigio : -gia CGg ‖ ueritatis : *Explicit* B ‖ 36-7, 9 uoluntatis dei — in iudicio : *om.* R ‖ 36 si : + sint CGg ‖ 47 Finees *codd.* : Phinees g z

---

z. Rom. 13, 4   a. Cf. Ex. 32, 28   b. Cf. Nombr. 25, 7-13   c. Cf. III Rois
18, 40

---

1. Cf. Opt., III, 12, 1-4.
2. Sur ces trois exemples (Moïse, Pinhas, Élie), cf. Opt., III, 7, 1-7.

nom de Dieu. Qui d'entre vous ose dire que Macaire a salué
le peuple à la manière des évêques ? 5. Ainsi, puisqu'il n'a
pas salué le peuple, avant de parler et qu'il n'a pas osé le
saluer après avoir parlé, puisqu'il n'a pas imposé les mains
et qu'il n'a pas offert le sacrifice à Dieu à la manière d'un
évêque, pourquoi dites-vous que le collège épiscopal a été
souillé, alors que vous constatez que Macaire n'a exercé
aucune des fonctions épiscopales [1] ? La haine qui vous
anime, ici foulée aux pieds par la vérité, semble relever la
tête. Vous dites que cet homme n'aurait pas dû non plus
être en communion avec des laïcs. 6. Et pourtant, il est
évident que cet homme a été le ministre de la volonté de
Dieu, comme le prouve l'apôtre Paul. Et qu'y a-t-il d'étonnant à ce que des juges païens aient été jugés dignes, eux
aussi, d'être les ministres de la volonté de Dieu, comme le
dit l'apôtre Paul : « Ce n'est pas sans raison que le juge
porte l'épée [z] » ? Il est, en effet, le ministre de la volonté de
Dieu. Et Macaire, lui aussi, paraissait, pour sa part, avoir
agi en tant que juge. Car s'il n'avait pas agi en tant que juge,
dans les actes qu'il a commis, les juges auraient dû sévir
contre lui, conformément aux lois romaines. 7. Et si vous
dites que, même ainsi, il n'aurait pas dû être dans notre
communion, pour notre part, nous ne voyons pas pourquoi
nous aurions dû le tenir à l'écart, lui qui a agi comme
Moïse : après que vingt trois mille hommes eurent été tués,
Dieu ne l'a pas tenu à l'écart, avec mépris, mais il l'a invité
à nouveau à s'entretenir avec lui [a]. 8. Nous ne voyons pas
qu'il ait fallu tenir à l'écart celui qui a agi comme Pinhas,
évoqué précédemment, qui, pour avoir commis un meurtre,
mérita les louanges de Dieu lui-même [b]. Il ne nous semble
pas davantage que nous aurions dû tenir à l'écart un
homme qui a agi comme le prophète Élie, le meurtrier de
tant de faux prophètes [c] ! Car nous avons déjà montré plus
haut que ces hommes ont été, eux aussi, de faux prophètes [2].

7. 1. Sed ut haec exempla sileantur dicamus et nos quod
dicitis reum fuisse Macarium. Quodsi fuit accusatore silente
a nobis non licuit abstineri. Scriptum est enim ante cogni-
tam causam neminem esse damnandum. Dicite, quis eum
5 accusauit et auditus non est ? Dicite Macarium confessum
esse culpam et nostram siluisse sententiam ! Sumus enim
qualescumque iudices in ecclesia quod et ipsi non negatis
quod nos iudices seueros debere fuisse contenditis. **2.** Non
enim possumus facere quod ne fecit Deus qui in iudicio suo
10 personas separare dignatus est, nec eundem uoluit esse accusatorem et iudicem. Non enim potest quis in una causa
eodem momento duas portare personas ut in eodem iudicio
et accusator esse possit et iudex. Quod Deus nec per omni-
potentiam fecit. Vt nobis iudicandi formam ostenderet
15 docuit reum sine accusatore non debere damnari aut acusa-
torem eum esse qui iudex in ea causa futurus est.
3. Denique inter ipsa principia saeculorum dum hominum
esset renouellata natiuitas dum a Cain frater Abel esset occi-
sus, lectum est : *Et uocauit Deus Cain et interrogauit eum*
20 *ubi esset frater eius* [d]. Ille peccatum duplicans quasi igno-
rantem faceret Deum nescire se dixit. Et quando posset nescire aliquid dominus sub cuius oculis et uultu sunt omnia
quae geruntur ! Et tamen Deus sine accusatore non iudicat
et interrogat utique quod nouerat. **4.** Et uos uultis ut abs-
25 tineremus quem non uidimus aliquid mali facientem et qui
nullum habuerit accusatorem ! Video hoc loco quid inuidia
submurmuret uestra. Dicitis enim non nos latuisse quod fac-

7, 8 seueros *scripsi cum* z : esse ueros *codd.* g ǁ 11 et : *om.* g ǁ 13 et [1] :
om. R ǁ nec : *om.* R ǁ 14 formam : -mas R ǁ ostenderet : -ere g ǁ 16 esse
eum R ǁ 19 Deus : *om.* R ǁ 21 faceret : fecisset R ǁ Deum : dominum R ǁ
24 utique : *om.* R ǁ ut : *om.* R ǁ abstineremus : abstinere + nos ab eo R[pc] ǁ
25 mali : male CG ǁ 26 quid : quod g

d. Gen. 4, 9

7. 1. Mais pour en finir avec ces exemples, reconnaissons, nous aussi, comme vous le faites, que Macaire a été coupable : S'il l'a été, il ne nous était pas permis, en l'absence d'un accusateur, de le tenir à l'écart. Il est écrit, en effet, que nul ne doit être condamné avant que sa cause n'ait été instruite. D'après vous, qui a porté une accusation contre lui sans qu'il ait été écouté ? Osez dire que Macaire a confessé sa faute et que nous n'avons pas prononcé de sentence ! Car nous sommes, quels que nous soyons, des juges dans l'Église, ce que vous reconnaissez vous-mêmes, puisque vous affirmez que nous aurions dû être des juges sévères. **2.** En effet, nous ne pouvons pas faire ce que Dieu n'a pas fait, lui qui a jugé bon, dans son tribunal de distinguer les rôles : il n'a pas voulu que le même homme fût à la fois accusateur et juge. En effet, personne ne peut, dans un même procès, jouer deux rôles en même temps : dans un même tribunal, on ne peut être à la fois accusateur et juge. Car Dieu, malgré sa toute puissance, ne l'a pas fait. Afin de nous donner un exemple de procès, il a enseigné qu'un accusé ne devait pas être accusé sans accusateur, ou que l'accusateur ne devait pas être celui qui, dans cette affaire, serait le juge. **3.** Ainsi, par exemple, au commencement du monde, alors qu'une seconde génération d'hommes était née, alors qu'Abel avait été tué par son frère Caïn, on peut lire : « Et Dieu appela Caïn et il lui demanda où était son frère [d]. » Mais lui, doublant sa faute, comme s'il faisait de Dieu un ignorant, dit qu'il ne le savait pas. Comment le Seigneur pourrait-il ignorer un acte alors que toute action se fait sous son regard et à sa face ! Et pourtant, Dieu ne juge pas sans accusateur, il demande ce que, assurément, il savait déjà. **4.** Et vous, vous auriez voulu que nous tenions à l'écart un homme que nous n'avons vu rien faire de mal, et qui n'a eu aucun accusateur ! Je vois ici pourquoi la haine qui vous anime murmure tout bas. Vous dites en effet que ce qui a été commis ne nous était pas inconnu. Nous avouons que nous en avons entendu

tum est. Fatemur nos audisse sed peccatum erat damnare
eum quem nemo est ausus accusare. Sed si dixeritis quia non
30 nos latuit factum, dicite Deo quare interrogauit qui uiderat
parricidium. 5. Nec illud a nobis fieri oportuit quod Deus
facere noluit qui sententiam noluit dicere nisi reo redderet
accusatorem. Alioquin non posset iusta esse sententia si ipse
qui iudicaturus erat accusaret. Ideo ait : Ecce sanguis fratris
35 tui clamat ad me de terra ᵉ. Quare et uos cum minime probare possitis ab aliquo apud nos accusatum esse Macarium
nostrum non potestis damnare iudicium.

---

29 accusare : arguere CGg ‖ si dixeritis quia : qui dicitis R ‖ 32 redde-
ret : redde CG g z ‖ 33 posset : potest R ‖ si : nisi CGg z ‖ 36 possitis : -
setis Rᵃᶜ
EXPLICIT LIB VII SCI OPTATI EPI C Explicit Liber Septimus
Sancti Optati Episcopi G EXPLICIT LIBER OPTATI EPISCOPI
CATHOLICI LIBRI N VII AD PARMENIANUM SCISMATICOR
AUCTOREM R

N.B. – Sur le ms C, cf. Loew, *CLA* VI, n° 806 (Provenance Fleury). Sur
le ms R, cf. M.-F. Laffitte, dans *Saint-Thierry,* Colloque 1976, St-Thierry
1979, p. 99.

parler, mais c'était une faute de condamner un homme que
personne n'a osé accuser. Mais puisque vous avez dit que ce
fait ne nous était pas inconnu, demandez à Dieu pourquoi
il a interrogé celui qu'il avait vu commettre un crime. 5. Il
n'aurait pas été convenable que nous fassions ce que Dieu
n'a pas voulu faire, lui qui n'a pas voulu prononcer une sentence sans qu'un accusateur ne fût donné à l'accusé. En
outre la sentence ne pourrait pas être juste, si lui-même qui
était sur le point de juger, était aussi l'accusateur. C'est
pourquoi il a dit : « Voici que le sang de ton frère crie vers
moi de la terre [e]. » C'est pourquoi aussi, comme vous ne
pouvez pas du tout prouver que Macaire ait eu chez nous
un accusateur, vous ne pouvez pas condamner notre jugement [1].

e. Gen. 4, 10

1. Sur les chapitres 6 et 7 du livre VII, cf. l'Introduction, t. 1, p. 35.

INDEX

Les chiffres renvoient aux livres, chapitres et paragraphes.

INDEX

I. INDEX SCRIPTURAIRE

Les références aux allusions scripturaires sont précédées d'un astérisque.

II. INDEX DES NOMS
GÉOGRAPHIQUES ET ETHNIQUES

III. INDEX DES NOMS DE PERSONNES

Paul, artisan de l'unité : III, 3, 2 ; 4, 1.12 ; 12, 2

Photin, hérétique : IV, 5, 6

Pie, évêque de Rome : II, 3, 1

Pierre : I, 10, 3 ; 12, 2 ; II, 2, 2 ; 3, 1 ; 4, 1.6 ; III, 7, 8 ; 8, 1 ; V, 3, 5.6.7.9 ; VII, 3, 1.3.4.5.6.7.8.9.10 ; VII, 5, 2

Pinhas, personnage biblique : III, 5, 2.3 ; 7, 2.3.4.6 ; VII, 6, 8

Ponce Pilate : VII, 1, 27

Pontien, évêque de Rome : II, 3, 1

Praxéas : I, 9, 2 ; V, 1, 9

Primosus, évêque catholique de Lemellef : II, 18, 2

Primus, diacre catholique de Lemellef : II, 18, 1

Proterius, évêque de Capoue (concile de Rome) : I, 23, 2

Purpurius, évêque de Limata : I, 13, 3 ; 14, 2 ; 19, 2

Reticius, évêque d'Autun (concile de Rome) : I, 23, 1.2

Sabellius : I, 9, 2

Sabinus, évêque de Terracina (concile de Rome) : I, 23, 2

Salomon : IV, 8, 1 ; VII, 4, 1.2

Samuel : II, 25, 2 ; IV, 7, 1

Sarra, épouse de Tobie : III, 2, 1.2

Saül : II, 23, 2.3 ; 25, 2

Scorpianus, hérétique : IV, 5, 5

Secundinus, évêque de Préneste (concile de Rome) : I, 23, 2

Secundus, évêque de Tigisi (concile de Cirta) : I, 14, 3

Secundus le Jeune, neveu de Secundus de Tigisi : I, 14, 2.3

Seth, fils d'Adam : VII, 1, 26

Silvestre, comte (Afrique ?) : III, 4, 9

Silvestre, évêque de Rome : II, 3, 1

Sirice, évêque de Rome : II, 3, 1

Sixte, évêque de Rome II, 3, 1

Solon, esclave public à Abthugni : I, 27, 3

Soter, évêque de Rome : II, 3, 1

Stennius, évêque de Rimini (concile de Rome) : I, 23, 2

Superius, officier de police à Abthugni : I, 27, 2

Taurinus, comte (Afrique) : III, 1, 1 ; 4, 5.6 ; 12, 5

Télesphore, évêque de Rome : II, 3, 1

Tertullien de Carthage : I, 9, 2

Théophile, évêque de Bénévent (concile de Rome) : I, 23, 2

Tobie (père et fils) : III, 2, 1.2

Urbain, évêque de Rome : II, 3, 1

Urbanus, évêque donatiste de Forma : II, 18, 4 ; 19, 3

Urbanus Carisus (concile de Cirta) : I, 14, 1

Ursace, chef de la répression : III, 4, 12 ; 10, 7.9

Valentin, hérétique : I, 9, 2 ; IV, 5, 5 ; 8, 2

IV. INDEX ANALYTIQUE

TABLE DES MATIÈRES

TOME I

TOME II

SOURCES CHRÉTIENNES

Fondateurs : † H. de Lubac, s.j.
† J. Daniélou, s.j.
† C. Mondésert, s.j.
Directeur : D. Bertrand, s.j.
Directeur de la Collection : J.-N. Guinot

Dans la liste qui suit, dite « liste alphabétique », tous les ouvrages sont rangés par nom d'auteur ancien, les numéros précisant pour chacun l'ordre de parution depuis le début de la collection. Pour une information plus complète, on peut se procurer deux autres listes au secrétariat de « Sources Chrétiennes » – 29, rue du Plat, 69002 Lyon (France) – Tél. : 78.37.27.08 :

1. la « liste numérique », qui présente les volumes et leurs auteurs actuels d'après les dates de publication ; elle indique les réimpressions et les ouvrages momentanément épuisés ou dont la réédition est préparée.
2. la « liste thématique », qui présente les volumes d'après les centres d'intérêt et les genres littéraires : exégèse, dogme, histoire, correspondance, apologétique, etc.

LISTE ALPHABÉTIQUE (1-413)

SOUS PRESSE

APPONIUS, **Commentaire sur le Cantique.** Tome I. L. Neyrand, B. de Vregille.

BERNARD DE CLAIRVAUX, **Sermons sur le Cantique.** Tome I. R. Fassetta, P. Verdeyen.

GRÉGOIRE DE NYSSE, **Homélies sur l'Ecclésiaste.** F. Vinel.

MARC LE MOINE, **Traités.** Tome I. G.-M. de Durand.

ORIGÈNE, **Homélies sur les Nombres.** Tome I. L. Doutreleau.

Passion de Perpétue. J. Amat.

PROCHAINES PUBLICATIONS

Les Apophtegmes des Pères. Tome II. J.-C. Guy (†).

EUDOCIE, **Centons homériques.** A.-L. Rey

ISIDORE DE PÉLUSE, **Lettres.** Tome I. P. Évieux.

Livre d'heures ancien du Sinaï. M. Ajjoub.

TERTULLIEN, **Le Voile des vierges.** P. Mattei, E. Schulz-Flügel.

Également aux Éditions du Cerf

LES ŒUVRES DE PHILON D'ALEXANDRIE
publiées sous la direction de
R. ARNALDEZ, C. MONDÉSERT, J. POUILLOUX.
Texte original et traduction française.

ACHEVÉ D'IMPRIMER
SUR LES PRESSES DE
L'IMPRIMERIE CHIRAT
42540 ST-JUST-LA-PENDUE
EN JANVIER 1996
N° D'ÉDITEUR : 10176
DÉPÔT LÉGAL 1996 N° 1538

IMPRIMÉ EN FRANCE

IMPRIMÉ EN FRANCE